JUSTIÇA A QUALQUER PREÇO

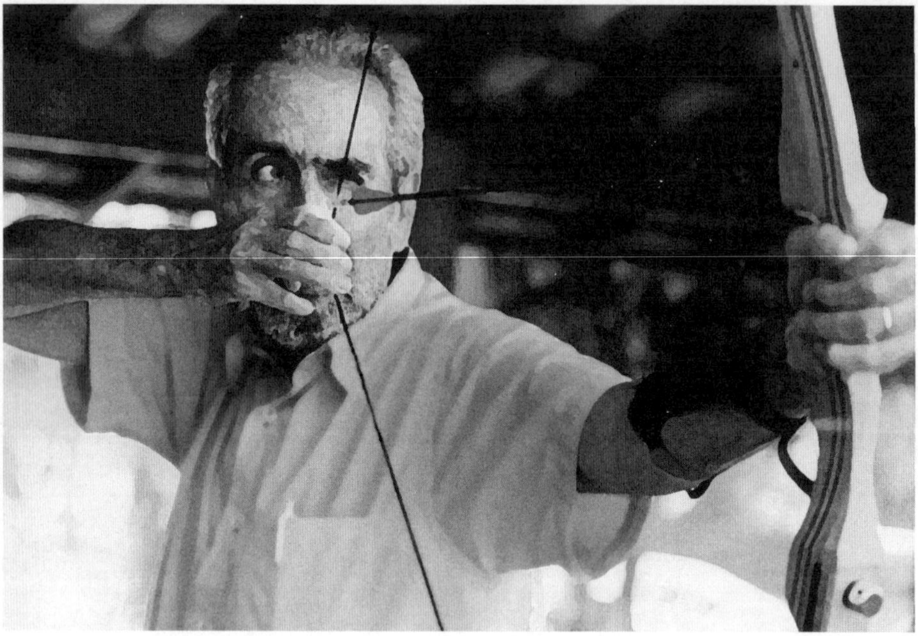

O Arqueiro

Geraldo Jordão Pereira (1938-2008) começou sua carreira aos 17 anos, quando foi trabalhar com seu pai, o célebre editor José Olympio, publicando obras marcantes como *O menino do dedo verde*, de Maurice Druon, e *Minha vida*, de Charles Chaplin.

Em 1976, fundou a Editora Salamandra com o propósito de formar uma nova geração de leitores e acabou criando um dos catálogos infantis mais premiados do Brasil. Em 1992, fugindo de sua linha editorial, lançou *Muitas vidas, muitos mestres*, de Brian Weiss, livro que deu origem à Editora Sextante.

Fã de histórias de suspense, Geraldo descobriu *O Código Da Vinci* antes mesmo de ele ser lançado nos Estados Unidos. A aposta em ficção, que não era o foco da Sextante, foi certeira: o título se transformou em um dos maiores fenômenos editoriais de todos os tempos.

Mas não foi só aos livros que se dedicou. Com seu desejo de ajudar o próximo, Geraldo desenvolveu diversos projetos sociais que se tornaram sua grande paixão.

Com a missão de publicar histórias empolgantes, tornar os livros cada vez mais acessíveis e despertar o amor pela leitura, a Editora Arqueiro é uma homenagem a esta figura extraordinária, capaz de enxergar mais além, mirar nas coisas verdadeiramente importantes e não perder o idealismo e a esperança diante dos desafios e contratempos da vida.

JOHN GRISHAM

JUSTIÇA A QUALQUER PREÇO

ARQUEIRO

Título original: *The Rooster Bar*

tradução: Fernanda Abreu

preparo de originais: Rafaella Lemos

revisão: Cristhiane Ruiz e Luiz Felipe Fonseca

diagramação: Abreu's System

capa: Raul Fernandes

impressão e acabamento: Lis Gráfica e Editora Ltda.

CIP-BRASIL. CATALOGAÇÃO NA PUBLICAÇÃO
SINDICATO NACIONAL DOS EDITORES DE LIVROS, RJ

G888j Grisham, John
Justiça a qualquer preço/ John Grisham; tradução de Fernanda Abreu. São Paulo: Arqueiro, 2018.
336 p.; 16 x 23 cm.

Tradução de: The rooster bar
ISBN 978-85-8041-891-0

1. Ficção americana. I. Abreu, Fernanda. II. Título.

18-51894 CDD: 813
CDU: 82-3(73)

Rua Funchal, 538 – conjuntos 52 e 54 – Vila Olímpia
04551-060 – São Paulo – SP
Tel.: (11) 3868-4492 – Fax: (11) 3862-5818
E-mail: atendimento@editoraarqueiro.com.br
www.editoraarqueiro.com.br

1

O final do ano trouxe as festas de costume, mas na casa dos Fraziers havia pouco a comemorar. A Sra. Frazier decorou uma pequena árvore sem muito empenho, embrulhou alguns presentes baratos e assou uns biscoitos que na verdade ninguém queria. Como sempre, deixou *O Quebra-Nozes* tocando sem parar no aparelho de som enquanto cantarolava animadamente na cozinha, como se a temporada fosse *mesmo* de festa.

As coisas estavam tudo, menos festivas. O Sr. Frazier saíra de casa fazia três anos, e despertava mais desprezo que saudade. Em tempo recorde, fora morar com sua jovem secretária, que, conforme se soube depois, já estava grávida. Rejeitada, humilhada, arruinada e deprimida, a Sra. Frazier ainda estava tentando se reerguer.

Louie, o filho mais novo, estava mais ou menos livre, em prisão domiciliar mediante fiança, e teria um ano difícil pela frente com as acusações relacionadas a drogas e tudo o mais. Ele não fez qualquer esforço para comprar nada a título de presente para a mãe. Sua desculpa foi que não podia sair de casa por causa da tornozeleira eletrônica que o tribunal o obrigara a usar. Porém, mesmo sem ela, ninguém esperava que Louie se desse ao trabalho de comprar presentes. Nos dois anos anteriores, não havia empecilho em seus tornozelos e ele não comprara nada mesmo assim.

Mark, o mais velho, estava em casa se recuperando dos horrores da faculdade de Direito e, embora tivesse ainda menos dinheiro do que o irmão, dera um jeito de comprar um perfume para a mãe. Sua formatura estava marcada para maio e a prova da ordem dos advogados para julho; começaria a trabalhar num escritório de advocacia em Washington em setembro, por acaso o mesmo mês em que estava agendado o julgamento de Louie. Só que o caso do irmão nem seria julgado, e por dois ótimos motivos. Primeiro, os policiais infiltrados o tinham flagrado vendendo dez papelotes de crack – havia até um vídeo – e, segundo, nem Louie nem a mãe tinham como pagar um advogado razoável para resolver a encrenca. Durante todo o feriado, tanto Louie quanto a Sra. Frazier jogaram indiretas, sugerindo que Mark deveria intervir e se oferecer para defender o irmão. Não seria fácil adiar o assunto até a segunda metade do ano, quando Mark já teria sido devidamente aceito na ordem dos advogados? Sua aprovação era quase certa. E, uma vez de posse do registro, não seria uma simples questão de encontrar um daqueles detalhes técnicos de que todo mundo fala para conseguir que o julgamento caísse por terra?

Essa pequena fantasia dos dois tinha algumas falhas bem grandes, mas Mark se recusava a discutir o assunto. Quando ficou evidente que Louie planejava acampar no sofá por no mínimo dez horas no dia 1º e assistir a sete partidas seguidas de futebol americano, Mark saiu de fininho e foi para a casa de um amigo. À noite, dirigindo para casa depois de beber, tomou a decisão de fugir. Voltaria para Washington e mataria tempo com tarefas sem importância do escritório que em breve o contrataria. Ainda faltavam quase duas semanas para as aulas começarem, mas, depois de dez dias ouvindo Louie se lamuriar dos próprios problemas – sem falar no *Quebra-Nozes* tocando sem parar –, Mark estava de saco cheio, ansioso para começar o último semestre na faculdade.

Colocou o despertador para as oito horas da manhã seguinte e, enquanto tomava café com a mãe, explicou que estavam precisando dele em Washington. Desculpe por ir embora um pouco antes do previsto, mãe, e desculpe por deixar você aqui sozinha com seu filho delinquente, mas estou indo. Ele não é responsabilidade minha. Eu tenho meus próprios problemas.

O primeiro desses problemas era o seu carro, um Ford Bronco que ele tinha desde o ensino médio. O hodômetro havia travado em 300 mil quilômetros rodados – e isso acontecera na metade da graduação. O carro precisava desesperadamente de uma bomba de combustível nova, e esse era apenas um dos muitos itens na Lista de Urgências. Usando fita adesiva e clipes de papel, Mark tinha conseguido fazer gambiarras no motor, na caixa de transmissão e nos freios nos últimos dois anos, mas não tivera sorte com a bomba de combustível. O carro andava, mas com uma potência menor do que a normal. Rodava a no máximo 80 quilômetros por hora em terreno plano. Para não ser intimidado pelas carretas nas autoestradas, Mark só usava as vias secundárias da zona rural de Delaware e da parte leste de Maryland. A viagem de duas horas entre Dover e o centro de Washington levava o dobro do tempo.

Isso lhe dava ainda mais chances para pensar em suas outras questões. O segundo problema era sua dívida estudantil sufocante. Ele havia concluído a graduação com 60 mil dólares em empréstimos e nenhum emprego. Seu pai, que na época parecia muito bem casado, mas também estava endividado, o tinha alertado para não continuar os estudos. "Caramba, garoto, quatro anos de graduação e 60 mil no vermelho. Saia dessa antes que fique pior." Como Mark achava que aceitar os conselhos financeiros do pai era tolice, trabalhou uns dois anos aqui e ali como barman e entregador de pizza enquanto negociava com os credores. Em retrospecto, não tinha certeza de onde viera a ideia de cursar Direito, mas lembrava-se de entreouvir uma conversa entre dois caras que falavam em tom grave enquanto bebiam até cair. Mark era o barman e o salão não estava cheio. Depois da quarta rodada de vodca com suco de cranberry, suas vozes estavam altas o suficiente para todo mundo ouvir. Entre as muitas coisas interessantes que disseram, Mark sempre se lembrava de duas: "Os grandes escritórios de advocacia de Washington estão contratando a rodo." E "O salário inicial é de 150 mil por ano".

Não muito depois disso, ele havia esbarrado com um amigo que estava no primeiro ano da Faculdade de Direito Foggy Bottom, em Washington, e o cara começara a falar sobre seus planos para terminar logo o curso, em dois anos e meio, e entrar para um escritório grande com um salário polpudo. O governo federal estava facilitando os financiamentos universitários, qualquer um podia conseguir, e bem, claro, ele iria se formar enterrado em dívidas, mas nada que não conseguisse saldar em cinco anos. Para esse amigo, fazia total sentido "investir em si mesmo" se endividando, porque isso garantiria todo aquele potencial de ganhos no futuro.

Mark mordeu a isca e começou a estudar para o exame de admissão ao curso de Direito. Conseguiu 146 pontos, nada impressionante, mas isso não incomodou o pessoal de admissão da Faculdade de Direito Foggy Bottom.

Tampouco seu currículo anêmico da graduação, com a sofrível média de 2,8 pontos sobre 4. A FDFB o aceitou de braços abertos. Seus pedidos de financiamento foram aprovados com rapidez. Sessenta e cinco mil dólares eram simplesmente transferidos todo ano do Departamento de Educação para a Foggy Bottom. E agora, faltando um semestre para o fim do curso, Mark era obrigado a encarar a triste realidade de se formar com uma dívida, que incluía graduação e especialização em Direito, principal e juros, de 266 mil dólares.

Havia um terceiro problema: o seu emprego. Na verdade, o mercado não estava assim tão bom quanto diziam. Tampouco estava tão vibrante quanto a FDFB havia anunciado em seus panfletos elegantes e em seu site quase fraudulento. Formandos das universidades de Direito mais prestigiosas ainda conseguiam arrumar posições com salários invejáveis, mas a Foggy Bottom não era bem uma faculdade prestigiosa. Mark havia conseguido estabelecer contato com um escritório de Direito de porte médio especializado em "relações com o setor público" – o que não significava nada além de fazer lobby. Seu salário inicial ainda não fora estipulado, pois o conselho administrativo do escritório iria se reunir no início de janeiro para rever os lucros do ano anterior e supostamente mexer na estrutura de cargos e remunerações. Dali a alguns meses, Mark deveria ter uma conversa importante com sua "consultora de empréstimo" sobre reestruturar sua dívida estudantil para dar um jeito de pagar a porcaria toda. A consultora já havia se mostrado preocupada com o fato de ele não saber quanto iria receber. Isso também preocupava Mark, sobretudo pelo fato de ele não confiar em ninguém escritório. Por mais que tentasse se enganar, ele sabia, bem lá no fundo, que o seu emprego não estava garantido.

Outro problema era a prova da ordem. Por causa da demanda, a versão aplicada em Washington era uma das mais difíceis do país, e os formandos da FDFB vinham sendo reprovados a um ritmo alarmante. No exame, as escolas de prestígio da capital também iam bem. No ano anterior, a Georgetown tivera um índice de aprovação de 91%. Na George Washington, o índice fora de 89%. Na FDFB, o índice fora de patéticos 56%. Se quisesse passar, Mark precisava começar a estudar agora, no início de janeiro, e viver seis meses com a cara enfiada nos livros.

Mas ele simplesmente não tinha energia para isso, ainda mais nos dias frios, escuros e deprimentes do inverno. Às vezes a dívida pesava como blocos de concreto presos às suas costas. Andar era um suplício. Sorrir era difícil. Ele estava vivendo na pobreza, e o seu futuro, mesmo se conseguisse o emprego, não era promissor. Isso porque ele era um dos sortudos. Em retrospecto, havia começado a ouvir as reclamações já no primeiro ano, e a cada semestre o clima na faculdade ficava mais sombrio e a desconfiança, mais forte. O mercado de trabalho piorou. Os resultados na prova da ordem constrangiam todo mundo na FDFB. As dívidas foram se acumulando. Agora, em seu terceiro e último ano, não era raro ouvir bate-bocas entre alunos e professores em sala de aula. O reitor não saía de sua sala. Blogueiros atacavam a faculdade e gritavam perguntas duras: "Será um golpe?"; "Nós fomos enganados?"; "Onde foi parar o dinheiro?"

Em graus variados, quase todo mundo que Mark conhecia acreditava que (1) a FDFB era uma faculdade de Direito de segunda categoria que (2) fazia promessas demais, (3) cobrava caro demais e (4) incentivava um endividamento excessivo ao mesmo tempo que (5) admitia muitos alunos medíocres que na verdade não deveriam estar estudando Direito e que (6) ou não se preparavam adequadamente para a prova da ordem ou (7) eram burros demais para passar.

Havia boatos de que as matrículas na FDFB tinham despencado 50%. Sem apoio público e sem fundos próprios, um declínio dessa magnitude causaria todo tipo de cortes de custo dolorosos, e a faculdade, que já era ruim, na verdade só tinha como piorar. Para Mark Frazier e seus amigos, estava tudo bem. Eles aguentariam os quatro meses seguintes e iriam embora de lá felizes, para nunca mais voltar.

MARK MORAVA NUM prédio de cinco andares e oitenta anos de idade, visivelmente caindo aos pedaços. Mas o aluguel era barato, o que atraía alunos da George Washington e da FDFB. No início, o prédio era conhecido como Cooper House, mas após trinta anos nas mãos dos universitários havia feito jus ao seu apelido de Coop, "galinheiro". Como os elevadores quase nunca funcionavam, Mark subiu de escada até o segundo andar e entrou no apartamento apertado e com pouca mobília, pelo qual pagava oitocentos dólares ao mês por 45 metros quadrados. Por algum motivo, tinha feito faxina depois da última prova antes do Natal, e quando acendeu a luz ficou satisfeito ao constatar que tudo estava em ordem. E por que não estaria? O proprietário daquele pardieiro nunca aparecia. Ele largou as malas no chão e se espantou com o silêncio. Em geral repleto de estudantes universitários e com paredes finas, a barulheira era constante. Aparelhos de som, TVs, discussões, pegadinhas, partidas de pôquer, brigas, gente tocando violão e até um nerd no terceiro andar que fazia o prédio inteiro tremer ao tocar trombone. Mas dessa vez não. Todo mundo ainda estava aproveitando o feriado com a família e havia um silêncio inquietante nos corredores.

Meia hora depois, Mark ficou entediado e saiu. Enquanto andava pela New Hampshire Avenue, com o vento penetrando seu fino suéter de lã e sua velha calça de sarja, decidiu, por algum motivo, dobrar na Rua 21 e passar pela faculdade para ver se estava aberta. Numa cidade em que não faltavam prédios modernos horrorosos, a FDFB conseguia se destacar pela feiura. Era um edifício do pós-guerra revestido com tijolos de um amarelo sem graça e dividido em oito andares organizados em alas assimétricas, uma tentativa fracassada de inovação de algum arquiteto. Supostamente tinha sido um prédio comercial, mas as paredes foram derrubadas sem cerimônia para criar auditórios apertados nos quatro pisos inferiores. No quinto ficava a biblioteca, um labirinto de cômodos grandes e modernizados repletos de livros nos quais quase ninguém tocava e de reproduções de retratos de juízes e estudiosos do Direito que ninguém conhecia. No sexto e sétimo andares ficavam as salas dos professores e, no oitavo, o mais longe possível dos alunos, a administração, com o reitor bem escondido num canto do qual raramente se aventurava a sair.

A porta da frente estava destrancada, e Mark entrou no saguão vazio. Embora tenha apreciado o calor lá de dentro, achou o lugar totalmente deprimente, como sempre. Um imenso quadro de avisos ocupava uma das paredes com todo tipo de comunicado, anúncio e proposta atraente. Havia alguns cartazes bonitos divulgando oportunidades para estudar no exterior e a variedade habitual de panfletos feitos à mão, vendendo alguma coisa – livros, bicicletas, ingressos, resumos de cursos, aulas particulares – ou oferecendo apartamentos para alugar. A prova da ordem pairava sobre a faculdade como uma nuvem negra, e cartazes louvavam a excelência de alguns cursinhos de revisão. Se ele procurasse bem, possivelmente conseguiria encontrar algumas oportunidades de emprego, mas na FDFB elas vinham diminuindo a cada ano. Em um canto, viu os mesmos velhos panfletos empurrando ainda mais empréstimos estudantis. Bem no final do saguão havia máquinas de venda automática e um pequeno café, mas nada estava sendo servido ali durante o feriado.

Ele afundou numa poltrona de couro surrada e se deixou tomar pelo clima soturno do ambiente. Será que aquilo era mesmo uma faculdade ou era apenas uma fábrica de diplomas? A resposta estava ficando cada vez mais clara. Pela milésima vez, ele desejou jamais ter atravessado aquelas portas como um calouro inocente. Agora, quase três anos depois, estava afundado em dívidas que não conseguia imaginar como um dia poderia saldar. Se havia uma luz no fim do túnel, ele não conseguia ver.

E por que alguém batizaria uma faculdade de Foggy Bottom, "fundo nebuloso"? Como se a experiência da faculdade de Direito por si só já não fosse deprimente o bastante, vinte anos antes alguma alma iluminada tinha lhe dado um nome que transmitia um baixo-astral ainda maior. Esse cara, agora falecido, tinha vendido a faculdade para uns investidores de Wall Street, proprietários de uma rede de faculdades de Direito que, pelo que constava, vinham rendendo belos lucros e produzindo bem poucos talentos jurídicos.

Como é que alguém vende e compra faculdades de Direito? Isso continuava sendo um mistério.

Mark ouviu vozes e saiu apressado do edifício. Desceu a New Hampshire até Dupont Circle, onde entrou na livraria Kramer Books para tomar um café e se aquecer um pouco. Só andava a pé. Seu carro engasgava e morria demais no trânsito da cidade, e ele o mantinha estacionado num terreno baldio atrás do Coop, sempre com a chave na ignição. Infelizmente, até agora ninguém se sentira tentado a roubá-lo.

Novamente aquecido, subiu seis quarteirões pela Connecticut Avenue. O escritório de advocacia Ness Skelton ocupava alguns andares de um edifício moderno perto do Hinckley Hilton. Mark conseguira se infiltrar na empresa no verão anterior, aceitando um estágio por um pagamento inferior ao salário mínimo. Nos grandes escritórios de advocacia, os programas de férias eram usados para atrair os melhores alunos. Tinha-se pouco trabalho. Os estagiários cumpriam um horário ridiculamente tranquilo, ganhavam ingressos para partidas esportivas e eram convidados para festas elegantes nos esplêndidos jardins dos sócios ricos. Uma vez seduzidos, assinavam um contrato e, assim que se formavam, eram jogados no moedor de carne das cem horas semanais.

No Ness Skelton não era assim. Com apenas cinquenta advogados, o escritório estava longe de ser um dos dez maiores. Seus clientes eram associações comerciais - o Fórum da Soja, os Funcionários Aposentados dos Correios, o Conselho da Carne Bovina e Ovina, os Prestadores Nacionais de Serviços de Asfaltamento, os Engenheiros Rodoviários Portadores de Deficiência e vários prestadores de serviço da indústria da defesa desesperados pela sua fatia do bolo. A especialidade do escritório, se é que ele tinha alguma, era manter boas relações com o Congresso. Seu programa de estágios de férias destinava-se mais a explorar mão de obra barata do que a atrair bons alunos. Mark tinha dado duro e suportado o trabalho embrutecedor. No final do verão, quando lhe ofereceram algo parecido com um emprego fixo depois que ele passasse na prova da ordem, não conseguiu decidir se deveria comemorar ou chorar. Mesmo assim, agarrou a oferta, pois não tinha outra escolha, e tornou-se orgulhosamente um dos poucos alunos da FDFB a terem um futuro. Ao longo de todo o outono, havia pressionado delicadamente seu supervisor com relação às condições do tão aguardado cargo, mas sem sucesso. Era possível que houvesse uma fusão. Era possível que houvesse uma divisão. Várias coisas eram possíveis, mas um contrato de trabalho não estava entre elas.

Então ele ficava por lá. Tardes, sábados, feriados ou a qualquer momento em que se sentisse entediado, ele passava no escritório, sempre com um grande sorriso fingido no rosto, animado para ajudar com o trabalho braçal. Não estava claro se isso lhe trazia alguma vantagem, mas ele acreditava que mal não poderia fazer.

Seu supervisor se chamava Randall. Trabalhava no escritório havia dez anos e estava prestes a se tornar sócio, de modo que estava sob muita pressão. Um associado ao Ness Skelton que não virasse sócio depois de uma década era discretamente mandado embora. Randall era formado pela George Washington, que, na escala social da cidade, ficava um degrau abaixo da Georgetown, mas vários acima da Foggy Bottom. A hierarquia era clara e rígida, e eram os advogados da George Washington quem mais a enfatizavam. Eles detestavam ser menosprezados pelo pessoal da Georgetown; por isso, viviam loucos para tratar com desprezo ainda maior qualquer um da FDFB. O escritório inteiro tinha cheiro de panelinhas e esnobismo, e Mark muitas vezes se perguntava como tinha ido parar ali. Dois dos advogados associados tinham estudado na FDFB, mas estavam tão ocupados tentando se distanciar da imagem da faculdade que não sobrava tempo para ajudar Mark. Na verdade, pareciam ignorá-lo mais do que qualquer outra pessoa. "Que jeito de administrar um escritório de advocacia", havia resmungado para si muitas vezes. Mas então pensava que cada profissão tinha seu nível de status. Estava preocupado demais com a própria pele para ficar se importando com a faculdade onde os outros haviam estudado. Tinha os próprios problemas para resolver.

Mandara um e-mail para Randall avisando que passaria no escritório para fazer qualquer trabalho braçal que estivesse disponível. Seu supervisor o recebeu com um sucinto:

– Já de volta?

Claro, Randall, e você, como foi de feriado? Prazer em vê-lo.

– É, fiquei de saco cheio de todo aquele clima de feriado. O que está rolando?

– Duas secretárias não vieram porque estão gripadas – disse Randall. Ele apontou para uma pilha de documentos com 30 centímetros de altura. – Preciso de catorze cópias disso aí, ordenadas e grampeadas.

Tá bom, de volta à sala de fotocópias, pensou Mark.

– É pra já – falou, como se estivesse ansioso para começar.

Levou os documentos para o subsolo, uma masmorra de copiadoras. Passou as três horas seguintes fazendo um trabalho estúpido pelo qual não iria receber nada.

Estava quase com saudade do Louie e de sua tornozeleira eletrônica.

2

Assim como Mark, Todd Lucero se inspirou a virar advogado por causa de conversas regadas a birita entreouvidas num bar. Nos últimos três anos, vinha trabalhando como barman no Old Red Cat, um pub frequentado por alunos da George Washington e da Foggy Bottom. Depois da graduação na estadual de Frostburg, tinha saído de Baltimore e ido parar em Washington em busca de uma carreira. Quando não encontrou nenhuma, começou a trabalhar no Old Red Cat em meio expediente e logo percebeu que gostava de servir chope e preparar drinques fortes. Passara a amar aquela vida de bar e tinha um dom para puxar papo com os bebedores mais sérios e conter os arruaceiros. Todd era o barman preferido de todo mundo e tratava centenas de clientes assíduos como colegas.

Nos últimos dois anos e meio, ele havia pensado muitas vezes em desistir da faculdade de Direito para correr atrás do sonho de ter o próprio bar. Seu pai, entretanto, tinha fortes opiniões contra esse projeto. Lucero pai era policial em Baltimore e sempre havia pressionado o filho para conseguir um diploma de ensino superior. Pressionar era uma coisa, mas pagar eram outros quinhentos. Assim, Todd tinha caído na mesma arapuca de pegar dinheiro emprestado com facilidade e entregá-lo para o pessoal ganancioso da FDFB.

Ele e Mark Frazier haviam se conhecido durante a orientação aos novos alunos no primeiro dia de aula, quando ambos ainda estavam com um brilho no olhar, sonhando com uma carreira de sucesso e um gordo salário, quando ainda eram - eles e outros 350 alunos - terrivelmente ingênuos. Todd jurou largar o curso depois do primeiro ano, mas seu pai gritou com ele. Por causa das responsabilidades no bar, ele nunca arrumava tempo de ir de porta em porta nos escritórios da cidade para caçar um estágio de férias. Jurou largar o curso depois do segundo ano e estancar a dívida crescente, mas seu consultor de empréstimo o aconselhou fortemente a não fazer isso. Contanto que continuasse estudando, ele não teria de enfrentar um cronograma brutal de pagamentos, então fazia total sentido continuar pegando empréstimos para poder se formar e depois encontrar um daqueles empregos lucrativos que, em teoria, dariam conta de saldar as dívidas. Só que agora, faltando apenas um semestre, ele sabia muito bem que esses empregos não existiam.

Quem dera houvesse pegado 195 mil dólares de empréstimo num banco e aberto o próprio bar. Estaria ganhando rios de dinheiro e aproveitando a vida.

MARK ENTROU NO Old Red Cat logo que escureceu e foi se sentar em seu lugar preferido no final do balcão. Cumprimentou Todd batendo com o punho fechado no dele.

- Bom ver você, cara.

- Digo o mesmo - disse Todd, fazendo uma caneca gelada de chope deslizar na direção de Mark.

Depois de tantos anos de casa, podia servir fiado para quem quisesse, e havia anos que Mark não pagava.

Com os alunos de férias, o bar estava calmo. Todd se apoiou nos cotovelos e perguntou:

- E aí, o que está rolando?

- Bom, passei a tarde no bom e velho Ness Skelton, na sala das copiadoras, arrumando uns papéis que ninguém nunca vai ler. Mais um trabalho idiota. Até os assistentes me olham com desprezo. Eu odeio aquilo lá e ainda nem fui contratado.

- Nada de contrato ainda?

- Nada, e a cada dia que passa o negócio fica mais incerto.

Todd tomou um gole rápido de sua caneca escondida atrás do balcão.

Mesmo com tantos anos de casa, não podia beber em serviço, mas seu patrão não estava lá.

– E como foi o Natal lá na casa dos Fraziers? – perguntou.

– Ho, ho, ho. Aguentei dez dias terríveis e dei o fora. E você?

– Três. Aí o dever chamou e voltei ao trabalho. E o Louie, como vai?

– Continua acusado, correndo sério risco de ir mesmo para a cadeia. Eu deveria estar com pena dele, mas fica difícil ter compaixão por um cara que passa metade do dia dormindo e a outra metade jogado no sofá vendo *Judge Judy* e reclamando da tornozeleira eletrônica. Coitada da mamãe.

– Você está sendo muito duro com ele.

– Não o bastante. Esse é o problema dele. Ninguém nunca foi duro com o Louie. Ele foi pego com maconha quando tinha 13 anos e pôs a culpa num amigo. Meus pais correram para defender o filhinho, é claro. Ele nunca teve que se responsabilizar por nada. Até agora.

– Putz, cara. Não consigo imaginar como deve ser ter um irmão na cadeia.

– É, uma merda. Eu queria ajudar, mas não tenho como.

– Não vou nem perguntar sobre o seu pai.

– Não estive com ele nem tive notícias. Nem sequer um cartão. Ele está com 50 anos e é o feliz papai de um menino de 3. Imagino que tenha se fantasiado de Papai Noel, colocado uma penca de brinquedos debaixo da árvore e sorrido feito um imbecil quando o menino desceu a escada aos gritinhos. Que cara desprezível.

Duas estudantes entraram no bar e Todd foi servi-las. Mark pegou o telefone para checar as mensagens.

Ao voltar, Todd perguntou:

– Já recebeu alguma nota?

– Não. E que diferença faz? Nós somos todos melhores alunos. – As notas na Foggy Bottom eram uma piada. Era fundamental que os formandos saíssem de lá com um currículo impecável. Para isso, os professores distribuíam As e Bs indiscriminadamente. Ninguém levava pau na FDFB. Então é claro que isso tinha dado origem a uma cultura um tanto preguiçosa, o que, naturalmente, acabava com qualquer chance de aprendizado competitivo. Um monte de alunos medíocres ficando ainda mais medíocres. Não era de espantar que a prova da ordem fosse um desafio tão grande. – E não podemos esperar que um bando de professores com salários mais altos do que merecem corrijam provas durante o feriado, né?

Todd tomou outro gole, chegou ainda mais perto e disse:

– A gente tem um problema maior.

– O Gordy?

– O Gordy.

– Era o que eu temia. Mandei mensagem e tentei telefonar, mas o celular dele está desligado. O que está rolando?

– A coisa está ruim – respondeu Todd. – Pelo visto, ele foi passar o Natal em casa e brigou com a Brenda o tempo todo. Ela quer um grande casamento na igreja, com mil convidados. O Gordy não quer se casar. A mãe dela está se metendo. A mãe dele parou de falar com a mãe dela, e a situação toda está fugindo ao controle.

– Todd, eles vão casar no dia 15 de maio. Se me lembro bem, você e eu nos comprometemos a ser padrinhos.

– Bom, não aposte nisso. Ele já voltou para Washington e parou de tomar os remédios. Zola passou aqui hoje à tarde e me contou.

– Que remédios?

– É uma longa história.

– Que remédios?

– Ele é bipolar, Mark. Foi diagnosticado há uns anos.

– Está brincando, né?

– Por que eu iria brincar com uma coisa dessas? Ele é bipolar, e Zola disse que ele parou de tomar os remédios.

– Por que ele não contou pra gente?

– Isso eu não sei responder.

Mark tomou um grande gole de chope e balançou a cabeça.

– Zola já voltou?

– Já. Está na cara que ela e o Gordy voltaram correndo para ficar alguns dias no bem-bom, embora eu não tenha certeza de que estejam curtindo tanto assim. Ela acha que ele parou de tomar os remédios há mais ou menos um mês, quando estávamos estudando para as provas finais. Num dia está eufórico, no outro está prostrado depois de ter tomado tequila e fumado maconha. Fica falando loucuras, que quer largar a faculdade e fugir para a Jamaica, com a Zola, claro. Ela acha que ele pode fazer alguma besteira e se machucar.

– Gordy é um idiota. Está noivo da namorada do colégio, uma menina bonitinha que ainda por cima é rica, e fica de rolo com uma africana cujos pais e irmãos estão neste país sem o benefício daqueles documentos imigratórios de que todo mundo vive falando. É, o cara é um idiota.

– Mark, o Gordy está mal. Ele está piorando há semanas e precisa da nossa ajuda.

Mark empurrou a caneca para o lado e juntou as mãos na nuca.

– Como se a gente não tivesse problema suficiente. Como exatamente você acha que daria para ajudar?

– Me diga você. Zola está tentando ficar de olho nele e quer que a gente vá para lá hoje à noite.

Mark começou a rir e deu outro gole.

– Qual é a graça?

– Nada, mas você imagina o escândalo naquela cidadezinha dele, se ficassem sabendo que Gordon Tanner, filho do diácono e noivo da filha de um médico famoso, enlouqueceu, abandonou a faculdade de Direito e fugiu para a Jamaica com uma africana muçulmana?

– Estou quase conseguindo ver a graça.

– Bom, tente mais um pouco. É hilário. – Mas Mark já havia parado de rir. – Olhe aqui, Todd, a gente não pode obrigar ele a tomar o remédio. Ele daria porrada em nós dois.

– Mark, ele precisa da nossa ajuda. Eu saio às nove, daí a gente vai lá.

Um homem de terno elegante se sentou no balcão e Todd foi anotar seu pedido. Mark deu um gole em seu chope e afundou ainda mais na fossa.

3

Três anos antes de Zola Maal nascer, seus pais fugiram do Senegal. Instalaram-se numa favela de Joanesburgo com os dois filhos pequenos e arrumaram subempregos fazendo faxina e cavando valas. Depois de dois anos, juntaram dinheiro suficiente para a viagem de navio. Usando os serviços de um atravessador/traficante, pagaram por uma viagem horrorosa até Miami a bordo de um cargueiro da Libéria junto com mais uns dez senegaleses. Após desembarcarem em segurança no país, um tio fora encontrá-los e os levara de carro até sua casa em Newark, Nova Jersey, onde eles passaram a morar num apartamento de dois cômodos num prédio ocupado por vários outros senegaleses – dos quais nenhum tinha *greencard*.

Um ano depois da chegada da família aos Estados Unidos, Zola nasceu no Hospital Universitário de Newark e se tornou automaticamente uma cidadã americana. Enquanto os pais trabalhavam em dois, três empregos, todos abaixo do salário mínimo e pagos em dinheiro vivo, Zola e os irmãos iam à escola e se integravam à comunidade. Como muçulmanos devotos, praticavam sua religião, embora desde cedo Zola tenha se sentido atraída pelo estilo de vida ocidental. Seu pai era um homem severo, e insistiu que os seus idiomas natais, o wolof e o francês, fossem substituídos pelo inglês. As crianças assimilaram a nova língua e a ensinavam aos pais em casa.

A família morou em muitos lugares em Newark, em apartamentos apertados, cada um apenas um pouco maior do que o anterior, sempre com outros senegaleses por perto. Todos viviam com medo de serem deportados, mas a união faz a força – ou ao menos era isso que pensavam. Cada batida à porta causava um calafrio. Ficar longe de problemas era fundamental, e Zola e os irmãos foram ensinados a evitar qualquer coisa que pudesse atrair o tipo errado de atenção. Embora ela tivesse toda a documentação correta, sabia que a família estava em risco. Vivia apavorada sabendo que seus pais e irmãos podiam ser presos e mandados de volta para o Senegal.

Aos 15 anos, tinha arrumado o primeiro emprego – lavar pratos numa lanchonete, pagamento em dinheiro e claro, muito pouco. Seus irmãos também trabalhavam, e a família vivia economizando o máximo que podia.

Quando não estava trabalhando, Zola estudava. Passou sem dificuldades pelo ensino médio, com notas boas, e se inscreveu em meio período numa faculdade pequena. Uma bolsa de estudos lhe permitiu passar para o horário integral e também lhe valeu um emprego na biblioteca. Mas ela continuou lavando pratos, fazendo faxinas com a mãe e trabalhando como babá ocasionalmente para amigos da família com empregos melhores. Seu irmão mais velho se casou com uma moça americana que não era muçulmana, e, embora isso significasse um caminho mais fácil para a cidadania, o atrito com os pais foi grande. Ele e sua nova esposa se mudaram para a Califórnia para começar uma vida nova.

Aos 20 anos, Zola saiu de casa e se matriculou na Universidade Estadual de Montclair. Foi morar num alojamento com duas americanas – que também viviam com um orçamento apertado. Escolheu o curso de contabilidade porque gostava de trabalhar com números e levava jeito para finanças. Estudava bastante quando tinha tempo, mas ter de conciliar dois e às vezes três empregos atrapalhava muito. Suas colegas de quarto a apresentaram às festas, e ela descobriu que levava jeito para isso também. Ainda que se ativesse à estrita proibição muçulmana em relação ao álcool – pelo menos não suportava o gosto de bebida alcoólica –, era mais receptiva a outra tentações. Sobretudo a moda e o sexo. Tinha quase um metro e oitenta, e sempre lhe diziam o quanto ela ficava linda de calça jeans apertada. Seu primeiro namorado ficou feliz em lhe ensinar tudo sobre sexo. O segundo a apresentou às drogas recreativas. Ao final do primeiro ano na nova faculdade, ela já se considerava secreta e desafiadoramente uma muçulmana não praticante, embora seus pais não tivessem a menor ideia disso.

Eles em breve teriam problemas mais sérios. Durante o semestre de outono de seu último ano na graduação, o pai de Zola foi detido e passou duas semanas preso antes de conseguirem pagar a fiança. Na época, ele estava trabalhando como pintor para um mestre de obras, também senegalês, que tinha a documentação em dia. Ao que parecia, seu patrão havia oferecido um orçamento melhor do que o de um concorrente sindicalizado para um serviço de pintura na parte interna de um grande complexo de escritórios em Newark. O mestre de obras sindicalizado notificou o Órgão de Fiscalização de Imigração e Alfândega, o ICE, e denunciou o emprego de imigrantes ilegais. Isso por si só já era sério, mas alguns materiais de escritório supostamente haviam sumido, e as acusações começaram. O pai de Zola e quatro outros trabalhadores ilegais foram indiciados por furto. Além da acusação penal, seu pai também foi intimado a comparecer ao tribunal de imigração.

Zola contratou um advogado que se dizia especialista nesse tipo de questão, e a família pagou um adiantamento de 9 mil dólares - praticamente todas as suas economias. O advogado era muito ocupado e raramente retornava as ligações. Com os pais e o irmão escondidos em Newark e arredores, Zola ficou sozinha para lidar com ele. Ela logo passou a desprezar o sujeito, um homem que falava depressa e gostava de distorcer a verdade, e o teria dispensado não fosse o adiantamento. Quando ele não apareceu no tribunal, o juiz o retirou do caso. Zola acabou convencendo um advogado a substituí-lo sem cobrar pela assistência jurídica, e a acusação por furto foi retirada. A deportação, contudo, continuava um risco. O caso foi se arrastando e a distração foi tanta que suas notas caíram. Depois de várias convocações e audiências, Zola se convenceu de que todos os advogados eram preguiçosos ou burros e que ela própria poderia fazer um trabalho melhor.

Foi então que caiu no golpe de que, com um financiamento federal facilitado, qualquer um poderia estudar Direito e deu os primeiros e corajosos passos que a levariam à Foggy Bottom. Agora, na metade do último ano de Direito, devia mais dinheiro do que conseguia imaginar. Tanto seus pais quanto Bo, seu irmão solteiro, corriam o risco de ser deportados, embora seus casos se arrastassem pelos sobrecarregados tribunais de imigração.

ELA MORAVA NA Rua 23, num prédio em estado não tão ruim quanto o Coop, mas parecido sob muitos aspectos. O lugar era cheio de estudantes universitários espremidos em apartamentos pequenos e cheios de mobília barata. No início do terceiro ano, havia conhecido Gordon Tanner, um rapaz louro, bonito e atlético que morava no apartamento em frente. Uma coisa levou rapidamente a outra e os dois iniciaram um fatídico caso que em pouco tempo os levou a cogitar a possibilidade de morarem juntos – para poupar dinheiro, claro. Gordon finalmente vetou a ideia porque Brenda, a linda noiva de sua cidade natal, adorava a cidade grande e o visitava com frequência.

Conciliar duas mulheres se revelou demais para Gordy. Ele estava noivo de Brenda desde sempre e agora queria desesperadamente se livrar do casamento. Zola era um outro tipo de problema, pois ele não estava convencido de que era corajoso o suficiente para fugir com uma garota negra e deixar família e amigos para trás. Some-se a isso a pressão de um mercado de trabalho saturado ou inexistente, uma dívida sufocante e a perspectiva de não passar na prova da ordem, e Gordy perdeu o controle. Ele havia sido diagnosticado como bipolar cinco anos antes. Remédios e terapia funcionavam bem. Com exceção de um episódio assustador na graduação, sua vida tinha sido bem normal até ali. Isso mudou por volta do dia de Ação de Graças do terceiro ano na Foggy Bottom, quando ele parou com a medicação. Chocada com suas oscilações de humor, Zola finalmente o confrontou. Ele confessou a doença e voltou a tomar os remédios. Os altos e baixos se regularizaram por umas duas semanas.

Eles terminaram as provas e foram passar o feriado com as respectivas famílias, embora nenhum dos dois quisesse ir. Gordy estava decidido a provocar a briga final com Brenda e acabar com os planos de casamento. Zola não queria passar tempo com a família. Mesmo com todos os problemas que tinha, seu pai achava necessário fazer sermões e comentários sobre o pecaminoso estilo de vida ocidental da filha.

Uma semana depois, os dois estavam de volta a Washington. Gordy ainda estava noivo, e o casamento ainda estava confirmado para 15 de maio. Mas ele havia parado de tomar os remédios e estava se comportando de maneira imprevisível. Passou dois dias sem sair do quarto, dormindo durante horas e depois ficando sentado, com o queixo apoiado nos joelhos, olhando fixamente para as paredes escuras. Zola entrava e saía, sem ter certeza do que fazer. Ele desapareceu por três dias e ficou lhe mandando mensagens de texto dizendo que estava num trem para Nova York para "entrevistar umas pessoas". Estava no rastro de uma grande conspiração e tinha muito trabalho a fazer. Ela estava dormindo no seu apartamento quando ele apareceu às quatro da manhã, arrancando suas roupas e querendo sexo. Mais tarde no mesmo dia, desapareceu outra vez, atrás de malfeitores, para "desencavar uns podres". Ao voltar, continuava na fase da mania e passou horas no laptop. Disse a ela para não ir ao seu apartamento, porque tinha muito trabalho a fazer.

Assustada e irritada, Zola acabou indo até o Old Red Cat conversar com Todd.

4

Ela os estava esperando em frente ao prédio, e eles a seguiram escada acima até seu apartamento no primeiro andar. Quando entraram, ela fechou a porta e lhes agradeceu por terem ido. Estava claramente preocupada, quase histérica.

– Cadê ele? – perguntou Mark.

– Lá – respondeu Zola, meneando a cabeça em direção ao corredor. – Não me deixa entrar e se recusa a sair. Acho que está sem dormir há dois dias. Fica para lá e para cá e neste exato momento está subindo pelas paredes.

– E sem o remédio? – indagou Todd.

– Pelo visto, sim, ao menos não o prescrito. Desconfio que esteja se automedicando.

Eles se entreolharam, cada qual esperando alguém dar o próximo passo. Por fim, Mark falou:

– Vamos lá.

Eles atravessaram o corredor e Mark bateu à porta.

– Gordy, sou eu, Mark. Estou aqui com o Todd e a Zola, e a gente quer conversar.

Sem resposta. Dava para escutar Bruce Springsteen bem baixinho ao fundo.

Mark tornou a bater e repetiu o que tinha dito. A música cessou. Uma cadeira ou banco foi chutado e caiu no chão. Silêncio, então a fechadura fez um clique. Alguns segundos se passaram e Mark abriu a porta.

Gordy estava em pé no meio do cômodo apertado, vestindo apenas um velho short de ginástica do Redskins, o mesmo que eles já o tinham visto usar uma centena de vezes. Estava olhando fixamente para uma parede e os ignorou quando eles entraram. À sua esquerda, a pequena cozinha estava de pernas para o ar, com latinhas de cerveja vazias e garrafas de destilados abandonadas na pia e espalhadas pelas bancadas. Copos de papel, guardanapos usados e embalagens de sanduíche cobriam o chão. À sua direita, a pequena mesa de jantar estava lotada de papéis dispostos em pilhas aleatórias em volta de um laptop e de uma impressora. Debaixo da mesa, o chão estava coberto de papéis, pastas e matérias de revista descartados. O sofá, a televisão, a espreguiçadeira e a mesa de centro tinham sido empurrados o máximo possível para um dos cantos, como se para afastar tudo da parede.

Que por sua vez era um labirinto de cartolinas brancas e dezenas de folhas de papel, tudo organizado segundo alguma ordem maluca e pregado com tachinhas coloridas e fita durex. Com pilot preto, azul e vermelho, Gordy estava em pleno processo de montar um gigantesco quebra-cabeça corporativo, alguma grandiosa conspiração que conduzia aos rostos ameaçadores de alguns homens no alto.

Ele parecia estar encarando esses rostos. Estava pálido, abatido e obviamente havia perdido muito peso, algo que Mark e Todd não tinham percebido duas semanas antes, durante as provas finais. Ele era atlético e adorava malhar, mas os músculos tonificados tinham desaparecido. Os fartos cabelos louros, fonte de imensa vaidade, estavam lambidos e sem lavar havia dias. Ao vê-lo e constatar a condição de seu apartamento, eles entenderam na mesma hora que seu amigo tinha passado dos limites. Estavam diante de um artista maníaco, isolado e perturbado – e muito concentrado em trabalhar num enorme painel.

– A que devo a honra? – perguntou Gordy, virando-se para encará-los de cara feia.

Estava com os olhos fundos, as bochechas chupadas e o rosto coberto por uma barba de uma semana.

– A gente precisa conversar – falou Mark.

– É, precisa – respondeu ele. – Mas quem vai falar sou eu, porque tenho muita coisa a dizer. Agora entendi tudo. Eu peguei os filhos da mãe, e a gente precisa agir rápido.

Pisando em ovos, Todd concordou:

– Tá bom, Gordy. A gente está aqui para escutar. O que está rolando?

Gordy apontou para o sofá e falou com toda calma:

– Sentem-se, por favor.

– Prefiro ficar em pé, Gordy, se estiver tudo bem – disse Mark.

– Não! – vociferou ele. – Não está tudo bem. Faça o que eu estou dizendo e vai ficar. Agora sente – cuspiu por entre os dentes, claramente zangado, parecendo prestes a socar alguém.

Nem Mark nem Todd durariam dez segundos num mano a mano com Gordy. Já haviam presenciado o amigo em duas brigas, ambas vencidas com nocautes rápidos e com Gordy ainda em pé.

Todd e Zola sentaram-se no sofá, e Mark puxou uma banqueta do bar. Todos encaravam a parede sem acreditar. Aquilo era um labirinto de fluxogramas com setas apontando em todas as direções e ligando dezenas de empresas, escritórios de advocacia, nomes e números. Como colegiais que acabaram de levar uma bronca, eles ficaram sentados, aguardando enquanto assimilavam o que estavam vendo.

Gordy foi até a mesa de jantar, onde havia uma garrafa de tequila pela metade. Serviu um pouco em sua caneca de café favorita e bebeu como se estivesse tomando chá.

– Você perdeu bastante peso, Gordy – comentou Mark.

– Não reparei. Depois recupero. A gente não está aqui para falar sobre o meu peso. – Segurando a caneca e obviamente sem pensar em oferecer algo para beber aos amigos, ele foi até a parede e apontou para a foto do alto. – Este aqui é o Grande Satã. O nome dele é Hinds Rackley, um advogado de Wall Street convertido em escroque do investimento, com uma fortuna de apenas 4 bilhões, o que hoje em dia mal consegue pôr o coitado na lista da *Forbes*. Um bilionário menor, digamos, mas que mesmo assim tem todos os brinquedinhos: mansão na Quinta Avenida com vista para o parque, uma grande propriedade nos Hamptons, iate, uns dois jatinhos, esposa perfeita, o de sempre. Estudou Direito em Harvard, depois passou alguns anos num grande escritório. Não se adaptou, de modo que abriu o próprio escritório com uns amigos, fez umas fusões aqui e ali, e agora tem ou controla quatro escritórios de advocacia. Para um bilionário, é um tanto tímido e preza muito a própria privacidade. Opera por trás de muitas empresas diferentes. Só consegui rastrear umas poucas, mas descobri o suficiente.

Gordy estava falando com a parede, de costas para a plateia. Quando ergueu a caneca para a encher com mais tequila, as marcas das costelas ficaram visíveis. Sua perda de peso era espantosa. Ele agora falava com calma, como se revelasse fatos que apenas ele soubesse.

– O principal empreendimento dele é a Shiloh Square Financial, um fundo de investimentos privado que também lida com aquisições alavancadas, dívidas de empresas em recuperação judicial, todos os joguinhos habituais de Wall Street. A Shiloh controla uma parte da Varanda Capital, não se sabe quanto, porque os arquivos deles são sumários. Tudo nesse cara é ardiloso. E a Varanda controla uma parte do Grupo Baytrium. Como vocês devem saber, o Baytrium é dono de várias outras empresas, entre as quais está nossa querida Faculdade de Direito Foggy Bottom. A nossa e três outras. O que vocês não sabem é que a Varanda controla também uma empresa chamada Lacker Street Trust, com sede em Chicago, e a Lacker Street é dona de quatro outras faculdades de Direito particulares. Um total de oito.

Do lado direito da parede, dentro de grandes quadrados, estavam os nomes Shiloh Square Financial, Varanda Capital e Grupo Baytrium. Abaixo, numa fileira, liam-se os nomes de oito faculdades de Direito: Foggy Bottom, Midwest, Poseidon, Gulf Coast, Galveston, Bunker Hill, Central Arizona e Staten Island. Abaixo de cada nome havia números e palavras em letras miúdas demais para serem lidas do outro lado da sala.

Gordy foi até a mesa e serviu devagar mais uma dose de tequila. Bebeu um gole, foi de novo até a parede e ficou de frente para eles.

– Rackley começou a juntar essas faculdades todas uns dez anos atrás, sempre escondido por muitas das suas fachadas, claro. Não é contra a lei ser dono de uma faculdade de Direito ou de graduação com fins lucrativos, mas mesmo assim ele quer manter isso debaixo dos panos. Acho que tem medo de alguém descobrir o seu esquemazinho sujo. Eu descobri. – Ele deu outro gole e os encarou intensamente, os olhos arregalados e brilhantes. – Em 2006, os caras inteligentes lá do Congresso decidiram que qualquer um deveria ter a possibilidade de melhorar consideravelmente de vida estudando mais, então resolveram, em linhas gerais, que qualquer pessoa, inclusive nós quatro aqui, poderia pedir emprestado quanto fosse necessário para cursar o ensino superior. Financiamento para todo mundo, dinheiro fácil. Anuidades, livros, até despesas com moradia, independentemente do valor, e, claro, tudo amparado pela garantia do governo federal.

– Todo mundo sabe disso, Gordy – disse Mark.

– Ah, obrigado, Mark. Agora, por favor, fique sentado e calado aí e me deixe falar.

– Sim, senhor.

– O que nem todo mundo sabe é que, depois de Rackley abrir as faculdades de Direito, todas as oito começaram a se expandir rapidamente. Em 2005, a Foggy Bottom tinha quatrocentos alunos. Quando a gente chegou, em 2011, eram mil inscritos, número que se mantém até hoje. O mesmo vale para as outras faculdades dele, todas com mais ou menos mil alunos. As faculdades compraram imóveis, contrataram qualquer professor de segunda que conseguiram encontrar, pagaram rios de dinheiro para administradores com currículos aceitáveis e, claro, fizeram um marketing feroz. E por quê? Bem, o que nem todo mundo sabe é como funciona a economia das faculdades de Direito particulares.

Ele tomou outro gole e foi até a extrema direita da parede, onde havia um cartaz coberto de números e cálculos.

– Um pouco de matemática sobre as faculdades de Direito – anunciou. – Vamos pegar a Foggy Bottom, por exemplo. Eles nos arrancam 45 mil por ano de anuidade, e todo mundo paga. Não existem bolsas, nem fundos de auxílio, nada que as instituições de verdade têm para oferecer. Isso significa um lucro bruto de 45 milhões. Eles pagam aos professores uns 100 mil por ano, muito abaixo da média nacional de 220 mil para as boas faculdades, mas mesmo assim uma maravilha para os palhaços que deram aula para a gente. A oferta de acadêmicos do Direito à procura de trabalho é inesgotável, então eles fazem fila para implorar por um emprego porque, naturalmente, adoram a companhia de nós alunos. A faculdade gosta de se gabar de sua baixa proporção de alunos por professor, dez para um, como se todos nós tivéssemos aula com profissionais de talento em turmas pequenas e acolhedoras, certo? Lembram das aulas de Direito Civil do primeiro semestre? Éramos uns duzentos alunos espremidos na sala de aula do Steve Gaguinho.

– Como você descobriu os salários deles? – interrompeu Todd.

– Conversei com um professor, fui atrás dele. Ele lecionava Direito Administrativo para o terceiro ano, e a gente nunca teve aula com ele. Foi demitido faz dois anos por beber em serviço. Nós tomamos um porre juntos e ele me contou tudo. Eu tenho minhas fontes, Todd, sei do que estou falando.

– Tá, tá bom. Estava só curioso.

– Enfim, a Foggy Bottom tem uns 150 professores, a sua maior despesa.

Uns quinze milhões por ano, digamos. – Ele apontou para uma confusão de números que os outros mal conseguiam ler. – Depois disso tem a administração do último andar. Vocês sabiam que o nosso incompetente reitor ganha 800 mil por ano? É claro que não. O reitor da Faculdade de Direito de Harvard ganha meio milhão por ano, mas não é responsável por uma fábrica de diplomas onde alguém está de olho no saldo. O nosso reitor tem um bom currículo, parece ótimo no papel, fala bem toda vez que fala e tem mostrado bastante talento para servir de fachada para Rackley. Esse embuste paga bem todos os seus reitores e espera que eles vendam o sonho. Somemos mais uns 3 milhões, digamos, para os outros salários superfaturados lá de cima, e é razoável supor que a administração custe 4 milhões por ano. Vamos ser generosos e arredondar para cinco, o que nos deixa com 20 milhões de custos. No ano passado, a operação da faculdade teve um custo de 4 milhões: o imóvel, o quadro de funcionários e o marketing, claro. Só em anúncios foram gastos quase 2 milhões para atrair um número ainda maior de almas perdidas e fazer com que se matriculassem, começassem a pegar dinheiro emprestado e fossem atrás de uma carreira gloriosa no Direito. Sei disso porque tenho um amigo que é um hacker de talento. Algumas coisas ele encontrou, outras não, e ficou impressionado com a segurança da faculdade. Disse que eles se esforçam muito para proteger os arquivos.

– Isso dá 24 milhões – disse Mark.

– Você é rápido. Vamos arredondar para 25, e o Grande Satã lucra 20 milhões líquidos por ano graças à boa e velha Foggy Bottom. Multipliquem isso por oito, e a conta vai deixar vocês de queixo caído.

Gordy pigarreou e cuspiu na parede. Tomou outro gole, engoliu devagar e deu alguns passos de um lado para o outro.

– Então, como Rackley faz? – indagou ele. – Ele vende o sonho, e a gente morde a isca. Quando as suas oito faculdades se expandiram da noite para o dia, elas abriram as portas para todo mundo, sem se preocupar com as qualificações ou com a pontuação no exame de admissão em cursos de Direito. A pontuação média para entrar no primeiro ano da Georgetown, que nós temos certeza de estar entre as faculdades de prestígio, é 165. Nas da Ivy League a média é ainda maior. Nós não sabemos a média da Foggy Bottom, isso é um segredo militar. Meu hacker não conseguiu entrar no arquivo. Mas é seguro dizer que está bem abaixo de 150, provavelmente mais perto de 140. Uma das maiores falhas nesse sistema defeituoso é que nenhuma média é baixa demais para ser aceita. Essas faculdades de merda aceitam qualquer um que consiga um empréstimo federal e, como já sabemos, *qualquer um* pode pegar dinheiro do governo emprestado. A Ordem Nacional de Advogados acreditaria até num jardim de infância que alegasse ser uma faculdade de Direito. Ninguém está nem aí para quão burro é um candidato. Nem o programa de financiamento federal. Não quero ofender ninguém aqui, mas todos nós sabemos a nossa pontuação. Todos nós já ficamos bêbados o suficiente para falar sobre ela. Com exceção da Zola, claro, que por acaso tem a mais alta dos quatro. Então, para ser amigável, eu diria que a média deste nosso grupinho é 145. Com base nos percentuais, as chances de passar na prova da ordem com uma pontuação de 145 é de mais ou menos 50%. Ninguém nos disse isso quando a gente se candidatou, porque eles não estão nem aí para a gente; só querem o nosso dinheiro. A gente já estava ferrado no dia em que entrou.

– Você está ensinando o padre a rezar missa – disse Mark.

– E o sermão não acabou – rebateu Gordy, que em seguida os ignorou por alguns instantes enquanto estudava sua parede.

Mais uma vez, os três outros trocaram olhares carregados de apreensão e medo. O sermão estava interessante, mas eles estavam muito mais preocupados com o amigo.

Gordy retomou:

– A gente está nessa situação porque viu a oportunidade de correr atrás de um sonho que ninguém tinha dinheiro para pagar. Nenhum de nós deveria estar estudando Direito, e agora estamos enterrados até o pescoço em dívidas. Nosso lugar não é aqui, mas a gente caiu num golpe e acreditou que o nosso destino era uma carreira lucrativa. Tudo graças ao marketing e à promessa de um emprego. Empregos, empregos, empregos, grandes empregos com ótimos salários. Só que na realidade eles não existem. No ano passado, os grandes escritórios de Wall Street estavam oferecendo 175 mil para os melhores formandos. Uns 160 mil aqui em Washington. A gente passou anos ouvindo falar de empregos como esses e por algum motivo se convenceu de que poderia conseguir um. Hoje nós sabemos a verdade, e a verdade é que existem alguns empregos na faixa dos 50 mil, tipo isso que você conseguiu arrumar, Mark, embora ainda não saiba qual vai ser o salário. São vagas em escritórios pequenos onde o trabalho é brutal e o futuro é sombrio. Os grandes escritórios pagam acima de 160. E não existe nada entre os dois. Nada. A gente aguentou as entrevistas, bateu de porta em porta, vasculhou a internet. Nós sabemos como o mercado está ruim.

Os três menearam a cabeça, principalmente para acalmá-lo. Gordy tomou outro gole, foi até o lado esquerdo da parede e apontou.

– É aqui que estão as coisas feias de verdade, a parte sobre a qual vocês não sabem nada. Rackley é dono de um escritório de advocacia em Nova York chamado Quinn & Vyrdoliac; vocês talvez já tenham ouvido falar. Eu não tinha. No meio, ele é conhecido apenas como Quinn. Tem sucursais em seis cidades, uns quatrocentos advogados, e não está entre os cem maiores do país. Tem uma filial pequena aqui em Washington com trinta advogados. – Ele apontou para uma folha de papel com o nome do escritório em negrito. – O Quinn presta sobretudo serviços financeiros, a parte suja do negócio. Lida com arrestos, recuperações, cobranças, inadimplências, falências, quase tudo relacionado a dívidas que deram errado. Inclusive financiamentos estudantis. O Quinn paga bem, pelo menos no início. – Ele apontou para um folheto colorido de três partes aberto e pregado na parede. – Eu vi isto aqui quatro anos atrás, quando estava pensando em entrar para a Foggy Bottom. Vocês também devem ter visto. Esse folheto estampa o rosto sorridente de um certo Jared Molson, um graduando que supostamente tinha conseguido um emprego feliz no Quinn com um salário inicial de 125 mil. Eu me lembro de ter pensado, *ora, se a Foggy Bottom está formando caras que arrumam empregos assim, estou dentro*. Bem, eu achei o Sr. Molson, tive uma longa conversa com ele enquanto bebíamos uma cerveja. Ele recebeu uma oferta de emprego do Quinn, mas só assinou um contrato depois de passar na prova da ordem. Trabalhou lá durante seis anos e acabou pedindo demissão. Ele pediu as contas porque o salário dele não parava de *baixar*. Segundo ele, a cada ano a administração estudava o lucro do escritório e decidia que era preciso cortar custos. Em seu último ano, ele faturou pouco mais de 100 mil e não aguentou mais. Disse que passou a viver feito um mendigo, conseguiu reduzir a dívida e agora trabalha como corretor de imóveis e dirige um Uber em meio período. Esse escritório trata os funcionários como escravos, e ele diz que foi usado pela máquina de propaganda da Foggy Bottom.

– E ele não é o único, certo? – perguntou Todd.

– Ah, não. Molson foi só um entre muitos. O Quinn tem um site todo metido a besta, e eu li a biografia de todos os quatrocentos advogados. Trinta por cento deles se formaram nas faculdades do Rackley. Trinta por cento! Então, amigos, o Rackley contrata essas pessoas a salários invejáveis e depois usa seus rostos sorridentes e suas grandes histórias de sucesso para fazer propaganda.

Ele fez uma pausa, tomou um gole e então abriu um sorriso convencido, como se esperasse aplausos. Chegou mais perto da parede e apontou para outro rosto, uma fotografia em preto e branco xerocada, uma das três logo abaixo do Grande Satã.

– Esse safado aqui é Alan Grind, um advogado de Seattle que é sócio limitado da Varanda. Grind é dono de um escritório de advocacia chamado King & Roswell, mais uma operação de baixo prestígio com duzentos advogados em cinco cidades, principalmente no oeste do país. – Ele apontou para a esquerda, onde o King & Roswell ocupava um lugar ao lado do Quinn & Vyrdoliac. – Dos duzentos advogados do Grind, 45 saíram das oito faculdades.

Ele tomou outro gole e foi até a mesa encher a caneca.

– Você vai beber essa garrafa toda? – perguntou Mark.

– Só se eu quiser.

– Talvez fosse bom você pegar mais leve.

– E talvez fosse bom você cuidar da sua vida. Eu não estou bêbado, só estou alterado na medida certa. E quem você acha que é para ficar regulando a minha bebida?

Mark respirou fundo e deixou para lá. O discurso de Gordy estava claro o bastante. Sua cabeça com certeza estava funcionando bem. Apesar da aparência desleixada, ele parecia sob controle, pelo menos por ora. Tornou a ir até a parede e apontou para as fotos.

– Este aqui do meio é Walter Baldwin, tem um escritório de advocacia em Chicago chamado Spann & Tatta, trezentos advogados em sete cidades, de costa a costa. Mesmo tipo de serviço, mesma predileção por formandos de faculdades pequenas. – Ele apontou para o terceiro rosto abaixo de Rackley. – E para fechar a gangue temos o Sr. Marvin Jockety, sócio sênior de um escritório de advocacia do Brooklyn chamado Ratliff & Cosgrove. Mesma estrutura, mesmo modelo de negócios.

Gordy tomou outro gole e admirou seu trabalho. Virou-se e olhou para os três.

– Sem querer esmiuçar o que deveria estar óbvio, o Rackley tem o controle sobre quatro escritórios de advocacia com 1100 advogados em 27 escritórios. Juntos, eles contratam formandos suficientes de todas as suas faculdades para lhes dar munição de sobra para se gabar, de modo que otários como a gente venham correndo com montes de dinheiro fornecido pelo Congresso. – Sua voz de repente ficou alta e trêmula. – É perfeito! É lindo! É uma grandissíssima armação envolvendo faculdades de Direito sem risco nenhum. Se a gente não honrar nossas dívidas, os contribuintes pagam a conta. Rackley consegue privatizar os lucros e socializar os prejuízos.

De repente, ele arremessou sua caneca de café na parede. A caneca ricocheteou no drywall sem quebrar e saiu rolando pelo chão. Ele se sentou com força contra a parede, de frente para os outros três, e esticou as pernas. As solas de seus pés estavam pretas de sujeira e fuligem.

O barulho da caneca jogada ficou ecoando por alguns segundos enquanto eles observavam o amigo. Nada foi dito por um longo tempo. Mark ficou olhando para a parede, assimilando o complô. Não havia motivo algum para duvidar da pesquisa de Gordy. Todd encarava a parede como se estivesse fascinado pela conspiração. Zola encarava Gordy e se perguntava o que deveriam fazer com ele.

Por fim, quase num sussurro, Gordy falou:

– O meu número é 276 mil em empréstimos, contando este semestre. Qual é o seu, Mark?

Não havia segredos. Os quatro se conheciam bem o bastante.

– Contando este semestre, 266 – disse Mark.

– Todd?

– 195.

– Zola?

– 191.

Gordy balançou a cabeça e riu, não por estar achando graça, mas por incredulidade.

– Quase um milhão. Quem, em sã consciência, emprestaria um milhão de dólares para nós quatro?

Isso agora parecia mesmo absurdo, risível até. Após outra longa pausa, Gordy falou:

– Não tem saída. Mentiram para a gente. Nós fomos enganados, caímos num golpe e fomos tragados para este lugar patético. Não tem saída.

Lentamente, Todd se levantou e foi até a parede. Apontou para o meio dela e perguntou:

– O que é Sorvann Lenders?

Gordy bufou em mais uma risada nervosa e respondeu:

– O resto da história. Por meio de outra empresa (e esse cara tem mais fachada do que um shopping popular), Rackley é dono da Sorvann, que é hoje a quarta maior financiadora privada de estudantes universitários. Quando você não consegue dinheiro suficiente com o governo, passa para as empresas privadas, onde, surpresa, as taxas de juros são mais altas e os cobradores fazem a máfia parecer escoteiros-mirins. A Sorvann oferece empréstimos para os alunos da graduação também e tem uma carteira de uns 90 milhões de dólares. É uma empresa em expansão. É óbvio que Rackley também está farejando lucro no setor privado.

– E o que é Passant? – perguntou Todd.

Outra risada sofrida. Gordy se levantou devagar e foi até a mesa, onde pegou a garrafa e tomou uma golada no gargalo. Fez uma careta, engoliu com força, limpou a boca com o antebraço e por fim falou:

– Passant é a terceira maior empresa de cobrança de empréstimos do país. Presta serviços para o Departamento de Educação para "atender" as dívidas universitárias, como eles gostam de dizer. Tem mais de um trilhão de dólares por aí, emprestados a idiotas como a gente. A Passant é um bando de terroristas e já foi processada várias vezes por práticas abusivas de cobrança. O Rackley é dono de uma parte dela. O cara é a encarnação do mal.

Gordy foi até o sofá e sentou-se ao lado de Zola. Quando ele passou, Mark sentiu o forte cê-cê. Todd foi até a cozinha americana, deu a volta no lixo espalhado pelo chão, abriu a geladeira e pegou duas latas de cerveja. Passou uma para Mark e ambos as abriram. Sem ligar para o mau cheiro de Gordy, Zola afagou sua perna.

Mark meneou a cabeça em direção à parede e perguntou:

– Há quanto tempo você está trabalhando nisso?

– Não importa. Tem mais coisa na história, se quiserem escutar.

– Eu já escutei o suficiente – disse Mark. – Ao menos por agora. Que tal a gente ir até a esquina comer uma pizza? A Mario's ainda está aberta.

– Ótima ideia – concordou Todd, mas ninguém se mexeu.

Por fim, Gordy falou:

– Meus pais estão comprometidos com 90 mil da minha dívida, uma por um financiamento particular da época da graduação. Dá para acreditar? Eles hesitaram por um bom motivo, mas eu insisti muito. Que imbecil! Meu pai ganha 50 mil por ano vendendo implementos agrícolas e não tinha nenhuma dívida, a não ser a hipoteca, quando eu comecei a pegar empréstimos. Minha mãe trabalha em meio período na escola. Eu menti para eles, disse que estou com um ótimo emprego garantido e que vou poder pagar as parcelas. Menti para a Brenda também. Ela acha que a gente vai morar na cidade grande, onde eu vou sair para trabalhar todos os dias vestindo um terno bonito, ansioso para abrir caminho até o topo. Eu estou numa sinuca de bico, pessoal, e não vejo saída.

– A gente vai sobreviver, Gordy – consolou Mark, mas sem convicção.

– A gente vai sair dessa – afirmou Todd, sem especificar a que "essa" estava se referindo: a faculdade de Direito? A dívida? A falta de emprego? Ou o colapso mental de Gordy?

Os desafios eram muitos no momento. Fez-se mais uma pausa longa e desanimada. Mark e Todd bebiam suas cervejas em silêncio.

– Como a gente pode desmascarar o Rackley? Eu já pensei em me sentar com um jornalista, alguém que cubra a parte financeira no *Post* ou quem sabe no *Journal*. Pensei até numa ação coletiva na justiça contra o safado. Pensem nos milhares de jovens idiotas como a gente, que estão no mesmo barco furado e adorariam atacar o cara depois que a verdade vier à tona.

– Não acho que um processo seja possível – opinou Mark. – Ele com certeza montou um esquema brilhante, mas não fez nada que possa justificar um processo. Não existe nenhuma lei que proíba as faculdades de fundo de quintal, muito embora ele esteja fazendo o máximo para esconder isso. Seus escritórios de advocacia podem contratar quem bem entenderem. É nojento, injusto, fraudulento, mas não é o bastante para um processo.

– Concordo – disse Todd. – Mas adoro a ideia de ajudar um repórter investigativo a atacar o cara.

– Não teve um caso na Califórnia em que uma estudante de Direito processou a faculdade porque não conseguia arrumar emprego? – perguntou Zola.

– Sim, teve vários casos assim; nenhum deles deu em nada, com exceção desse da Califórnia – respondeu Mark. – O caso foi a julgamento e o júri decidiu a favor da faculdade.

– Eu não vou desistir do processo – disse Gordy. – É o melhor jeito de desmascarar o Rackley. Dá para imaginar como seria uma revelação dessas?

– Seria bem divertido, mas ele não é burro – falou Mark. – Pô, o cara tem quatro escritórios de advocacia. Pense só na artilharia pesada que ele usaria contra você. Os requerentes passariam cinco anos soterrados pela papelada.

– O que você sabe sobre processos na justiça? – perguntou Gordy.

– Tudo. Eu estudei na Foggy Bottom.

– Sem mais perguntas.

A tentativa desanimada de fazer graça passou, e eles ficaram olhando para o chão. Por fim, Todd falou:

– Venha, Gordy, vamos comer uma pizza.

– Eu não vou a lugar nenhum, mas acho que vocês deveriam ir embora.

– Nesse caso a gente também não vai – disse Mark. – Vamos ficar aqui.

– Por quê? Eu não preciso de babá. Podem ir.

Ainda em pé, Todd foi até o sofá e encarou o amigo.

– Vamos falar sobre você, Gordy, você e o seu quadro. Você não está dormindo nem comendo, nem tomando banho, aliás. Está tomando a medicação?

– Que medicação?

– Pare com isso, Gordy. A gente é seu amigo e está aqui para ajudar.

– Que medicação? – ele exigiu saber.

– Pare com isso, Gordy. A gente sabe o que está acontecendo – disse Mark.

Gordy se virou para Zola e esbravejou:

– O que você contou para eles?

Zola estava a ponto de responder quando Todd se interpôs:

– Nada. Ela não disse nada, mas a gente não é cego, Gordy. Somos seus melhores amigos, e você precisa de ajuda.

– Eu não preciso de medicação – disparou ele de volta, antes de se levantar num pulo, passar esbarrando em Todd e entrar no quarto. Segundos depois, gritou: – Vão embora daqui! – E bateu a porta.

Eles inspiraram fundo e se entreolharam.

Segundos depois, a porta se abriu e Gordy saiu. Pegou a garrafa de tequila e falou:

– Fora daqui! Agora!

Tornou a desaparecer dentro do quarto.

Um minuto se passou sem qualquer barulho. Zola se levantou e atravessou a sala. Encostou o ouvido na porta do quarto e ficou escutando. Deu um passo para trás e sussurrou:

– Acho que ele está chorando.

– Ótimo – sussurrou Mark.

Mais um minuto se passou. Bem baixinho, Todd disse:

– A gente não pode deixar ele sozinho.

– De jeito nenhum – concordou Mark. – Vamos nos revezar. Eu fico com o primeiro turno ali no sofá.

– Eu não vou sair daqui – disse Zola.

Mark olhou em volta e terminou sua cerveja. Quase num sussurro, falou:

– Tá, você fica com o sofá e eu com a poltrona. Todd, você dorme no sofá da Zola, e daqui a algumas horas a gente troca.

Todd aquiesceu e disse:

– Tá, acho que funciona.

Foi até a geladeira, pegou outra cerveja e saiu. Mark apagou as luzes e se acomodou na poltrona de couro surrada. A alguns metros dele, Zola se encolheu no sofá.

– Esta noite vai ser longa – sussurrou ele.

– É melhor a gente não dizer nada – falou ela. – As paredes são finas e ele pode escutar.

– Certo.

O relógio digital do micro-ondas emitia uma luz azulada que pareceu ficar mais forte à medida que seus olhos se adaptavam à escuridão. A luz definiu as sombras da pequena mesa de jantar, do computador e da impressora. Embora eles ainda estivessem totalmente acordados, nada se movia no recinto. Nenhum som vinha do quarto. Uma música suave e distante chegava do corredor. Dez minutos depois, Mark sacou o telefone e verificou as mensagens e os e-mails. Nada importante. Os dez minutos seguintes foram como uma hora inteira, e a poltrona foi se tornando cada vez mais desconfortável.

Mark encarou a parede. Não conseguia ver a imagem de Hinds Rackley, mas podia sentir seus olhos a observá-los com um ar de superioridade. Nesse momento, porém, ele não estava preocupado com Rackley e seu grande esquema. Estava preocupado com Gordy. Seu desafio no dia seguinte seria fazer o amigo ir ao médico.

5

Às duas da manhã, Todd entrou no apartamento de Gordy sem fazer barulho e viu que tanto Mark quanto Zola estavam dormindo. Sacudiu o braço de Mark e sussurrou: "Minha vez." Mark se levantou, alongou braços e pernas, atravessou o corredor e se jogou no sofá de Zola.

Antes do amanhecer, Gordy saiu da cama e vestiu a calça jeans, um suéter de moletom, meias e uma jaqueta de brim. Segurando as botas de caminhada, ficou parado junto à porta e apurou os ouvidos. Sabia que os amigos estavam na sala esperando ele fazer alguma coisa. Abriu a porta do quarto devagar e escutou. Deu um passo para dentro da sala, viu a silhueta deles no sofá e na poltrona, ouviu sua respiração pesada e caminhou até a porta sem fazer barulho. No final do corredor, calçou as botas e saiu do prédio.

Ao primeiro sinal da luz do sol, Zola acordou e se sentou no sofá. Ao ver a porta do quarto aberta, levantou-se num pulo, acendeu a luz e constatou que Gordy tinha conseguido escapar.

– Ele não está aqui! – gritou para Todd. – Ele sumiu!

Todd se levantou da poltrona atabalhoado e passou por ela até chegar ao quarto, um pequeno espaço onde seria impossível se esconder. Verificou dentro do armário, olhou no banheiro e berrou:

– Merda! O que houve?

– Ele acordou e foi embora – explicou ela.

Os dois ficaram se olhando, sem acreditar, e então foram dar a notícia a Mark. Os três desceram a escada apressados e atravessaram o corredor do térreo até a porta dos fundos do prédio. Havia uns dez carros no estacionamento, mas nenhum deles pertencia a Gordy. Como eles temiam, seu pequeno Mazda sumira. Zola ligou para o celular de Gordy, mas é claro que ninguém atendeu. Eles voltaram ao apartamento, trancaram as portas e andaram três quarteirões até um pequeno restaurante, onde ocuparam uma das mesas box e tentaram reorganizar as ideias tomando café preto.

– Não tem como encontrar o Gordy nesta cidade – lamentou Mark.

– Ele não quer ser encontrado – falou Todd.

– Será que a gente deve chamar a polícia? – perguntou Zola.

– Para dizer o quê? Que o nosso amigo sumiu e talvez faça mal a si mesmo? Esses policiais estão ocupados com os assassinatos e estupros de ontem à noite.

– E os pais dele? – perguntou Todd. – Eles provavelmente não fazem a menor ideia do estado em que ele está.

Mark estava balançando a cabeça.

– Não, o Gordy iria nos odiar para sempre. Além do mais, o que eles podem fazer? Vir correndo para a cidade grande e começar a procurar?

– Concordo, mas o Gordy tem um médico em algum lugar, seja aqui ou lá na cidade dele. Um médico que o conhece, que já o tratou, que receitou os remédios, alguém que deveria saber que ele não está nada bem. Se a gente contar para os pais, eles podem pelo menos informar o médico. E daí se o Gordy ficar puto? Ao menos alguém vai ajudá-lo.

– Faz sentido – concordou Zola. – E o médico fica aqui. O Gordy tem consulta com ele uma vez por mês.

– Você sabe o nome dele?

– Não. Tentei descobrir, mas não tive sorte.

– Tá, quem sabe depois, mas agora a gente precisa achar o Gordy.

Os três ficaram tomando café e refletindo sobre a impossibilidade de encontrá-lo na cidade. Uma garçonete apareceu e perguntou se queriam algo para comer. Eles recusaram. Ninguém estava com apetite.

– Alguma ideia? – perguntou Mark a Zola.

Ela fez que não com a cabeça.

– Na verdade, não. Na última semana, ele sumiu duas vezes. Na primeira pegou um trem até Nova York e passou três dias desaparecido. Quando voltou, não disse muita coisa, só que estava no rastro do Grande Satã. Acho que ele conversou com umas pessoas por lá. Depois passou um ou dois dias aqui; a gente ficou quase o tempo todo junto. Ele estava bebendo e dormindo bastante. Aí eu cheguei em casa do trabalho e ele tinha sumido outra vez. Durante dois dias, nada. Foi então que ele descobriu o professor de Direito que tinha sido demitido da Foggy Bottom.

– Você sabia o que ele estava fazendo? – indagou Todd.

– Não. Dois dias atrás, ele se trancou no apartamento e não quis me ver. Acho que foi nessa hora que afastou os móveis e começou a montar aquilo na parede.

– Quanto você sabe sobre a doença dele? – perguntou Mark.

Ela inspirou fundo e hesitou.

– Isso tudo é confidencial, gente, vocês sabem, né? Ele me fez jurar segredo.

– Óbvio, Zola, a gente está junto nessa – disse Mark. – É claro que é tudo confidencial.

Ela olhou em volta para ver se as outras pessoas estavam escutando.

– Em setembro eu encontrei os comprimidos dele, então a gente conversou. Ele foi diagnosticado como bipolar quando estava na graduação e não contou para ninguém, nem para a Brenda. Só contou para ela algum tempo depois, de modo que ela sabe. Com a terapia e os remédios, ele tem segurado bem as pontas.

– Eu nunca soube – comentou Mark.

– Nem eu – disse Todd.

– Não é raro que pessoas bipolares cheguem a acreditar que não precisam mais da medicação – continuou Zola. – Eles se sentem ótimos e se convencem que podem viver muito bem sem os remédios. Então param de tomar, mas as coisas logo começam a piorar e eles muitas vezes passam a recorrer à automedicação. Foi isso que aconteceu com o Gordy, mas ele também estava sofrendo várias outras pressões. Toda essa confusão da faculdade, a falta de emprego, o financiamento e, para piorar, ele estava com a sensação de estar sendo empurrado para um casamento. Quando o feriado de Ação de Graças chegou, ele já estava péssimo, mas fez de tudo para esconder.

– Por que você não comentou nada com a gente?

– Porque ele iria me odiar. Estava convencido de que conseguiria enfrentar a situação e dar um jeito de sobreviver. E, em retrospecto, na maior parte do tempo ele estava bem. Só que as oscilações de humor pioraram e ele também passou a beber mais.

– Você deveria ter contado para a gente – repreendeu Mark.

– Eu não sabia o que fazer. Nunca tive de lidar com uma coisa dessas na vida.

– Apontar o dedo não vai adiantar nada agora – disse Todd a Mark.

– Desculpe.

Todd olhou para o celular e falou:

– São quase oito da manhã. Nenhuma notícia do Gordy. Ao meio-dia preciso ir para o bar e trabalhar um turno. O que vocês vão fazer hoje?

– Eu trabalho por algumas horas a partir das dez – disse Zola.

Ela estava com um emprego temporário num pequeno escritório de contabilidade.

– Bom, eu voltei antes para fugir de casa e, com sorte, montar um planejamento para começar a estudar para a prova da ordem, mas na verdade não quero. Acho que vou dar uma passada no Ness Skelton e matar o dia puxando o saco dos meus futuros chefes tentando parecer necessário e relevante. Sem receber nada, claro. Tenho certeza de que eles devem estar precisando de ajuda nas copiadoras.

– Tem que amar muito o Direito – disse Todd. – Eu vou ser mais produtivo no bar.

– Valeu.

– Imagino que a única coisa que a gente pode fazer é esperar.

Todd pagou o café e eles saíram do restaurante. Tinham caminhado um quarteirão quando o celular de Zola vibrou. Ela o tirou de um dos bolsos, olhou, parou e disse:

– É Gordy. Ele foi preso.

ÀS 4H35 DA manhã, Gordy foi parado quando um policial reparou em seu Mazda andando em zigue-zague pela Connecticut Avenue. Cambaleou durante um teste de embriaguez e acabou concordando em soprar o bafômetro. Marcou 0,11 no aparelho portátil e na mesma hora foi algemado e posto no banco de trás da viatura. Um reboque levou seu carro para o depósito. Na delagacia, ele soprou outra vez e teve o mesmo resultado. Colheram suas digitais, tiraram sua foto e ele foi fichado e jogado na cela dos bêbados junto com mais seis pessoas. Às oito da manhã, um oficial de justiça o levou até uma salinha, entregou-lhe seu celular e lhe disse que ele podia usá-lo uma vez. Ele mandou uma mensagem para Zola, depois o oficial pegou seu aparelho de volta e o levou até a cela.

Meia hora mais tarde, seus três amigos entraram pela porta da delegacia, passaram por um detetor de metais e foram conduzidos até uma sala grande onde, evidentemente, as famílias e amigos iam buscar seus entes queridos depois de uma noite ruim. Cadeiras margeavam três das paredes e havia revistas e jornais espalhados. Atrás de uma grande vidraça na parede dos fundos, dois agentes uniformizados mexiam em papelada. Havia vários policiais ali, alguns conversando com pessoas atordoadas e agitadas. Eram umas dez ou doze ao todo – pais, cônjuges, amigos, todos com o mesmo ar assustado e modos inquietos. Dois homens de ternos de má qualidade e com pastas de couro surradas pareciam estar no seu habitat natural. Um deles conversava animadamente com um policial que parecia conhecê-lo bem. O outro estava sentado com um casal de meia-idade. A mãe chorava.

Mark, Todd e Zola acharam lugares num canto e avaliaram o recinto. Pouco depois, Mark foi até a vidraça e deu um sorriso amarelo para uma das agentes. Disse que tinha ido buscar o amigo Gordon Tanner, e a agente checou uns papéis. Meneou a cabeça em direção às cadeiras e disse que levaria algum tempo. Mark voltou para seu lugar entre Todd e Zola.

O advogado que estava conversando com o policial os observou com cuidado e não demorou a se aproximar. Seu terno de três peças era feito de um tecido lustroso acobreado. Os sapatos, pretos e brilhantes, tinham um bico pontudo levantado na ponta. Sua camisa era azul-bebê e a gravata, com um nó volumoso, era verde-clara e não combinava com mais nada. Ele usava um grande relógio de ouro com brilhantes num dos pulsos e duas grossas pulseiras de ouro no outro. Tinha os cabelos penteados para trás com gel e embolados atrás das orelhas. Sem sorrir, fez sua abordagem padrão:

– Embriaguez ao volante?

– Isso – respondeu Mark.

O advogado já estava distribuindo seus cartões de visita. Darrell Cromley, Advogado. Especialista em embriaguez ao volante. Cada um dos três recebeu um cartão, e Darrell perguntou:

– Quem é o sortudo?

– Nosso amigo – respondeu Todd.

– Primeira vez? – indagou Darrell num tom feliz.

– É, primeira vez – respondeu Mark.

– Sinto muito. Eu posso ajudar. Só faço isso, motoristas alcoolizados. Conheço todos os policiais, juízes, escreventes, oficiais de justiça, todos os macetes do sistema. Sou o melhor nessa área.

Tomando cuidado para não dizer nada que pudesse demonstrar o menor interesse em contratar o sujeito, Mark perguntou:

– Tá, o que vai acontecer com ele?

Com agilidade, Darrell puxou uma cadeira dobrável mais para perto e se sentou de frente para eles. Sem perder o ritmo, perguntou:

– Qual é o nome dele?

– Gordon Tanner.

– Bom, Tanner soprou 0,11, então não há muita margem de manobra. Primeiro vocês precisam pagar duzentas pratas para tirar ele daqui. Fiança por comprometimento próprio. Eles vão avaliar o caso dele daqui a mais ou menos uma hora, então ele vai poder sair. Pegar o carro dele vai custar outros duzentos. Está no pátio municipal. Isso deve levar uma meia hora. Ele vai ter uma audiência marcada para daqui a uma semana mais ou menos. É aí que eu entro. Meus honorários são mil dólares em dinheiro.

– Ele vai perder a carteira de habilitação? – quis saber Todd.

– Não, ao menos até ser condenado, daqui a cerca de um mês. Vai ficar sem carteia por um ano e pagar uma multa de 5 mil, mas eu consigo abater parte dela. Na verdade eu sou um ótimo negócio, sabem? Além do mais, ele corre o risco de ter que passar cinco noites na cadeia, mas nisso também eu posso fazer alguma mágica. A gente inscreve ele no serviço comunitário, e ele não vai preso. Acreditem, eu sei como funciona. Vocês estão na faculdade?

– É, a gente estuda Direito – disse Mark, sem intenção de dizer o nome da faculdade.

– Na Georgetown?

– Não – respondeu Todd baixinho. – Na Foggy Bottom.

Cromley sorriu e disse:

– Eu estudei lá. Me formei há doze anos.

A porta se abriu, e mais um casal de pais preocupados entrou. Cromley os encarou como um cão faminto. Quando ele tornou a olhar para os três, Todd falou:

– Quer dizer que a gente precisa de quatrocentas pratas em dinheiro agora.

– Quatrocentas não, mil e quatrocentas. Duzentas para a fiança. Duzentas para o carro. Mil para mim.

– Tá, mas o nosso amigo provavelmente devia ter algum dinheiro com ele – disse Zola. – Como a gente pode descobrir quanto ele tinha?

– Eu posso descobrir. Se me contratarem, eu começo a trabalhar agora. Seu amigo precisa de proteção, e é aí que eu entro. A máquina dos processos por embriaguez ao volante aqui desta cidade vai mastigar ele e cuspir o bagaço.

– Olhe, o nosso amigo não está passando bem – comentou Zola. – Ele está, hum, bom, está com alguns problemas e parou de tomar a medicação. A gente precisa levar ele ao médico.

Darrell gostou disso! Seus olhos se estreitaram e ele partiu para o ataque.

– Claro. Depois que o soltarmos, eu posso fazer um pedido para antecipar a audiência. Como eu disse, conheço bem os juízes e posso apressar as coisas. Mas a tarifa vai subir, claro. Não vamos atrasar as coisas.

– Tá, tá bom, dê um tempinho para a gente pensar no assunto – disse Mark.

Cromley se levantou depressa e disse:

– Vocês têm meu telefone.

Afastou-se e achou outro policial para bater papo enquanto avaliava os presentes em busca da próxima vítima. Enquanto eles o observavam, Mark sussurrou:

– Esse pode ser a gente daqui a alguns anos.

– Que verme – reclamou Todd, mal baixando a voz.

– Eu tenho 80 dólares – disse Zola. – Vamos passar o chapéu.

Mark franziu a testa e falou:

– Estou com pouco. Uns trinta, talvez.

– Eu também, mas tenho o suficiente no banco – explicou Todd. – Vou correndo achar um caixa eletrônico enquanto vocês esperam aqui.

– Bom plano.

Todd saiu depressa da sala enquanto mais pessoas chegavam. Mark e Zola ficaram observando Cromley e o outro advogado abordarem os presentes. Entre uma vítima e outra, Cromley conversava com algum policial ou recebia telefonemas importantes no celular. Em várias ocasiões, saiu da sala, sempre ao celular, como se tivesse que resolver alguma questão jurídica urgente em outro lugar. Mas sempre voltava, com um ar decidido.

– Quanta coisa não nos ensinaram na faculdade – observou Mark.

– Nem escritório esse cara deve ter – disse Zola.

– Está de brincadeira? Aqui é o escritório dele.

DUAS HORAS APÓS chegarem à delegacia, os três saíram com Gordy. Como Zola não tinha carro e o de Mark não estava confiável para circular na cidade, eles se espremeram no Kia compacto de Todd e foram até o pátio municipal de veículos em Anacostia, perto do estaleiro naval. Gordy foi no banco de trás ao lado de Zola, de olhos fechados, sem dizer nada. De fato, quase ninguém falou nada, embora houvesse muito a dizer. Mark queria pôr todas as cartas na mesa e dizer algo como: "Bem, Gordy, então, você tem alguma ideia do que uma condenação por embriaguez ao volante vai significar para as suas oportunidades já pífias de emprego?" Ou: "Então, Gordy, você já está sabendo que, mesmo que passe na prova, vai ser praticamente impossível ser aceito na ordem dos advogados com uma condenação por embriaguez ao volante, né?"

Já Todd queria atacá-lo com algo como: "Então, Gordy, para onde exatamente você estava indo às quatro da manhã com duas garrafas de tequila vazias no chão do carro?"

Zola, bem mais compassiva, queria perguntar: "Quem é o seu médico e quando você pode vê-lo?"

Havia muita coisa a dizer, mas nada foi dito. No pátio, Mark conduziu as negociações com o funcionário. Explicou que o Sr. Tanner estava doente e não podia resolver nada no momento.

Ainda deve estar bêbado, pensou o funcionário, o que não era nem um pouco fora do comum.

Mark entregou-lhe 200 dólares, metade dos quais vieram da carteira de Gordy, e assinou os formulários necessários. Eles então partiram, Todd levando Zola para o trabalho, e Mark levando Gordy no seu Mazda.

Enquanto avançavam lentamente pelo tráfego da cidade, Mark falou:

– Acorde, Gordy, e fale comigo.

– O que você quer? – balbuciou ele sem abrir os olhos.

Fedia a álcool e cê-cê.

– Quero saber quem é o seu médico e onde fica o consultório dele. É para lá que a gente está indo agora.

– Não é, não. Eu não tenho médico.

– Bom, mas com certeza precisa de um. Vamos lá, Gordy, pare de mentir. A gente sabe sobre o seu distúrbio bipolar e o médico ou terapeuta ou seja lá quem for que trata você. Está óbvio para a gente que você parou de tomar a medicação e precisa de ajuda.

– Quem contou isso?

– A Zola.

– Cachorra.

– Ah, Gordy, pare com isso. Se você não me disser agora mesmo quem é o seu médico, eu vou ligar para os seus pais e para a Brenda.

– Eu mato você.

– Ótimo, vamos parar o carro e entrar numa briga de faca.

Gordy inspirou fundo e estremeceu da cabeça aos pés. Abriu os olhos, olhou pela janela e disse:

– Por favor, Mark, pare de gritar comigo. Eu tive uma noite difícil.

– Tá, eu paro de gritar, mas, Gordy, você precisa de ajuda.

– Por favor, me leve para casa.

– Para Martinsburg, sua cidadezinha. Gostei da ideia.

– Para lá não, de jeito nenhum. Eu daria um tiro na cabeça, o que ultimamente nem é má ideia.

– Pare com isso. Vamos para o seu apartamento, onde você pode tomar um bom banho demorado. Depois tirar um cochilo, quem sabe? A gente come alguma coisa e depois eu levo você ao médico.

– Um cochilo vai ser bom. Mas só isso.

Instantes depois, Mark percebeu que o amigo estava enxugando lágrimas das bochechas com as costas da mão.

6

Gordy caiu na cama e disse para Mark ir embora. Mark explicou que isso não iria acontecer e os dois tiveram uma rápida discussão. Gordy desistiu, puxou um cobertor por cima da cabeça e dormiu. Mark fechou a porta do quarto, sentou-se no sofá e ficou olhando para o celular. Brenda tinha telefonado duas vezes naquela manhã e estava em pânico. Suas confusas mensagens de voz e de texto eram cada vez mais urgentes. Ela não tinha notícias do noivo havia dois dias e estava prestes a pegar o carro e dirigir até Washington. De certa forma, Mark quase achava sua intervenção algo bom. Ela precisava saber o que estava acontecendo. Poderia assumir o controle da situação e tirar a pressão de cima dele e dos outros. Provavelmente envolveria os pais dele, e naquele momento eles eram necessários.

Por outro lado, Brenda poderia piorar ainda mais o que já estava ruim. Ninguém era capaz de prever como Gordy reagiria caso ela aparecesse. Ele com certeza gritaria com Mark por ter contado a ela a verdade. A última coisa de que Gordy precisava no momento era mais drama.

Mark saiu para o corredor e ligou para Brenda. Mentiu, disse que Gordy estava com uma gripe daquelas, que estava de cama, ainda muito contagioso, tomando muito líquido e remédios para gripe. Mark e Todd estavam com ele, cuidando dele, e as coisas estavam sob controle. Se ele não melhorasse até o dia seguinte, Mark prometeu que o levaria ao médico. Ela por acaso sabia o nome do médico dele? Não, não sabia. Ele iria lhe telefonar e avisar conforme as coisas fossem progredindo. Ao final do telefonema, Brenda continuava preocupada e disse que iria esperar um ou dois dias antes de ir até Washington.

Mark ficou andando de um lado para o outro no corredor, sentindo-se péssimo por ter mentido e totalmente confuso em relação ao que fazer. Em vários momentos, quase ligou de volta para Brenda e contou a verdade. Se fizesse isso, ela chegaria dali a duas horas e assumiria a responsabilidade por Gordy. Ela o conhecia melhor do que ninguém. Os dois estavam juntos desde o sétimo ano. Mark só conhecia Gordy havia dois anos e meio. Quem era ele para bancar o salvador da pátria e se meter nos seus problemas? Gordy precisava de cuidados médicos, e talvez sua noiva fosse a única pessoa capaz de fazer isso acontecer.

Mas se Brenda entrasse em cena agora as coisas poderiam fugir ao controle. Ela ficaria sabendo sobre a embriaguez ao volante. Conhecia Mark e Todd, e ficaria chateada por eles terem escondido isso dela. Talvez descobrisse a verdade sobre Zola, algo ruim demais até para se cogitar. No meio do caos, talvez se desse conta de que Gordy estava mentindo sobre arrumar um bom emprego depois de se formar. A situação se tornaria tão imprevisível que todos poderiam ficar magoados, principalmente Gordy. Além disso, ele não queria ver Brenda nem pintada. Queria cancelar o casamento, mas ainda não tivera coragem de terminar o noivado.

Quanto mais Mark andava para lá e para cá, mais confuso ficava. A procrastinação parecia uma estratégia segura, pelo menos por enquanto, e ele decidiu manter a mentira e ver como a tarde se desenrolava.

O meio-dia chegou e passou com Gordy ainda quase em coma. Mark limpou a cozinha sem fazer barulho e levou três sacos de lixo para a caçamba. Lavou, secou e guardou a louça. Varreu o chão e arrumou a bagunça em volta do espaço de trabalho sobre a mesa de jantar. Tentou recolocar os móveis no lugar, mas não conseguiria sem fazer barulho. Passou muito tempo encarando a parede e tentando entender as conexões entre as empresas, os escritórios de advocacia e os operadores do império de Hinds Rackley. Aquela era uma conspiração impressionante, e Gordy havia passado horas juntando as peças. Mas será que a sua pesquisa era confiável? Considerando seu estado, será que ele estava conseguindo raciocinar direito?

Com o celular, Mark fez uma pesquisa on-line e leu tudo que conseguiu encontrar sobre transtorno bipolar e depressão. Havia muito material. Por volta das três da tarde, ouviu ruídos no quarto e espiou lá dentro. A água estava ligada no banheiro; Gordy finalmente estava debaixo do chuveiro. Meia hora mais tarde, ele apareceu na sala, de banho tomado e com a barba feita, os cabelos louros e fartos bonitos como sempre. Estava de calça jeans e suéter. Olhou para Mark e disse:

– Estou com fome.

– Ótimo – respondeu Mark, sorrindo.

Eles andaram alguns quarteirões até uma delicatessen e pediram sanduíches e café. A conversa foi pouca, quase nula. Gordy não queria falar, e Mark o deixou em paz. Gordy ficou catando o bacon de seu sanduíche e acabou descartando o pão e comendo o bacon com as mãos. Eles beberam o café tão rápido quanto a garçonete conseguia servir, e a cafeína pareceu reanimar Gordy.

Com a boca cheia de batata frita, ele falou:

– Estou me sentindo melhor agora, Mark, obrigado.

– Ótimo. Assim que acabarmos aqui, vamos falar com o seu médico.

– Não, não precisa. Estou me sentindo bem agora.

– O médico, Gordy, ou terapeuta, ou o que seja. Você acha que está bem agora, mas isso vai passar.

– O terapeuta é uma piada, eu não suporto o cara.

A garçonete serviu mais café. Gordy acabou as batatas e empurrou o prato. Tomou um gole de café e evitou cruzar olhares com o amigo. Mark finalmente falou:

– Você quer falar sobre a embriaguez ao volante?

– Não, na verdade não. Vamos dar uma volta. Preciso de ar puro.

– Ótima ideia.

Mark pagou com um cartão de crédito e eles saíram da delicatessen. Passaram por Dupont Circle e seguiram pela Rua M no sentido oeste. A temperatura estava subindo, e o céu estava limpo; não era um dia ruim para uma caminhada. Eles atravessaram Rock Creek e entraram em Georgetown, onde caminharam com as multidões pela Wisconsin Avenue, parando de vez em quando para olhar as vitrines. Num sebo, deram uma olhada na seção de esportes. Gordy havia jogado futebol americano e lacrosse na Universidade Washington and Lee e seria para sempre um superatleta.

Fossem quais fossem seus pensamentos, ele os guardou para si. Parecia relaxado e sorria de vez em quando, mas não era o Gordy de antes. Sua marra e suas gozações habituais estavam ausentes. Ele estava preocupado, e não era para menos. Mark sentia falta das brincadeiras e comentários cínicos tão típicos dele. No final da tarde, quando o vento ficou mais forte, eles entraram num café para tomar um café com leite. Ao redor de uma mesinha, Mark tentou mais uma vez puxar conversa, mas Gordy estava em outro mundo. Quando ele foi ao banheiro, Mark mandou uma mensagem de texto para Todd e Zola dizendo em que pé as coisas estavam. Mandou também uma para Brenda dizendo que Gordy estava um pouco melhor, mas que tinha passado a gripe para Mark e Todd. Os três estavam péssimos e cuidando uns dos outros no apartamento de Gordy. Aquela gripe era muito contagiosa, havia um surto em Washington. Seria melhor ela manter distância.

Quando eles estavam saindo do café, Gordy disse que queria caminhar na beira do Rio Potomac. Eles atravessaram a Rua M na Wisconsin e desceram até a orla de Georgetown Waterfront, um empreendimento moderno de lojas chiques, restaurantes e cafés que, com tempo bom, ficava lotado de universitários e turistas sentados ao ar livre para curtir o sol. No auge do inverno, entretanto, não havia muita gente andando a pé. Parado no calçadão junto ao gelado Potomac, Gordy parecia estar gostando da vista. À sua direita ficava a ponte Key Bridge, que ligava Georgetown a Rosslyn. À esquerda, a Theodore Roosevelt Island e outra ponte. Não muito longe ficava o Kennedy Center, e lá longe o Lincoln Memorial e outros monumentos. O ar perto da água estava perceptivelmente mais frio. Grandes blocos de gelo desciam devagar pelo rio.

Quando Gordy se virou, estava sorrindo e exibia uma estranha expressão de paz e contentamento.

– Estou congelando – disse Mark.

– Vamos nessa.

QUANDO TODD E Zola chegaram, depois do anoitecer, Gordy estava dormindo outra vez, enquanto Mark lia um livro. Em voz baixa, os três recapitularam o dia e tentaram planejar o que fariam à noite. Debateram sobre ligar para Brenda e lhe contar a verdade, mas ninguém estava preparado para isso. Principalmente Zola. Além de uma ideia passageira sobre encontrar o médico dele, pouco foi dito em relação ao dia seguinte. Quase sem fazer barulho, eles puseram os móveis no lugar e arrumaram a sala. Mark queria muito tirar tudo aquilo da parede. Estava cansado de olhar para a cara de Hinds Rackley e sua gangue. Já era ruim o suficiente estar preso naquela grande conspiração, mas ficar com aquela gente ali na sala era quase cruel. Todd e Zola, porém, vetaram a ideia. Gordy tinha quase se matado para criar sua obra-prima. Destruí-la poderia tirá-lo do eixo outra vez.

Quando a pizza chegou, Zola entrou devagarinho no quarto e tentou acordar o namorado. Voltou sozinha e disse que ele mal havia respondido – e ainda por cima tinha sido grosso. Os três comeram a pizza, beberam apenas água e ficaram matando tempo. Mark estava com a chave do carro de Gordy no bolso, e era lá que ela iria ficar. Eles decidiram se revezar durante a noite como na véspera, e Zola assumiu o primeiro turno no sofá. Todd foi até o apartamento dela, que ficava do outro lado do corredor. Mark andou quatro quarteirões até o seu e tomou banho pela primeira vez naquele dia.

Depois que eles saíram e a sala ficou escura e silenciosa, Zola começou a mandar mensagens de texto. Para aumentar seu sofrimento naquele dia infeliz, havia recebido um telefonema do pai. O último pedido dele fora rejeitado pelo juiz de imigração, e um mandado de expulsão fora emitido para ele, sua mãe e Bo, seu irmão solteiro. Depois de 26 anos nos Estados Unidos, eles seriam mandados de volta para o Senegal junto com uma penca de outros refugiados. Vinte e seis anos de trabalho em empregos subalternos por um salário ruim. Vinte e seis anos vivendo com o dinheiro contado, economizando o máximo possível e obedecendo a todas as leis, inclusive os limites de velocidade. Vinte e seis anos se considerando americanos e gratos por estarem ali. E agora forçados a voltar para um país que não conheciam e do qual não queriam fazer parte.

Zola era uma mulher forte, que se orgulhava de ser durona, mas, sobrecarregada por mais preocupações do que qualquer um conseguiria suportar, cometeu o erro de fechar os olhos.

À 1H42 DA madrugada, seu celular começou a zumbir e vibrar. Estava no bolso de sua calça jeans e acabou por acordá-la. Chamada perdida. Era Gordy. Ela levou um ou dois segundos para voltar a si, então se levantou num pulo e correu até o quarto dele. Olhou no banheiro sabendo perfeitamente que ele não estava ali e correu para acordar Todd. Pela segunda noite seguida, eles desceram correndo a escada até o térreo e o estacionamento atrás do prédio. O Mazda de Gordy tinha sumido. Todd ligou para Mark e avisou que eles estavam passando lá para pegá-lo. No carro de Todd, o celular de Zola acendeu com uma mensagem de texto.

– É ele. Está dizendo: "Zola, eu não consigo mais. Não tem saída. Eu sinto muito."

– Merda! Ligue para ele!

– Ele não vai atender – disse ela, ao mesmo tempo que digitava o número. A chamada caiu direto na caixa postal. "Alô, é o Gordy. Deixe um recado." – Caixa postal. Vou mandar uma mensagem. "*Gordy, cadê você? Estamos indo te buscar.*" – Ficou encarando o aparelho à espera de uma resposta e então reenviou a mensagem. – Nada.

– E você não ouviu nada quando ele saiu?

– É claro que não. Tentei ficar acordada. Ele devia ter uma chave de carro reserva.

– Com certeza. Ele vai fazer alguma besteira.

– Não fale isso.

Mark saiu correndo de seu prédio, tentando falar com Gordy no celular. Não conseguiu. Pulou no banco de trás do carro e perguntou:

– E agora?

– Você ainda está com a chave dele? – quis saber Todd.

– No meu bolso. Quem guarda a chave reserva de um carro que tem dez anos?

– Gordy, pelo visto. Vocês sabem que ele vai fazer alguma besteira, não sabem?

– Dizer isso adianta muito agora – reclamou Zola. – Desculpe, gente, eu não queria ter dormido.

Mas dormiu pela segunda noite seguida, pensaram tanto Mark quanto Todd, mas não disseram nada. Culpar Zola não iria ajudar, e ela já estava se sentindo mal o suficiente. Se Gordy estivesse decidido a aprontar outra, não havia como impedir.

– Alguma ideia? – perguntou Todd, segurando firme o volante.

Ninguém respondeu. Os três ficaram sentados num silêncio atroz enquanto o motor zumbia e a calefação expelia ar quente. Zola rompeu o silêncio:

– Ele gostava de correr na beira do Rock Creek.

– Duvido que tenha ido correr agora – opinou Todd. – Está fazendo menos sete graus.

– Vamos dar uma olhada na Coney's – sugeriu Mark. – Lá sempre foi nosso lugar preferido para curar um porre.

– Boa ideia – disse Todd, e engatou a marcha. – Continuem insistindo com ele. Não parem de ligar e de mandar mensagens.

A Coney's era uma casa de waffles que ficava aberta a noite inteira na Rua 19 e era frequentada por sem-tetos e estudantes universitários. Todd parou na esquina, e Mark entrou. Voltou dali a poucos segundos e disse:

– Nem sinal dele. Tive uma ideia. Vamos até o Waterfront, em Georgetown. A gente foi hoje à tarde, e ele pareceu gostar de lá.

– Como assim "gostar de lá"? – perguntou Todd.

– Não sei. Apenas dirija.

Quando eles dobraram na Rua M, o telefone de Mark tocou.

– Ai, merda! É a Brenda. Atendo?

– Atende – respondeu Todd, ríspido. – Agora você tem que atender.

Mark pôs no viva-voz.

– E aí, Brenda? – perguntou

Ela estava histérica.

– O que está acontecendo, Mark? Acabei de receber uma mensagem do Gordy. Ele disse que sente muito, que não tem saída e que não está conseguindo mais. Mark, o que está acontecendo? Quero saber.

– Ele está andando de carro pela cidade, Brenda. Todd e eu estamos tentando encontrá-lo. Gordy parou de tomar a medicação e está agindo que nem um doido.

– Achei que ele estivesse de cama gripado, assim como você.

– Ele estava de cama, doente, tá? A gente estava lá também, e ele fugiu. Você tentou ligar para ele?

– Claro! Por que você não me disse que ele tinha parado a medicação? – disse ela praticamente aos berros.

– Brenda, eu até ontem nem sabia que ele tomava remédio. Ele nunca contou para a gente. Nem ele nem você.

– A gente não falava sobre isso. Por favor, Mark, encontre ele!

– A gente está tentando.

– Chego aí o mais depressa possível.

– Não, ainda não. Aguente aí que eu ligo para você mais tarde.

No Waterfront, eles estacionaram junto ao meio-fio e saltaram do carro depressa. Quando estavam correndo em direção ao rio, um segurança os deteve. Mark falou:

– Estamos procurando um amigo. Ele está num Mazda azul compacto e precisa da nossa ajuda. O senhor o viu?

– Não tem ninguém aqui a esta hora da noite – respondeu o segurança.

– Tá. Vamos só dar uma olhada, tudo bem?

– Claro.

Eles foram andando pelo calçadão e pararam à beira do Potomac, no mesmo ponto em que Gordy e Mark estiveram horas antes. À sua direita, alguns carros atravessavam o rio pela Key Bridge. E à sua esquerda, depois da Roosevelt Island, havia alguma emergência na Arlington Memorial Bridge. Luzes vermelhas e azuis piscavam.

7

Quando eles chegaram lá, as três pistas sentido oeste da ponte estavam interditadas e o tráfego estava começando a ficar congestionado. Todd estacionou numa encosta de grama perto de uma rampa e eles correram depressa até onde estava o movimento. Estacionadas de qualquer maneira na ponte, meia dúzia de viaturas da polícia de Washington estavam com as portas abertas e as luzes azuis piscando. Rádios chiavam e agentes andavam para lá e para cá. Dois deles, em pé na calçada junto ao guarda-corpo, olhavam para o rio escuro lá embaixo. Uma ambulância com a sirene ligada avançava a duras penas pelo engarrafamento tentando se aproximar. Uns trinta metros à frente, um policial os deteve.

– Para trás! – rosnou ele. – Aonde vocês pensam que vão?

Eles pararam e avaliaram a confusão à frente. Atrás do ombro do agente e além das viaturas de polícia, viram o Mazda azul de Gordy parado na faixa central com os faróis ligados. A porta do motorista estava aberta.

– O que houve? – perguntou Mark ao policial.

– Não é da sua conta. Agora deem o fora daqui.

– Nós o conhecemos – disse Todd. – Ele é nosso amigo. O que houve com ele?

O policial suspirou fundo e relaxou.

– O cara pulou, tá? – informou ele. – Parou o carro e pulou.

Zola deu um grito e enterrou o rosto nas mãos. Todd a segurou antes que ela caísse. Os joelhos de Mark perderam força e ele quase vomitou, mas conseguiu dizer:

– Não, não pode ser.

O policial segurou Mark pelos ombros e meneou a cabeça em direção à sua esquerda, onde dois agentes consolavam uma mulher de meia-idade.

– Aquela senhora estava no carro atrás do dele quando ele parou – contou o policial. – Ela o viu correr até o parapeito e pular. Eu sinto muito.

– Não pode ser – repetiu Mark.

Todd levou Zola até a larga calçada a alguns metros dali. Ela se deixou cair com as costas apoiadas no guarda-corpo de concreto da ponte e pôs-se a chorar alto, desconsolada.

– Eu sinto muito – repetiu o policial. – Estamos identificando a placa do carro. Ele é de West Virginia, não é?

– É. O nome dele é Gordon Tanner. Nós somos estudantes universitários.

– Venha comigo.

Mark o acompanhou, e juntos eles passaram pelas viaturas e pelos policiais até pararem atrás do carro de Gordy. Com uma expressão de horror, ele fixou o olhar no carro e balançou a cabeça.

– Aqui – disse o policial, e o conduziu até o parapeito da ponte.

Dois policiais com lanternas de busca iluminavam as águas escuras do Potomac. Uma lancha com mais luzes azuis se aproximava em alta velocidade.

– Foi aqui que ele pulou – disse o policial. – Tem gelo lá embaixo. Ninguém conseguiria durar mais de dois minutos.

Mark olhou para a água e observou a lancha passar por baixo da ponte. Cobriu os olhos e começou a soluçar.

Um investigador de sobretudo se aproximou e perguntou:

– Quem é esse?

– Um amigo, ele conhece o cara – respondeu o policial.

Mark olhou para o recém-chegado e tentou se controlar. O investigador disse:

– Eu sinto muito, filho. O que consegue nos dizer?

Mark enxugou os olhos e cerrou os dentes. Com uma voz trêmula, conseguiu falar:

– Ele é nosso amigo e ultimamente vinha tendo uns problemas. Ontem à noite foi pego dirigindo alcoolizado e nós passamos o dia inteiro de olho nele. Estávamos com medo de ele fazer alguma besteira.

– Ele tem algum problema mental?

– Não, só parou de tomar os remédios. – Sua voz falhou e ele tornou a enxugar os olhos. – Não estou acreditando.

– Eu sinto muito, filho. Meu nome é Swayze, sou investigador do Departamento de Polícia de Washington. Aqui está meu cartão com meu celular. – Mark pegou o cartão e conseguiu agradecer. – Nós agora estamos fazendo a busca. Vai demorar um pouco, mas vamos encontrá-lo. Você conhece a família dele?

– Conheço.

– De onde ele é?

– De Martinsburg, West Virginia.

– Você se importaria de ligar para eles? Provavelmente vão querer vir para cá.

Era o último telefonema que Mark queria dar, mas ele concordou e disse:

– Claro. Podemos ajudar com a busca ou alguma outra coisa?

– Desculpe, filho, não há nada que vocês possam fazer a não ser aguardar. Me mande uma mensagem com seu número, e eu ligo quando ele for encontrado.

– Quanto tempo vai demorar?

– Num caso desses, nunca se sabe – respondeu o investigador, dando de ombros. – O melhor que vocês podem fazer é ir para algum lugar quente e aguardar. Eu ligo mais tarde para dizer como as coisas evoluíram. Diga à família que eles também podem me ligar. E, olhe, nós revistamos o carro, mas não tem nenhum bilhete. Você sabe onde ele mora?

– Sei.

– Certo. Se importa de dar uma olhada na casa dele para ver se ele deixou algum bilhete? Em geral eles deixam. Se encontrar alguma coisa, me ligue na hora.

– Pode deixar.

Swayze pôs a mão no ombro de Mark e disse:

– Eu sinto muito, filho.

– Obrigado.

Mark começou a andar pela calçada. Uma segunda ambulância se aproximava pelo oeste, e o tráfego começava a ficar congestionado nesse sentido também. Parecia haver um milhão de luzes piscando. Duas embarcações maiores com lanternas de busca tinham se juntado à primeira e traçavam círculos sob os arcos da ponte.

Mark e Todd ajudaram Zola a se levantar. Estavam congelando, anestesiados pelo frio e chocados demais para sentir qualquer coisa. Eles praticamente a carregaram de volta até o carro, que estava entalado no engarrafamento. Todd ligou o motor e a calefação, e ficaram os três sentados, atordoados de horror, observando o espetáculo. No banco do carona, Zola chorava. Encostado na janela, Todd parecia um fantasma. Mark soluçava e tentava recuperar o fôlego. Minutos se passaram, e seu celular não parou de vibrar. Ele finalmente o tirou do bolso e disse:

– Brenda ligou quatro vezes. Alguém tem que avisar a ela.

– Esse alguém é você, Mark – disse Todd. – Você não tem escolha.

– Por que você não pode ligar?

– Porque você a conhece melhor. É para você que ela está ligando.

Mark ficou segurando o telefone e aguardou. Um reboque com luzes amarelas veio abrindo caminho devagar pelos carros parados e contornou as viaturas. Alguém com autoridade decidiu que as ambulâncias não seriam necessárias, e elas foram embora junto com alguns dos carros de polícia.

– Vai ligar para ela? – insistiu Todd.

– Estou tentando arrumar coragem – respondeu Mark.

– Isso é culpa minha – disse Zola, aos soluços.

– Não foi culpa de ninguém, e você sabe – falou Todd, mas sem muita convicção.

– Fui eu quem fez isso – prosseguiu ela. – Fui eu.

As luzes amarelas mudaram de direção, e eles ficaram olhando o reboque se aproximar pela pista sentido leste. O guincho passou por eles carregando o carro de Gordy levantado sobre as rodas traseiras. Outras embarcações chegaram, e a flotilha se afastou para o sul da ponte, à procura. A polícia liberou duas pistas no sentido leste, e o tráfego parado começou a se mover devagar.

– O que eu digo para ela? – perguntou Mark. – Não posso dizer que ele morreu, porque a gente não tem certeza, né?

– Ele morreu, Mark – disse Todd. – Fale que ele pulou de uma ponte no Potomac e estão procurando o corpo.

– Não consigo.

– Você não tem escolha.

Mark suspirou fundo, mas não fez a ligação.

– Eu estava com ele quando ele tomou a decisão – falou. – A gente estava no Waterfront, e o Gordy ficou olhando para esta ponte. Quando a gente se virou para ir embora, estava calmo e sorridente. Tinha tomado a decisão e estava em paz com o seu plano. Eu fui burro demais para notar.

– Que droga, não vamos começar o jogo de quem tem culpa do quê – disse Todd.

– Bom, pode apostar que a Brenda vai apontar culpados, e eu vou ser o alvo. Passei a tarde inteira mentindo para ela. Eu deveria ter contado a verdade e deixado ela lidar com isso.

– A gente fez o que pôde. Não é culpa nossa ele ter surtado.

– É tudo culpa minha! – gritou Zola. – Minha, minha.

– Pare com isso, Zola! – interveio Todd, perdendo a paciência.

Um policial com uma lanterna gesticulou para eles saírem dali, e Todd desceu do gramado para uma das pistas no sentido oeste. Eles passaram pela ponte devagar. Três carros de polícia estavam estacionados, um encostado no outro na pista lateral. Um grupo de policiais estava reunido na calçada perto do ponto do qual Gordy pulara.

– Vamos para onde? – perguntou Mark.

– Não sei.

Eles atravessaram o rio, dobraram na GW Parkway no sentido sul e foram dar na Columbia Island. Todd parou num estacionamento vazio no parque comemorativo LBJ Memorial Grove, de frente para a marina, onde centenas de barcos se balançavam suavemente atracados aos cais. Eles ficaram observando a escuridão enquanto a calefação do carro se esforçava e fazia barulho. O celular de Mark começou a vibrar no bolso.

– Vai ligar para ela?

Mark olhou para o telefone e disse:

– Nem vou precisar. Ela está me ligando. – Ele abriu uma das portas de trás, saltou do carro e começou a andar em direção ao cais. Levou o telefone ao ouvido. – Brenda, uma coisa horrível aconteceu.

8

Eles levaram Zola até o apartamento dela e a deitaram no sofá. Mark a cobriu com uma colcha, sentou-se na ponta e ficou segurando seus pés. Todd preparou a cafeteira e, enquanto o café passava, sentou-se no chão de costas para o sofá. Zola pousou uma das mãos no seu ombro. Durante muito tempo, nada foi dito; o único ruído eram os estalos e chiados da cafeteira.

O telefone de Mark vibrou e ele o tirou do bolso.

– É o pai da Brenda outra vez. – Ele tocou a tela com o dedo, pôs a ligação no viva-voz e falou: – Dr. Karvey, oi.

– Mark, a gente está saindo para aí agora e deve chegar daqui a uma hora. Vamos ficar no Marriott de Pentagon City. Você consegue nos encontrar por volta das sete? – Sua voz estava calma e segura.

– Claro, Dr. Karvey. Estarei lá.

– Obrigado. Eu entrei em contato com o investigador Swayze, e ele já tem o meu número.

– Ótimo. Nos vemos às sete. – Mark encerrou a ligação. – Isso é exatamente o que eu quero fazer. Lidar com uma mulher histérica.

– Eu vou junto, mas não vamos deixar ela maltratar a gente – disse Todd.

– A gente com certeza vai ser maltratado. Ela já gritou comigo duas vezes. A culpa é nossa porque eu menti para ela, porque a gente deixou ele sair, porque não avisou à família, porque não levou ele ao médico, por tudo.

– É tudo culpa minha – balbuciou Zola sem abrir os olhos.

– A culpa não é sua, e o seu nome não foi mencionado – disse Mark. – Vamos deixar assim.

– Se ela começar a berrar, eu vou embora – avisou Todd. – Já estou mal o suficiente sem o drama da Brenda e das famílias.

– Ontem, quando a gente estava saindo do pátio municipal, o Gordy ameaçou me matar se eu ligasse para ela – disse Mark. – Não foi uma ameaça a sério, eu acho, mas era assim que ele estava se sentindo. Não queria que ela soubesse. E não queria nem ouvir falar em ir ao médico. O que a gente poderia ter feito?

– Mark, a gente já esgotou esse assunto – disse Todd, antes de se levantar e ir servir três xícaras de café.

Eram quase quatro da manhã, e eles estavam física e emocionalmente exaustos. Zola sentou-se no sofá, pegou a xícara e tentou sorrir. Estava com os olhos vermelhos e inchados; parecia estar à beira de outro colapso nervoso a qualquer momento.

– Eu acho que não vou com vocês – disse ela.

– Não, você tem que ficar aqui e descansar – concordou Mark.

– Boa ideia – reiterou Todd. – Não é bom mesmo você encontrar a Brenda.

– Eu encontrei com ela uma vez. Ela acha que nós dois somos só bons amigos. Gordy dizia que ela nem desconfiava da gente.

– Com certeza não, mas mesmo assim ela pode ficar com ciúme – falou Mark. – Não gostava que o Gordy estivesse aqui sem ela.

Houve outra longa pausa enquanto eles bebiam o café. Mark rompeu o silêncio:

– Ah, sim, a gente precisa procurar um bilhete de suicídio. O investigador mandou.

– Que divertido – disse Todd.

Eles atravessaram o corredor, entraram no apartamento de Gordy e acenderam a luz. Nada havia mudado desde que tinham saído dali em pânico. Um bilhete deveria estar no quarto, mas eles nada encontraram.

– Isto aqui está uma nojeira – disse Mark, olhando em volta.

Os lençóis estavam embolados e metade do colchão estava exposta. Havia roupas empilhadas pelo chão e duas garrafas de bebida vazias em cima da cômoda.

– Eu limpo depois que vocês saírem – disse Zola. – Com certeza a família vai querer ver o apartamento dele.

Os três voltaram à sala e encararam a parede da conspiração de Gordy.

– Alguma ideia? – indagou Todd.

– Vamos tirar isso tudo daí e guardar – disse Mark. – Não vai servir de nada para a família.

Zola encheu um cesto de roupa suja com lençóis, toalhas e roupas usadas, e levou para a lavanderia no subsolo enquanto Mark e Todd removiam com cuidado as cartolinas e folhas de papel da parede. O rosto de Rackley e de seus comparsas foram postos numa pilha certinha para serem levados embora. Ao lado do computador de Gordy, Mark viu dois pendrives e instintivamente os guardou no bolso sem dizer nada.

Às seis, ele e Todd saíram do prédio rumo a Pentagon City. Sem muito trânsito, chegaram ao Marriott em 20 minutos e foram à cafeteria para tomar um café com biscoitos. Enquanto comiam, tentaram se preparar para o encontro.

– Ela provavelmente vai dizer umas coisas horríveis – comentou Todd.

– Já disse.

– Mark, a gente não vai ser esculhambado.

– Precisamos ter paciência, Todd, paciência e empatia. A coitada acaba de perder um noivo que adorava.

– Bom, ele não a adorava, não mais.

– Ela nunca vai saber disso. Ou vai?

– Quem pode dizer se vai ou não? Segundo Zola, antes do Natal ele e a Brenda brigaram muito. Quem pode saber o que ele falou? Talvez ele tenha cancelado o casamento.

– Ele teria nos dito. Nós somos os melhores amigos dele, Todd, pelo menos aqui em Washington. Aposto que o casamento continuava de pé e que a Brenda estava sonhando com o grande dia. E agora o namoradinho de infância está morto.

– O que a gente deveria ter feito diferente? – perguntou Todd.

– Sei lá, mas não tenho certeza se eu teria ligado para a Brenda. Gordy teria surtado com a gente, e a situação teria piorado mais ainda.

– A situação piorou mais ainda.

– É. Melhor a gente ir.

Eles pegaram o elevador até o terceiro andar e bateram numa porta.

O Dr. Karvey já estava à espera e abriu depressa. Apresentou-se com uma voz suave; seu aperto de mão foi firme e seu sorriso, tenso, o que lhes pareceu notável, considerando as circunstâncias. Acenou para eles entrarem na sala de estar da suíte. Ofereceu-lhes café, e eles recusaram. Não havia sinal de Brenda nem de mais ninguém.

Gordy havia falado várias vezes no futuro sogro, e eles sabiam que a família Harvey tinha dinheiro graças a terras e um banco. Dr. Karvey era um cardiologista muito respeitado em Martinsburg. Tinha cerca de 50 anos, muitos cabelos grisalhos e um queixo firme. Estava usando um paletó sem gravata, e suas roupas eram visivelmente caras. Gordy, que em geral fazia brincadeiras infames com todo mundo, nunca tinha dito sequer uma palavra negativa sobre ele.

Eles se sentaram ao redor de uma mesa redonda e começaram a conversar em voz baixa. Brenda estava no quarto com a mãe. Dr. Karvey tinha lhe dado um sedativo, e ela estava descansando. A polícia acabara de sair após informar a família. Os pais de Gordy estavam a caminho e chegariam em menos de uma hora.

– Por favor, me contem o que vocês sabem – pediu o Dr. Harvey.

Mark meneou a cabeça para Todd, que engoliu em seco e começou a recapitular os últimos dias. Uma amiga de faculdade que morava no mesmo prédio de Gordy ficou preocupada com o comportamento dele e foi ao bar em que Todd trabalhava pedir ajuda. Eles encontraram Gordy em seu apartamento, onde ele estava trancafiado havia uns dois dias. Estava péssimo, bebendo, alienado e obviamente precisando da atenção dos amigos. Eles ficaram com medo de deixá-lo sozinho, mas ele fugiu. Quando Todd descreveu a prisão por embriaguez ao volante 24 horas antes, o Dr. Harvey fez uma careta e balançou a cabeça, sua primeira reação visível. Mark retomou o relato e descreveu seus esforços para garantir a segurança de Gordy ao longo do dia anterior. Gordy se recusou a falar sobre a doença e não quis dizer o nome do médico. Ameaçou Mark caso ele ligasse para Brenda ou para os pais dele. Dormiu bastante, parou de beber e parecia estar entrando nos eixos. Eles tinham passado a noite anterior com ele também, mas Gordy dera um jeito de fugir. Quando eles descobriram sua ausência, entraram em pânico e saíram para tentar encontrá-lo. Ele não atendia o celular. Eles correram pela cidade toda e viram as luzes de emergência na ponte.

Ao terminar, Mark olhou para Todd, que assentiu. A história estava quase completa e por enquanto iria bastar.

– Obrigado – disse o Dr. Harvey. – Quando Gordy foi passar o feriado em casa, ele e Brenda tiveram algumas conversas sérias sobre o futuro, como fazem todos os casais. Com certeza foi um período difícil, mas ela achava que os dois tivessem acertado os ponteiros. Só que ele foi embora sem se despedir e voltou para cá.

– A gente soube por alto – disse Mark.

– Brenda sabia que ele tinha parado a medicação? – quis saber Todd.

– Bom, a gente só soube que Gordy era bipolar faz alguns meses. Esse foi um dos motivos para as brigas deles. Ele tentou manter a coisa em segredo, o que não é incomum. – Sem acreditar, Mark e Todd balançaram a cabeça. – Olhem, eu sei que a Brenda disse algumas coisas duras umas horas atrás, e peço desculpas por isso. Ela está nervosa, arrasada. Estamos tão atordoados quanto vocês. Conhecemos Gordy desde pequeno, e ele era praticamente da família.

– Não precisa se desculpar – disse Mark.

– Nós sentimos muito, Dr. Karvey. Não soubemos direito como agir. A gente não tinha ideia de que ele seria capaz de uma coisa dessas.

– Vocês fizeram o melhor que puderam diante das circunstâncias – disse o Dr. Harvey com sua atitude calma de médico. Quando Mark e Todd relaxaram pela primeira vez desde que haviam entrado no quarto, ele os surpreendeu com uma pergunta num tom de voz mais baixo ainda. – Tinha alguma outra garota envolvida?

Eles se espantaram e baixaram o olhar. Mark teve a presença de espírito de perguntar:

– Certo... Se a resposta for sim, o senhor vai contar para a Brenda?

– Não. Só iria piorar as coisas.

– Então por que o senhor quer saber? – indagou Todd.

Ele pensou por alguns instantes e disse:

– Vamos deixar para lá.

– Boa ideia.

Ansiosos para ir embora antes que alguém saísse do quarto, Mark e Todd encerraram a conversa e se despediram. Saíram depressa do quarto, do hotel, pegaram o carro e passaram pelo Aeroporto Nacional Reagan sem destino definido. Embora preocupados com Zola, não queriam voltar para o apartamento de Gordy, pelo menos não por algum tempo. Passaram por Alexandria, foram seguindo rumo ao sul, em algum momento viraram no sentido leste, atravessaram o rio na Woodrow Wilson Bridge e estacionaram na National Harbor Marina. O Potomac se estendia à sua frente, parecendo ter um quilômetro de extensão, fluindo para o sul como se estivesse tudo bem. Não havia qualquer sinal de buscas. Eles tinham visto duas embarcações da Guarda Costeira e as da polícia perto do aeroporto, mas nada tão longe da Arlington Memorial Bridge quanto ali, naquele ponto da correnteza.

– Você acha que eles conseguem saber a distância e a velocidade com que um corpo é levado pelo rio? – perguntou Mark.

– Está perguntando para mim? – rebateu Todd.

– Pensei que você soubesse essas coisas. Não teve um amigo seu que se afogou no ensino médio?

– Sim, Joey Barnes. Quinze anos de idade. – Todd tamborilou no volante e pensou em seu velho amigo. – As vítimas de afogamento afundam e vão parar no leito do rio, seja qual for a profundidade. Se a água estiver fria demora mais. Uma vez no fundo, acontece alguma reação química que força o corpo a subir. Quase todos sobem, em geral não muito longe de onde caíram. Tem uma chance de ele ficar preso em alguma coisa e continuar lá embaixo.

Eles pensaram a respeito enquanto a calefação continuava a zumbir.

– Ele vai vir à tona, você não acha? – perguntou Mark.

– Ele vai ser encontrado. A gente precisa de um velório, de um enterro e de uma conclusão para essa confusão toda. Não consigo imaginar uma cerimônia em homenagem a ele sem o corpo.

– Ele vai ser encontrado. E aí a gente vai enterrar ele. E depois vamos ter que correr de volta para a faculdade e cursar nosso último semestre.

– Não consigo nem pensar nisso.

– Todd, a faculdade de Direito é o motivo pelo qual Gordy está morto. Se ele nunca tivesse entrado lá, estaria bem agora.

– Todos nós estaríamos, né?

– Eu não posso voltar para lá.

– Depois a gente conversa sobre isso. Agora a gente precisa é dormir.

NO COMEÇO DA tarde, o Dr. Karvey ligou para Mark e perguntou se ele e Todd poderiam ir buscar o carro de Gordy, dirigi-lo até o hotel para encontrar o casal Tanner. Os dois não conseguiam pensar em nada pior, mas no momento a família precisava deles, e não havia mais ninguém disponível. Assim, pela segunda vez em dois dias, eles foram ao pátio municipal de veículos buscar o pequeno Mazda azul de Gordy. Segundos antes de pular, ele havia desligado o motor e pelo visto posto a chave extra no bolso. Felizmente, Mark ainda estava com a outra chave. A prefeitura fez a gentileza de isentá-los das taxas de reboque e pernoite, o que lhes poupou 200 dólares.

A suíte dos Karveys estava pior que um necrotério. Brenda estava sentada no sofá entre a mãe e a Sra. Tanner, duas mulheres que supostamente se detestavam e viviam batendo boca por causa dos preparativos para o casamento. Só que agora isso tinha ficado para trás e ambas estavam sofrendo a mesma dor.

Mais uma vez, Todd e Mark se revezaram no doloroso relato dos últimos dias e tentaram afastar o máximo possível de culpa de si mesmos. A elegância demonstrada pelo Dr. Harvey de manhã havia desaparecido, mas ele tentou manter a situação sob controle. Já o Sr. Tanner fez várias perguntas incisivas sobre o que Mark e Todd tinham feito ou deixado de fazer. Por que Mark tinha mentido sobre Gordy estar gripado? Por que não tinha simplesmente ligado e pedido ajuda à família? Como eles tinham deixado Gordy fugir do apartamento não uma vez, mas duas? O que tinham feito para controlar sua ingestão de álcool? E assim por diante. Brenda falou pouco. Ou encarava o chão enxugando os olhos ou os fulminava com o olhar, como se eles próprios o houvessem empurrado da ponte. Foi um encontro horrível, muito angustiante, e em determinado momento todos no recinto, inclusive Mark e Todd, estavam aos prantos. À medida que a situação foi se deteriorando, Mark acabou chegando ao limite. A certa altura, disse que bastava e saiu do quarto pisando firme, seguido de perto por Todd.

Eles foram embora de carro em silêncio, nauseados com a certeza de que as famílias sempre os considerariam responsáveis pela morte de Gordy, mas também enfurecidos por estarem sendo responsabilizados. Era muito fácil agora, sabendo tudo que havia acontecido, dissecar cuidadosamente o que eles tinham ou não tinham feito e condenar suas decisões. A verdade era que Gordy estava doente e eles tinham feito o melhor que podiam para ajudar.

O nome de Zola não fora mencionado sequer uma vez.

9

A espera foi pura aflição. Todd matou tempo trabalhando algumas horas no bar. Mark e Zola saíram do prédio e foram ver um filme. Se encolhiam toda vez que seus telefones vibravam, mas não houve nenhuma novidade em relação à busca. Amigos da faculdade os procuravam, loucos por notícias. A história e as fofocas corriam soltas pelas redes sociais. A edição on-line do *Post* estava cobrindo o acontecimento.

Depois do trabalho, Todd chegou ao apartamento de Zola com uma caixa de cerveja e eles pediram uma pizza. Enquanto comiam, Zola contou a eles sobre os pais e o irmão. Durante a tarde, os três tinham sido levados para instalações de detenção de imigrantes na Pensilvânia. Agentes armados do ICE tinham lhes dado uma hora para empacotar as poucas roupas e artigos pessoais que conseguissem carregar e depois os conduzido algemados junto com mais quatro pessoas até uma van. Seu pai tinha lhe telefonado do lugar onde estavam sendo mantidos, que descreveu como "pouco melhor do que uma prisão". Não fazia ideia de quanto tempo ficariam ali até o voo de volta para o Senegal.

Mark e Todd ficaram chocados e com raiva. Era um momento particularmente cruel para aquilo acontecer. Zola estava nervosa, tendo que lidar com o suicídio do namorado, e ainda tinha isso. Os três decidiram ficar juntos e à meia-noite enfim pegaram no sono: Zola em sua cama, Mark no sofá, e Todd numa poltrona ao seu lado.

DE MANHÃ CEDO, quando os três estavam tomando café e tentando se livrar do torpor do sono profundo, ouviram vozes e movimentação do outro lado do corredor. Mark abriu uma fresta da porta e eles ficaram escutando.

O Dr. Karvey, Brenda e os Tanners estavam no apartamento de Gordy. Encontraram o lugar impecável, com toda a louça lavada e guardada, a geladeira sem nada estragado ou apodrecendo e nem um pingo de bebida alcoólica em lugar nenhum. A sala estava arrumada, o chão limpo, e o espaço de trabalho de Gordy sobre a mesa organizado. A cama estava feita com perfeição. Cada peça de roupa tinha sido lavada e guardada. Sobre a cômoda havia um porta-retratos grande com uma foto de Brenda que ele em geral mantinha dentro de uma gaveta. No banheiro, suas toalhas estavam dobradas e empilhadas. O piso, o vaso, o box e a pia praticamente brilhavam. No armário de remédios, não havia sinal algum de seus comprimidos. A família imaginou que ele houvesse se esforçado bastante para dar um jeito no apartamento antes de se matar.

Brenda ficou muito abalada. Sentou-se no sofá e ficou soluçando enquanto o pai afagava seu joelho. Do outro lado do corredor, os três amigos ouviam tudo num silêncio sinistro.

Os Tanners decidiram que uma olhada rápida por ora bastava. Voltariam mais tarde para pegar as coisas do filho. Eles trancaram o apartamento e foram embora com Brenda e o pai dela. De uma janela do corredor do primeiro andar, os três os observaram ir embora de carro e sentiram muita pena de todos.

ERA SEGUNDA-FEIRA, 6 de janeiro. As aulas recomeçariam dali a uma semana, mas ninguém estava pensando na faculdade. E embora visitar um centro de detenção de imigrantes não fosse bem o conceito de uma viagem bacana, eles precisavam sair da cidade. Zola disse no trabalho que estava doente e Todd tirou o dia de folga no Old Red Cat. Eles saíram de Washington antes do meio-dia e seguiram rumo ao norte. Para evitar o Potomac, Todd pegou a Connecticut Avenue até Chevy Chase e o estado de Maryland. Durante a primeira meia hora, pouco foi dito. Zola, no banco do carona, estava cabisbaixa e ficou olhando pela janela com uma expressão vazia. Todd tomava um café num copo de papel alto e ficou mexendo no rádio até finalmente sintonizar numa estação de flashbacks, só que em volume baixo.

No banco de trás, Mark folheou alguns papéis, encontrou um artigo de revista e começou a comentá-lo:

– Segundo o *Post*, o Órgão de Imigração e Alfândega tem quinze centros de detenção espalhados pelo país, e todos os dias há pelo menos 35 mil pessoas detidas. No ano passado, o ICE prendeu mais de 400 mil trabalhadores sem documentação e deportou mais ou menos o mesmo número, a um custo de mais de 20 mil dólares para cada pessoa deportada. O sistema de detenção como um todo consome mais de 2 bilhões por ano. É o maior sistema de detenção de imigrantes no mundo. Além dos quinze centros do ICE, o governo federal terceiriza centenas de cadeias dos condados, centros de detenção juvenis e presídios estaduais para abrigar seus detentos, a um custo de cerca de 150 pratas diárias por pessoa e 350 por família. Dois terços de todos os centros são administrados por empresas privadas. Quanto mais pessoas estiverem detidas, mais dinheiro elas ganham. O Departamento de Segurança Nacional, ao qual o ICE está subordinado, tem uma cota estabelecida pelo Congresso. Nenhuma outra agência de segurança pública opera com um sistema de cotas.

– E as condições são deploráveis – disse Zola, como se soubesse mais do que Mark.

– São mesmo. Como não há supervisão independente, os detentos são muitas vezes submetidos a maus-tratos, incluindo o confinamento prolongado em solitárias, cuidados médicos inadequados e comida ruim. Ficam vulneráveis a agressões e até a estupros. No ano passado, 150 pessoas morreram enquanto estavam detidas. Os detentos em geral são colocados junto com criminosos violentos. Em muitos casos não há aconselhamento jurídico. No papel, o ICE mantém os centros dentro de determinados padrões, mas não há como garantir legalmente que eles sejam cumpridos. Quase não há como garantir o modo como o dinheiro federal está sendo gasto. A verdade é que ninguém está prestando atenção e ninguém liga para isso, a não ser os detentos e a família deles. São pessoas esquecidas.

– Chega – disse Zola.

Todd também se manifestou:

– É, chega. E por que a gente está falando sobre isso?

– Sobre o que você quer falar? Sobre o Gordy? Sobre a Brenda? Sobre a faculdade? As aulas começam semana que vem, e eu mal posso esperar.

Isso encerrou a conversa durante algum tempo. Mark folheou outros artigos e ficou cantarolando junto com o rádio. Por fim, perguntou:

– Então, Zola, a gente pode falar sobre a sua família?

– Claro.

– Por que eles saíram do Senegal?

– Meus pais nunca falam muito sobre o país deles. Ficaram felizes quando foram embora de lá e estavam decididos a começar uma vida nova por aqui. Eu fiz perguntas quando fiquei mais velha, mas as respostas em geral eram evasivas. Meu pai trabalhava para algum tipo de cooperativa de agricultores, e houve algum problema com o governo. Ele fez inimigos, perdeu o emprego e achou melhor sair do país. Sempre morreu de medo de voltar. A maior parte da família dele se espalhou, e lá não tem nada para ele, só problemas. Ele tem medo de ser perseguido se voltar.

– E seus irmãos?

– O mais velho, Sory, casou com uma americana e hoje mora na Califórnia. A mulher dele não é muçulmana, e meu pai não se dá muito com ele. Meu irmão mais novo, que a gente chama de Bo, nasceu no Senegal, então também está com problemas. Ele nunca se casou e é muito religioso.

– Pensei que o ICE tivesse uma política de nunca separar as famílias – comentou Todd.

– Pode ser que isso esteja escrito em algum lugar, mas nem sempre é respeitado – disse Mark. – Ontem à noite li um artigo sobre uma família do Camarões, um casal e cinco filhos, que morava num apartamento no Bronx. Uma noite o ICE derrubou a porta, pegou o pai e, depois de algum tempo, mandou ele de volta para a África. A mãe também não tem documentação, então ela e os filhos vivem com medo de o ICE aparecer para a levar embora também. Imaginem como é viver assim. As crianças nasceram aqui, que nem a Zola, então poderiam ser separadas tanto do pai quanto da mãe. Quando perguntaram para o ICE sobre esse caso, algum representante disse algo do tipo "O estado de Nova York tem um excelente sistema de famílias de acolhimento". Dá para acreditar numa coisa dessas?

– Eu prefiro falar sobre a faculdade – disse Zola.

– Eu não – falou Mark. – Não vou conseguir voltar. Vocês estão mesmo pretendendo estar em sala de aula na segunda que vem?

– E quais são as suas alternativas, Mark? – perguntou Zola. – Se você largar, perde o emprego. Você não pode abandonar faltando um semestre.

– Eu só vou ter emprego se passar na prova da ordem, o que no presente momento parece impossível. Agora não estou com estabilidade mental nem emocional para aguentar os cursos preparatórios. Você está, Todd?

– Fico enjoado só de pensar.

– Ainda faltam sete meses – disse Zola.

– Por que a gente não pode tirar esse semestre de licença e empurrar o problema com a barriga? – sugeriu Todd.

– Porque as empresas de cobrança vão comer a gente vivo. Quem não está na faculdade tem que começar a pagar a dívida. Pode ser que haja uma brecha aqui e ali, mas duvido que a gente consiga encontrar.

– É, a gente não teria essa sorte.

– Vamos falar de outra coisa – pediu Zola.

– Tá, mas os assuntos estão se esgotando – disse Mark.

Houve mais um longo intervalo de silêncio, e Mark então falou:

– Tá, eu tenho uma coisa para confessar. Quando a gente estava limpando o apartamento do Gordy, no sábado, vi dois pendrives ao lado do computador dele. Eu peguei, porque percebi que não teriam nenhuma serventia nem para os pais dele nem para a Brenda. Dei uma olhada ontem à noite e não achei nada relacionado ao suicídio dele. Mas ele estava no rastro de alguma coisa.

– Do Rackley?

– É, mas não só isso. Vocês têm acompanhado o escândalo envolvendo o Banco Swift?

– Eu vi algumas manchetes – respondeu Zola.

– Não, eu tenho meus próprios problemas – disse Todd.

– O Swift é hoje o nono maior banco do país. Alguns anos atrás, tentou loucamente entrar na classificação de instituição grande demais para quebrar, mas o governo federal disse não. Infelizmente ele não quebrou, e desde então vem se saindo bem. Estava afogado até o pescoço nas armações com hipotecas sub-prime e tem um histórico de fraude e corrupção. É um bancozinho bem sórdido, que está envolvido em praticamente todo tipo de financiamento de segunda que existe, e ao mesmo tempo gasta uma fortuna em marketing porque tem uma vontade imensa de ser o banco da esquina.

– Eu já vi os anúncios – disse Todd.

– Ótimo. Bom, o Gordy acha, ou achava, que o Rackley é dono de uma parte do Swift. Ele não sabia direito quanto, porque, como de hábito, Rackley opera por trás de um muro de empresas laranjas, a maioria domiciliada fora do país. De modo lento e discreto, essas empresas compraram as ações do Swift, sempre mantendo as transações abaixo de 5%. Como sabemos, quando passam disso, elas precisam estar inscritas na Comissão de Valores Mobiliários. Gordy estava na cola de três dessas empresas laranjas, aparentemente sem ligação entre si, que juntas controlam um total de 12% do Swift. O valor atual da participação gira em torno de 4 bilhões, o que torna Rackley de longe o maior acionista, fato que ele não gostaria que viesse a público.

– Aham – fez Todd. – E onde a gente entra nessa?

– Não tenho certeza se a gente entra, mas foi uma leitura divertida, e como a gente não consegue chegar a um consenso sobre o que conversar, vou continuar falando sobre o Banco Swift e Hinds Rackley. Alguma objeção? Ótimo. Então, mais ou menos um mês atrás, o Banco Swift foi parar nas manchetes com mais um escândalo, nenhuma novidade para esses safados, mas pode ser que agora eles tenham se superado. Então, digamos que você, Todd, entra na agência mais próxima do Swift e abre uma conta corrente normal. Deposita mil dólares, recebe uns chequezinhos temporários bem fofinhos, tudo vai bem e você curtiu demais a linda gerente de novas contas, que foi supersimpática. Bom, depois que você vai embora, ela se transforma numa canalha e cria alguns outros produtos em seu nome. Uma conta poupança, ou quem sabe duas, uma conta de investimentos, um cartão de crédito, um cartão de débito, quem sabe até uma conta numa corretora de ações. Em vez de apenas uma conta no Swift, você na verdade tem sete produtos. A gerente ganha um bônus e um tapinha nas costas, muito bem. Você não sabe nada sobre os outros seis produtos, mas o bom e velho Swift desconta mensalmente alguns dólares a mais em tarifas misteriosas para administrar tudo isso.

– Quem abriu o bico? – quis saber Zola.

– Ela. Acabou sendo revelado que os gerentes de novas contas do Swift no país inteiro eram treinados em maneiras espúrias de empurrar produtos para pessoas que não os queriam, ou então, se os clientes recusassem, eles simplesmente criavam as contas mesmo assim. Milhões de contas. Essa fofa e alguns outros se apresentaram e denunciaram o esquema. Eles afirmam ter sofrido forte pressão do alto escalão para abrir as contas. O banco inteiro está de pernas para o ar e o Congresso vai começar as audiências semana que vem.

– Espero que seja tudo verdade, pelo menos no que diz respeito ao Rackley – disse Todd.

– Algum processo? – perguntou Zola.

– Claro. Os advogados dos requerentes estão em polvorosa. Já foram abertas duas ações coletivas, e outras virão. O número de clientes afetados pode chegar a um milhão.

– Quem dera eu tivesse conta no Swift – comentou Todd. – Assim poderia me vingar desse babaca.

– Ele está com a mão no nosso pescoço.

– Vamos mudar de assunto – disse Zola.

10

O Centro de Detenção Federal de Bardtown ficava num vale protegido a pouco menos de cinco quilômetros da Interestadual 99, e 35 quilômetros ao sul de Altoona. Se havia alguma cidade próxima, não dava para ver. A entrada asfaltada parecia nova. Era um largo acesso em declive, o que lhes proporcionou uma vista panorâmica do lugar quando eles chegaram. À sua frente se estendia um complexo de construções de telhado plano que pareciam caixotes, muito similares àqueles trailers usados como salas de aula em escolas superlotadas. Uma alta cerca de tela dupla circundava as fileiras de construções, formando um quadrado perfeito. Grossos rolos de arame cortante reluziam no alto das cercas, e davam a todo o lugar a inquietante impressão de não ser nada além de uma prisão.

Ao diminuir a velocidade do carro, Todd comentou:

– Parece uma daquelas fotos em preto e branco de Auschwitz.

– Valeu, Todd – disse Zola.

Foi uma visão desanimadora, e Zola não conseguiu controlar as emoções. Quando Todd entrou no estacionamento de cascalho, ela estava aos prantos. Os três ficaram sentados por alguns instantes encarando um prédio de dois andares na frente do complexo, obviamente o lugar por onde teriam de entrar. Também tinha o telhado plano, que parecia feito de drywall. Até ali, o complexo inteiro dava a impressão de ter sido construído da noite para o dia.

– Vamos lá – disse Zola por fim, e eles andaram até a entrada.

Uma placa temporária ao lado desta informava: "Centro de Detenção Federal de Bardtown. Órgão de Imigração e Alfândega. Escritório de Operações de Detenção e Remoção. Departamento de Segurança Nacional. DSN, ODR, ICE. Prédio Administrativo."

Eles encararam a placa.

– Sopa de letrinhas – murmurou Todd.

Ao que Mark retrucou:

– Vamos torcer para eles conhecerem a UALC.

Eles passaram pela porta e chegaram na recepção. Como não havia placas para orientá-los, Mark parou um rapaz corpulento de uniforme.

– Com licença, o senhor sabe onde fica a área de visitas?

– Que tipo de visita?

– Bem, nós gostaríamos de falar com um de seus detentos.

– Nós os chamamos de reclusos.

– Certo, nós gostaríamos de falar com um de seus reclusos.

Com relutância, ele apontou para mais adiante no corredor e disse:

– Tentem ali.

– Muito obrigado.

Eles desceram o largo corredor em busca de uma placa que indicasse qualquer coisa relacionada a visitas. Como aquele era um estabelecimento federal, havia servidores públicos por toda parte, trajando uniformes variados. Rapazes fortões andando ostensivamente de um lado para o outro com armas no cinto e "ICE" estampado em maiúsculas grandes nas costas das parcas. Funcionários de escritório de camisa branca e gravata, com distintivos dourados acima do bolso. Policiais que pareciam não passar de vice-xerifes de condado.

Eles foram até um balcão atrás do qual havia três mulheres sentadas. Uma folheava papéis enquanto as duas outras saboreavam o lanche da tarde.

– Com licença, eu vim visitar meus pais – disse Zola.

– E quem são seus pais? – indagou a garota da papelada.

– Maal. Meu pai se chama Abdul, minha mãe Fanta. Maal. M-A-A-L.

– De onde eles são?

– Bom, eles são de Nova Jersey, mas originalmente vieram do Senegal. Foram detidos ontem.

– Ah, eles são reclusos?

Mark segurou a língua para não disparar: "É claro que eles são reclusos. Por que outro motivo a gente estaria aqui?" Em vez disso, encarou Todd e não disse nada.

– São, sim – respondeu Zola com educação.

– A senhora marcou hora?

– Bom, não, mas nós viajamos duas horas para falar com eles.

A funcionária balançou a cabeça enquanto outra largava o brownie que estava comendo e digitava alguma coisa num teclado com apenas dois dedos. A segunda funcionária, uma mulher branca um pouco mais velha, falou:

– Eles ainda não foram cadastrados.

Isso obviamente era um impeditivo.

– Certo, bom, então os cadastrem – pediu Zola.

– Nós vamos cuidar disso, sim? Mas infelizmente a senhora não vai poder falar com eles antes de eles serem cadastrados – falou a primeira.

– A senhora deve estar brincando – disse Zola.

– Eu sinto muito – disse a funcionária, sem o menor vestígio de empatia.

– Como é que vocês podem mantê-los aqui se eles não foram cadastrados? – quis saber Zola.

A primeira funcionária, uma negra de meia-idade, encarou-a com desdém, como se fosse adorar colocar Zola no seu devido lugar.

– Temos regras aqui – disse ela com firmeza.

Mark e Todd deram um passo mais para perto do balcão. Todd estava usando calça jeans, tênis e uma jaqueta de couro velha. Mark estava ligeiramente mais bem-vestido, com uma calça de sarja, sapatos de trilha e um blusão com isolamento térmico. Todd meneou a cabeça para Mark, que se inclinou para a frente e disse, numa voz bem alta:

– Olhe aqui, eu sou o advogado dela, está bem? Ela é uma cidadã americana e tem o direito de ver a família. Nós viajamos duas horas de carro para esta visita, e a senhora não vai impedi-la. Os pais e o irmão dela foram detidos ontem e estão a ponto de ser mandados para a África. Pode ser que ela nunca mais os veja.

A terceira mulher parou de comer. A segunda parou de digitar. A primeira recuou e conseguiu dizer:

– Acho que o senhor vai ter de falar com a supervisão.

– Ótimo! – berrou Mark. – Mande chamar a supervisão!

A confusão atraiu um pouco de atenção e dois jovens agentes do ICE se aproximaram. Um deles, chamado Gibson, perguntou:

– Algum problema por aqui?

– Com certeza estamos com um problema por aqui! – rosnou Mark para ele. – Minha cliente acabou de vir de Washington para ver sua família pela última vez antes da deportação de volta para o Senegal. E agora estão nos dizendo que ela não pode vê-los por causa de uma burocracia.

Os rapazes do ICE olharam para as três funcionárias. A primeira disse:

– Você conhece as regras. Sem visitas antes de eles terem sido cadastrados.

Gibson voltou-se para Mark e disse:

– Bem, é isso. Regras são regras.

– Quero falar com a supervisão – exigiu Mark.

– O senhor pode parar de berrar, é isso que pode fazer – retrucou o agente, dando um passo mais para perto, louco por um confronto físico.

Dois outros se aproximaram para dar cobertura aos colegas.

– Apenas me deixe falar com a supervisão – pediu Mark.

– Não estou gostando da sua atitude – disse Gibson.

– Nem eu da sua. Que importância tem a atitude aqui? Qual o problema em deixar minha cliente ver os parentes? Caramba, eles vão ser deportados. Pode ser que ela nunca mais os veja.

– Se eles estão sendo deportados é porque um juiz mandou. Se não estiver de acordo, vá falar com o juiz.

– Bem, agora que o senhor mencionou um juiz, aí sim está falando a minha língua. Eu vou processar o senhor amanhã de manhã cedinho num tribunal federal. Qual é o seu primeiro nome, Gibson? – Mark deu um passo à frente e espiou seu crachá. – M. Gibson. M de quê, posso saber?

– Morris.

– Certo, Morris Gibson. Anote aí, Todd. – Todd sacou uma caneta e pegou uma folha de papel em cima do balcão. Mark olhou para o outro agente do ICE. – E o seu, qual é? – perguntou.

– Por que o senhor quer saber? – retrucou o homem com um sorriso de superioridade.

– Para a ação, senhor. Não posso mover uma ação contra o senhor sem saber o seu nome.

– Jerry Dunlap.

Mark se virou e encarou as três funcionárias, que estavam petrificadas.

– A senhora, como se chama? – rosnou para a primeira.

Ela baixou o olhar para o crachá preso acima de seu bolso esquerdo, como para verificar, antes de responder:

– Phyllis Brown.

Todd anotou.

– E a senhora? – perguntou Mark para a segunda.

– Debbie Ackenburg.

– Pode soletrar, por gentileza? – pediu Todd.

Ela soletrou. Mark olhou para a terceira:

– E a senhora?

Muito assustada, ela respondeu baixinho:

– Carol Mott.

Mark tornou a se virar, e reparou que quatro outros agentes do ICE observavam a altercação.

– Algum de vocês quer entrar na dança? É uma ação federal que vai ser protocolada amanhã bem cedo. Os senhores vão ser obrigados a contratar advogados, pelo menos um cada um, e eu vou fazer as coisas se arrastarem pelos próximos dois anos. Alguém mais?

Todos os quatro recuaram um passo ao mesmo tempo. Um homem de terno surgiu pela quina da sala e perguntou, zangado:

– Que bagunça é essa aqui?

Mark deu um passo na sua direção e falou bem alto:

– Estou anotando nomes para uma ação federal. O senhor é o supervisor?

– Sou – respondeu ele com orgulho.

– Ótimo, e qual o seu nome?

– Quem é o senhor, posso saber?

– Mark Frazier, do escritório de advocacia Ness Skelton, de Washington. Eu represento Zola Maal, esta senhora aqui. Nós viemos de Washington para ela poder ver seus parentes. Ela é cidadã americana e tem o direito de ver os familiares antes de eles serem deportados. Seu nome, por favor.

– George McIlwaine.

– Obrigado. E o senhor é quem manda por aqui?

– Sim.

Todd continuava anotando nomes. Mark tirou o celular do bolso e digitou um número qualquer. Olhando feio para McIlwaine, falou no telefone:

– Alô, Kelly, é o Mark. Me passe para o Kinsey do Contencioso, agora. Diga que é urgente. – Pausa. – Não quero nem saber se ele está em reunião. Passe para ele agora! – Uma pausa mais comprida enquanto Mark se aproximava de um terceiro agente do ICE que se encontrava em pé um pouco perto demais. Por cima do ombro, bradou para Todd. – Ponha T. Watson na lista. É T de quê?

Watson olhou em volta e passou o peso do corpo de um pé para o outro.

– Vamos lá, Sr. Watson, o senhor não sabe como se chama?

– Travis.

– Isso, muito bem. Ponha o nome de Travis Watson na ação.

Todd anotou. Zola deu um passo para trás de modo a abrir uma certa distância entre si e aquele homem descontrolado. No telefone, Mark recomeçou a falar:

– Oi, Kinsey, então, eu estou aqui no Centro de Detenção de Bardtown, e eles estão negando à nossa cliente o direito de ver os parentes. Quero que você prepare uma ação rápida e dê entrada o quanto antes. Vou mandar por mensagem de texto o nome dos réus. – Uma pausa enquanto ele escutava ninguém do outro lado. – Isso. Comece com a Segurança Nacional e o ICE, depois acrescente os nomes de... espere aí. – Ele apontou para as três funcionárias, para os três agentes do ICE e para McIlwaine. – De sete réus distintos. – Mark olhou para os outros agentes antes de prosseguir. – Algum de vocês aí quer entrar na roda? – Eles recuaram mais ainda. – Acho que não. Jogo rápido, Kinsey. – Mais uma pausa. Gibson e Watson lançaram olhares temerosos para McIlwaine. As três funcionárias estavam de olhos arregalados, com medo até de se mexer. Mark voltou a falar no telefone. – Ótimo! Dê entrada on-line hoje à tarde. Distrito Leste da Pensilvânia, vara federal. Veja se consegue o juiz Baxter. Ele vai esfregar a lei na cara dessa gente. Me ligue daqui a dez minutos.

Mark tocou a tela do celular com um dedo e guardou o aparelho no bolso. Fulminou McIlwaine com os olhos.

– Vou processar todos vocês individualmente pedindo indenizações em dinheiro e, depois de conseguir, vou registrar o veredito, assim vou poder confiscar seus contracheques e pegar a casa de vocês como garantia. – Ele se virou e vociferou para Todd. – Me passe os nomes. – Zola e Todd o seguiram até uma sequência de cadeiras encostadas numa parede. Os três se sentaram, e Mark tornou a pegar o telefone. Segurando a lista de Todd, fingiu estar digitando os sete nomes.

McIlwaine finalmente tomou uma atitude. Inspirou fundo e andou na sua direção. Com um sorriso falso, falou:

– Olhe aqui, quem sabe nós possamos dar um jeito nessa situação.

VINTE MINUTOS DEPOIS, o agente Gibson os conduziu até uma salinha nos fundos do prédio da administração e lhes disse para aguardar. Quando eles ficaram a sós, Todd falou:

– Você é maluco, sabia?

– Deu certo – disse Mark, com um sorriso de superioridade.

Zola conseguiu rir e falou:

– Eu é que não queria ser processada por você.

– Quem precisa de inscrição para advogar? – indagou Mark.

– Bem, advogar sem inscrição pode dar problema – disse Todd.

– E você acha que esses palhaços vão ligar para a Ordem dos Advogados do Distrito de Columbia para perguntar alguma coisa?

Zola abriu sua volumosa bolsa e pegou um hijab preto. Enquanto seus dois amigos a observavam, cobriu a cabeça e os ombros, e ajeitou-o até colocá-lo no lugar.

– Em teoria eu preciso usar isso quando estou na presença de homens que não são da minha família – explicou ela, recatada.

– Que boa muçulmana – ironizou Todd. – E você escolheu um vestido longo em vez daquele jeans apertado que a gente admira há tantos anos.

– Que jeans? É o mínimo que eu posso fazer pelos meus pais, já que talvez não vá vê-los por muito tempo.

– Achei que você ficou uma graça – elogiou Mark.

– Eu sou uma graça, só não diga nada, tá? Meu pai já é desconfiado o suficiente.

– Está até com cara de virgem – comentou Todd.

– Pare com isso – disse ela.

A porta se abriu. Seus pais e seu irmão Bo entraram na sala. Fanta, a mãe, tomou a filha nos braços e as duas ficaram abraçadas, ambas aos prantos. Zola abraçou o pai Abdou e Bo, e finalmente olhou para Todd e Mark. Apresentou-os, descreveu-os como amigos da faculdade de Direito e explicou que eles a tinham levado de carro de Washington até lá. Mark e Todd apertaram as mãos de Bo e Abdou, mas não da mãe. O pai lhes agradeceu várias vezes e, quando o clima começou a ficar mais tenso, Mark sugeriu esperarem no corredor.

Quando ele e Todd saíram da sala, a família inteira estava chorando.

11

Na terça de manhã cedo, uma embarcação da polícia estava navegando perto do acesso à enseada conhecida como Tidal Basin, na margem leste do Potomac, quando um dos agentes notou algo fora do normal. Um exame mais atento revelou se tratar de um cadáver, esbranquiçado e inchado, preso na vegetação da margem do rio, bem próximo ao Jefferson Memorial.

Mark ainda estava dormindo quando o investigador Swayze ligou. O policial descreveu o que haviam encontrado e disse que acabara de falar com o Sr. Tanner, que já estava de volta a Martinsburg junto com a mãe de Gordy e os Karveys. Nem Todd nem Mark tinham falado com Brenda, seu pai ou os Tanners desde o desagradável encontro de sábado à tarde. Ao que parecia, em algum momento da segunda-feira as famílias tinham chegado à conclusão de que não adiantava nada ficar esperando em Washington.

Mark ligou para Todd e Zola e deu a notícia. Os três combinaram de se encontrar dali a uma hora no apartamento de Zola. Dez minutos mais tarde, quando Mark estava sentado em seu sofá no escuro, tomando um café, seu celular tocou. Era o pai de Gordy. Ele encarou o aparelho e, por pena, atendeu com relutância a ligação. Deu pêsames ao pai do amigo e já estava ficando sem ter o que dizer quando o Sr. Tanner pediu:

– Mark, então, você poderia nos fazer um favor?

Por instinto, Mark quase disse não, mas na hora não conseguiu.

– Sim, claro.

– Será que você e Todd poderiam ir ao necrotério identificar o corpo? Eu não consigo pegar o carro e ir até aí, não para uma coisa dessas.

Mark ficou perplexo. Três dias antes, os familiares o estavam culpando pela morte de Gordy e agora vinham lhe pedir para fazer o pior favor imaginável? Quando ele não falou nada, o Sr. Tanner insistiu:

– É que agora nós estamos abalados demais, Mark, e, bom, você e o Todd já estão aí. Por favor. Sei que é uma coisa horrível de pedir, mas nos ajudaria demais.

Sem saber como, Mark se forçou a concordar:

– Claro.

O CORPO TINHA sido levado para o Consultório do Médico-Legista Chefe, onde também ficava o necrotério. Todd estacionou na rua ao lado do moderno prédio de vidro e logo eles acharam a entrada. O investigador Swayze os encontrou no saguão e lhes agradeceu por terem ido. Olhou para Zola e disse:

– Não acho mesmo necessário que a senhora veja isso.

– Eu não vou ver. Vou ficar esperando.

– Ótimo. Tem uma sala de espera ali – afirmou ele, meneando a cabeça, e Zola se encaminhou para lá.

Todd e Mark desceram a escada atrás de Swayze até um corredor largo. Pararam diante de uma porta de metal ao lado de uma placa que dizia: "Armazenamento de Cadáveres".

– Aí dentro está frio, mas não vai demorar – disse Swayze.

– Com que frequência o senhor faz isso? – perguntou Mark.

– Duas vezes por semana. A sala tem capacidade para duzentos corpos. Nunca faltam cadáveres nesta cidade.

Uma mulher de jaleco branco os recebeu na porta.

– Tanner, não é? – indagou ela ao policial.

– Isso – confirmou Swayze.

Eles entraram num recinto grande, estéril e refrigerado, ocupado por prateleiras de metal organizadas contendo dezenas de sacos plásticos com cadáveres, todos na cor azul-marinho, bem fechados por zíperes de uma ponta a outra. Viraram numa quina, passaram por mais prateleiras com mais corpos e pararam abruptamente. Uma etiqueta presa a um saco plástico dizia: "G. Tanner?? Afogamento."

Mark olhou em volta e viu outra etiqueta. "Desconhecido. Arma de fogo."

A mulher abriu o zíper devagar. Parou logo depois e abriu o saco - o corpo visível até a altura do peitoral. Os olhos de Gordy estavam arregalados, sem vida, como se ele estivesse gritando horrorizado na hora em que batera na água. A pele estava branca feito neve recém-caída. O detalhe mais medonho era, sem dúvida, a língua, grossa, esticada para fora da boca de modo grotesco. Havia machucados nas bochechas. Os fartos cabelos louros pareciam ainda molhados.

Mark se inclinou sobre a prateleira para se apoiar.

– Que merda – balbuciou Todd, e dobrou o corpo como se fosse vomitar.

– Este é Gordon Tanner? – perguntou Swayze em tom casual.

Mark fez que sim com a cabeça ao mesmo tempo em que Todd recuava.

A mulher tornou a fechar o zíper e pegou um pequeno saco plástico.

– Não havia sapatos, nem meias, nem calça ou roupa de baixo – disse ela. – Isto é o que sobrou da camisa dele. Não tem mais nada.

– Foi por isso que não conseguimos uma identificação precisa – explicou Swayze. – Imaginamos que fosse ele, mas a carteira, as chaves, todo o resto tinha sumido. Eu sinto muito.

Mark fechou os olhos e disse:

– Eu também. – Por algum motivo, tocou o saco do cadáver na altura dos tornozelos e deu um tapinha ali. – Eu também.

Eles seguiram a mulher para fora da sala. No corredor, Mark perguntou ao investigador:

– E agora, o que vai acontecer?

– A família já cuidou da papelada. A agência funerária virá buscar o corpo. Ele vai ser transportado daqui a umas duas horas.

– A gente não precisa fazer mais nada?

– Não. Obrigado, e mais uma vez sinto muitíssimo.

– Obrigado.

Mark e Todd passaram um longo tempo sentados com Zola na sala de espera. As coisas estavam silenciosas e sombrias até Todd dizer:

– Vamos sair daqui.

Lá fora, Mark parou e disse:

– Acho que eu preciso ligar para o Sr. Tanner.

DURANTE O RESTANTE da terça-feira e ao longo de toda a quarta, Todd e Mark não saíram de perto de Zola. Ela não conseguia trabalhar, então perdeu o emprego temporário no escritório de contabilidade. De toda forma, era uma vaga sazonal. Quando Todd ia trabalhar algumas horas no bar, Mark ficava com ela. Os dois davam longos passeios pela cidade, entravam em livrarias, olhavam vitrines e se aqueciam dentro de cafés. Quando Mark passava no Ness Skelton, Todd a levava ao cinema. Eles dormiram todas as noites no seu apartamento, embora ela lhes garantisse que estava bem. Não era verdade. Nenhum deles estava bem. Eram três sonâmbulos perambulando em um pesadelo. Precisavam uns dos outros.

À medida que outros alunos da faculdade voltavam para Washington, as pessoas queriam falar sobre Gordy, conversas que os três preferiam evitar. Na quinta-feira à noite, vários amigos foram de carro até Martinsburg para uma visita à agência funerária, mas Mark, Todd e Zola resolveram não ir. Nessa mesma noite, uma festa surgiu espontaneamente num bar que o pessoal gostava de frequentar, e eles passaram uma hora com amigos. Foram embora quando a cerveja estava rolando solta e os colegas começaram a brindar em homenagem a Gordy.

Mark ficou aliviado quando Brenda não ligou. Não queria falar do velório, e sabia que de todo modo isso era improvável. Nem ele nem Todd foram convidados para carregar o caixão, o que também foi um alívio. A cerimônia em si já seria suficientemente penosa. Eles planejavam ficar longe das famílias e observar à distância, se fosse possível. Cogitaram até não ir, mas isso teria sido errado.

Na sexta, Mark e Todd vestiram seus melhores ternos, camisas brancas, gravatas discretas e sapatos de couro, seus melhores “uniformes de entrevista”, e foram buscar Zola, que estava de longo preto e parecia uma modelo. Os três viajaram a hora e meia de carro até Martinsburg e localizaram a igreja, uma construção bonita de tijolos vermelhos, com muitos vitrais. Já havia pessoas reunidas em volta dos degraus da frente. Um carro da funerária estava parado junto ao meio-fio. À uma e meia, eles entraram no vestíbulo e pegaram programas da mão de um organizador. Na capa estava estampada uma bela foto de seu amigo. Mark perguntou ao organizador se havia um balcão, e o rapaz apontou para uma escada. O balcão ainda estava vazio quando eles se sentaram na última fila, escondidos em um canto afastado da igreja, o mais longe possível do púlpito.

Zola se sentou entre os dois e enxugou o rosto com um lenço de papel.

– É tudo culpa minha – disse ela, e começou a chorar.

Eles não a repreenderam nem discutiram. Deixaram o luto dela seguir seu curso. Haveria tempo de sobra para debater aquilo mais tarde. Embora também estivessem com vontade de chorar, Mark e Todd conseguiram se conter.

A igreja era linda. A galeria do coro, revestida de madeira elevada, ficava atrás do púlpito, e havia um imenso órgão numa das laterais. Atrás da galeria estava pendurado um quadro de Jesus crucificado. Janelas de vitral margeavam as paredes e deixavam entrar uma grande quantidade de luz. Quatro seções de bancos formavam um semicírculo em volta de um corredor central. Enquanto eles aguardavam, vários homens de semblante solene dispuseram dezenas de arranjos de flores de ambos os lados do púlpito.

Os bancos foram enchendo rapidamente, e em pouco tempo mais pessoas subiram até o balcão. Os Tanners e os Karveys viviam em Martinsburg havia muitas gerações, e um público grande estava sendo aguardado. Isso fez Mark pensar em seu pequeno roteiro de ficção sobre quando a cidade soubesse que um de seus filhos preferidos tinha fugido com uma muçulmana africana e abandonado a namoradinha de infância. Abandonado todos que o conheciam. Aquilo havia soado quase engraçado alguns dias antes, mas agora nem tanto. Felizmente, a cidade jamais viria a saber. Se as coisas houvessem corrido conforme o planejado, em cerca de quatro meses Mark e Todd teriam estado ali como padrinhos vendo Brenda subir ao altar. Agora estavam escondidos no balcão, prestando sua homenagem ao mesmo tempo que tentavam evitar os parentes de Gordy.

Uma organista se acomodou e começou a tocar uma nênia suave que pareceu perfeita para a ocasião. Alguns minutos depois, o coro entrou por uma porta lateral e ocupou a galeria. Ficou claro que o adeus a Gordy seria em grande estilo. Os convidados continuaram a chegar, e logo havia gente em pé junto à parede. O balcão ficou lotado, e os três se espremeram de modo a abrir espaço para um casal de idosos. Às duas da tarde, o pastor chegou e se postou atrás do púlpito. Segundo o programa, era o reverendo Gary Chester. Quando ele ergueu os braços, todos ficaram de pé. O caixão foi trazido pelo corredor central por quatro carregadores de cada lado. Atrás dele, Brenda caminhava sozinha, ereta e firme. Atrás dela vinham o Sr. e a Sra. Tanner, depois o restante da família. Gordy tinha um irmão mais velho e uma irmã adolescente, que caminhava com dificuldade. O irmão a segurava pelos ombros para ampará-la. O caixão, felizmente fechado, foi posicionado logo abaixo do púlpito. Depois a família ocupou seus lugares e o reverendo Chester fez um gesto para o público se sentar.

Mark conferiu de relance o relógio de pulso; eram 14h12. Quanto tempo aquilo duraria?

Após uma prece demorada do reverendo, o coro cantou quatro estrofes de um hino. A organista então emendou com uma peça que não poderia ser mais deprimente. Quando ela terminou, várias mulheres soluçavam. O irmão de Brenda se levantou, foi até um atril junto ao piano e leu o Salmo 23. Chester voltou para o púlpito e deu início à homilia. Pelo visto, ele também vivia em Martinsbrug fazia tempo, pois conhecia bem Gordy. Contou histórias sobre ter visto o menino jogando futebol americano e beisebol. Sem usar a palavra "suicídio", discorreu sobre os mistérios da morte e suas formas muitas vezes difíceis de entender. Deus está sempre no comando. Ele tem um plano para tudo. E embora nós, que ficamos para trás, questionemos a morte e principalmente as tragédias, Deus sabe o que faz. Algum dia nós talvez compreendamos por que Gordy fez o que fez, ou talvez isso nunca venha a acontecer, mas Deus é o arquiteto supremo de toda a vida e de toda a morte. Nossa fé nele é infinita.

Chester foi reconfortante, um verdadeiro profissional. Às vezes sua voz enfraquecia, e ficava claro que ele estava sofrendo. Com aquela tarefa tão difícil a cumprir, conseguiu oferecer corajosamente palavras de consolo.

Jimmy Hasbro era o melhor amigo de infância de Gordy, e Mark e Todd tinham saído com ele muitas vezes durante a faculdade. Ele fez o primeiro de dois panegíricos. Quando era pequeno, Gordy tinha fascínio por cobras e gostava de criá-las. Sua mãe, com toda razão, o proibia de levá-las para dentro de casa. Esse hobbyzinho fofo chegou a um fim abrupto quando uma cabeça-de-cobre cravou os dentes no joelho direito dele. Os médicos chegaram a cogitar uma amputação. Jimmy se saiu bem ao contar a história e levou um pouco de humor para o evento. Quando eles eram adolescentes, seu policial preferido era um cara mais velho chamado Durdin, que já tinha morrido. Uma noite, bem tarde, a viatura de Durdin sumiu. Foi encontrada na manhã seguinte num lago nos arredores da cidade. Como o carro chegou lá era um mistério que nunca fora solucionado. Até agora. Demonstrando talento para a dramaticidade e o humor, Jimmy contou como Gordy tinha pegado o carro "emprestado" e dirigido até o lago enquanto ele, Jimmy, assistia. A igreja irrompeu em risos que duraram vários minutos. Que momento perfeito para revelar o que realmente havia acontecido depois de tantos anos.

Quando os risos cessaram, Jimmy tornou a ficar sério. Sua voz falhou quando ele descreveu a lealdade de Gordy. Qualificou-o como um exemplo perfeito de amigo para toda hora, o cara que você quer do seu lado numa briga. O cara que sempre lhe dá cobertura. Infelizmente, porém, alguns dos amigos de Gordy não tinham sido tão leais. Quando ele mais precisara deles, quando estava sofrendo e precisando de ajuda, alguns de seus amigos não tinham estado à altura.

Mark se encolheu, e Zola segurou sua mão. Todd olhou para eles. Parecia que tinham levado um soco.

Então era aquela a versão que corria por Martinsburg! Gordy não era responsável pelas próprias ações. Brenda não tinha participação nenhuma no surto dele. Não, senhor. Uns amigos de Washington, seus colegas na faculdade de Direito, é que tinham sido negligentes.

Os três amigos ficaram ali sentados, atordoados de raiva e perplexidade.

Por fim, Jimmy se emocionou e não conseguiu continuar. Enxugou os olhos, afastou-se do atril e voltou para seu lugar na terceira fila. O coro recomeçou a cantar. Um menino da igreja tocou flauta. Um amigo da Washington and Lee fez o segundo panegírico, que dessa vez não apontou o dedo para ninguém. Após 55 minutos, o reverendo Chester proferiu a prece final e teve início o cortejo. Com o órgão tocando bem alto, todos se levantaram enquanto os carregadores levavam o caixão pelo corredor. Muita gente chorou alto, até lá em cima no balcão.

Mark chegou à conclusão de que detestava funerais. Para que aquilo servia? Havia jeitos muito melhores de consolar os próximos do que se reunir numa igreja lotada para falar sobre o falecido e dar uma boa chorada.

– Vamos só ficar sentados aqui um instante, tá? – sussurrou Todd.

Mark pensou a mesma coisa. Brenda e as famílias estavam lá fora, chorando e se abraçando, enquanto o caixão de Gordy era posto no rabecão que seguiria até o cemitério mais adiante, onde todos tornariam a se reunir para o enterro, outra cerimônia excruciante a qual os três não tinham planos de assistir. E Jimmy Hasbro estaria no meio dela. Se Mark trocasse olhares com ele, seria capaz de lhe dar um soco e estragar o dia.

À medida que o balcão foi esvaziando, eles observaram a mesma equipe recolher depressa as flores e levá-las embora, sem dúvida a caminho do cemitério. Depois que as flores se foram e a igreja ficou vazia, eles permaneceram sentados, esperando.

– Não estou acreditando – falou Mark, em voz baixa. – Todo mundo está colocando a culpa na gente.

– Que filho da puta – disse Todd.

– Por favor – pediu Zola. – Na igreja, não.

Eles ficaram observando um zelador remover algumas cadeiras dobráveis perto do piano. O homem ergueu os olhos, viu-os sentados sozinhos no balcão e pareceu curioso em relação à sua presença. Então voltou para o seu trabalho e saiu da igreja.

Por fim, Mark disse:

– Vamos embora daqui.

12

Era sexta-feira à tarde, o fim de mais uma semana deprimente. Como eles não estavam com a menor pressa de voltar para a cidade, Todd pegou as estradas secundárias e eles cruzaram a divisa para Virgínia. Perto da cidade de Berryville, os rapazes decidiram que precisavam beber alguma coisa e Todd parou numa loja de conveniência. Zola, que nunca bebia, ofereceu-se para dirigir, algo que fazia muitas vezes quando saía com Gordy e o pessoal da faculdade. Mark comprou uma caixa de cerveja para si e um refrigerante para ela.

– Aonde a gente vai? – perguntou ela.

Todd, no banco do carona, apontou para uma placa:

– Está dizendo que Front Royal é por ali. Vocês já foram a Front Royal?

– Não.

– Bom, vamos lá dar uma olhada.

Eles abriram as latinhas e partiram. Dali a uns poucos quilômetros, Mark prendeu a cerveja entre os joelhos e olhou o celular. Tinha recebido um e-mail do Ness Skelton. Leu-o e gritou:

– O quê? Vocês só podem estar de sacanagem!

– O que foi? – perguntou Todd, espantado.

– Eles acabaram de me despedir! Fui demitido!

– Pare com isso – disse Zola.

– Não, o e-mail é de Everett Boling, digo, de M. Everett Boling, um babaca de marca maior que é o sócio-gerente do escritório. Escutem só. Ele escreveu: "Caro Sr. Frazier. Nosso escritório hoje anunciou sua fusão com o escritório de advocacia O'Mara and Smith, baseado em Londres. É uma grande oportunidade para o Ness Skelton se expandir e passar a atender melhor seus clientes. No entanto, a fusão exige uma reorganização de nossos funcionários. Lamento lhe informar que a nossa oferta de colaboração está sendo revogada. Desejamos ao senhor tudo de bom em seus projetos. Atenciosamente, M. Everett Boling."

– Gostei do momento oportuno que eles escolheram – comentou Todd.

– Eles estão me mandando embora antes mesmo de eu começar. Dá para acreditar num troço desses?

– Eu sinto muito, Mark – disse Zola.

– É, eu também – completou Todd. – Sinto muito, parceiro.

– E eles não têm nem coragem para me demitir pessoalmente – reclamou Mark. – Demitido por uma porcaria de um e-mail.

– Você está mesmo tão surpreso assim? – perguntou Todd.

– É claro que estou. Por que não deveria estar?

– Porque eles são um bando de lobistas de quinta categoria que lhe fizeram uma proposta de emprego fuleira que não incluía um salário e ainda por cima condicionada à sua aprovação no exame da ordem. Você mesmo falou, e muitas vezes, devo dizer, que não confiava em ninguém de lá e nunca tinha se sentido bem no escritório. Eles são um bando de pilantras. Palavras suas, não minhas.

Mark inspirou fundo, largou o celular, esvaziou a cerveja, amassou a lata e a jogou no chão do carro. Pegou outra, abriu e deu um gole. Todd bebeu o restante e disse em seguida:

– Me passe outra. – Depois de abri-la, ele a ergueu e falou. – Tim-tim. Bem-vindo ao time dos desempregados.

– Tim-tim – falou Mark quando as duas latinhas se tocaram. – Eu não queria mesmo trabalhar lá.

– É isso aí – disse Todd. Zola não parava de olhá-lo pelo retrovisor. – Você teria sido infeliz lá. Eles são todos uns canalhas, uns babacas que detestam o trabalho que fazem. Repita isso para si mesmo.

– Eu sei, eu sei. Mas eu adoraria ligar para o meu supervisor Randall só para ouvir ele hesitar e gaguejar.

– Garanto que ele não vai atender. Aposto com você.

– Que aposta ruim.

– Não faça isso – aconselhou Zola. – Não gaste essa energia.

– Por algum motivo eu tenho andado com pouca energia esses dias – falou Mark. – O inútil do meu irmão mais novo está prestes a ir para a prisão, o que para ele é uma droga, mas eu fico com raiva mesmo é pela minha mãe. Aí o Gordy surta. E agora a gente leva a culpa pelo suicídio dele. A família da Zola é detida e jogada numa prisão para esperar a deportação. E agora isso do emprego. Aí esperam que a gente dê um jeito de esquecer tudo e voltar para nosso último semestre na faculdade e para os dois meses infernais antes da prova da ordem, e isso tudo para ganharmos algum dinheiro e começarmos a pagar a nossa dívida, que, na verdade, é bem mais impossível do que parece. É, Zola querida, eu estou cansado. Você não?

– Eu estou para lá de exausta – disse ela.

– Somos três – acrescentou Todd.

Eles diminuíram a velocidade e atravessaram a cidadezinha de Boyce. Quando a deixaram para trás, Mark perguntou:

– Vocês vão mesmo à aula na segunda? Eu não.

– É a segunda ou terceira vez que você diz isso, Mark – falou Zola. – Se não voltar para a faculdade, então quais são os seus planos?

– Eu não tenho planos. Vou viver um dia de cada vez.

– Tá, mas o que você vai fazer quando a faculdade começar a ligar? – quis saber Todd.

– Não vou atender.

– Tá, aí eles vão mudar seu status para inativo e avisar os seus cobradores, que vão pular no seu pescoço.

– E se eles não conseguirem me encontrar? E se eu trocar de número e me mudar para outro apartamento? Seria fácil se perder numa cidade com 2 milhões de habitantes.

– Entendi – disse Todd. – Então você começa a se esconder. E trabalho, dinheiro, esses pequenos desafios?

– Andei pensando nisso – disse Mark, e tomou um grande gole de cerveja. – Talvez eu arrume um emprego de barman, ganhando em dinheiro vivo, claro. Quem sabe garçom. Ou quem sabe eu me torne especialista em infrações por embriaguez ao volante que nem aquele verme que a gente conheceu sexta passada na cadeia. Qual era mesmo o nome dele?

– Darrell Cromley – respondeu Zola.

– Aposto que o Darrell embolsa 100 mil por ano com essas infrações. Tudo em dinheiro vivo.

– Mas você não tem registro para advogar – disse Zola.

– E a gente pediu a ele para mostrar o registro? Claro que não. Ele disse que era advogado. O cartão de visitas dele dizia que ele era advogado, então a gente simplesmente partiu do pressuposto de que ele tinha registro. Ele poderia muito bem ser um vendedor de carros usados fazendo um bico lá na cadeia.

– E quando chegar a hora de ir ao tribunal? – perguntou Zola.

– Você já foi ao tribunal municipal? Eu já, e aquilo lá é uma selva. Tem centenas de Darrell Cromleys correndo de um lado para o outro, resolvendo coisas para pequenos criminosos em troca de honorários, entrando e saindo de salas onde os juízes vivem entediados e quase dormindo. E os juízes, escreventes e todas as outras pessoas nesses tribunais simplesmente partem do pressuposto, como a gente partiu, de que os caras de terno vagabundo zanzando por lá são mesmo advogados. Cara, nesta cidade existem 100 mil advogados, e ninguém nunca para e pergunta: "Ei, você é mesmo advogado? Deixe eu ver o seu registro."

– Eu acho que essa cerveja subiu direto à sua cabeça – disse Todd.

No espelho, Mark sorriu para Zola.

13

O primeiro dia de aula do semestre significava dinheiro. O Departamento de Educação transferia para a Foggy Bottom o valor de 22.500 dólares de anuidade por aluno, junto com outros 10 mil para despesas pessoais. A faculdade transferia imediatamente a maior parte do dinheiro para seus proprietários no Grupo Baytrium e em seguida entregava aos alunos cheques individuais para suas despesas. O Escritório de Auxílio Financeiro ficava movimentado o dia inteiro, com estudantes necessitados de dinheiro esperando em longas filas.

Mark e Todd mataram aula e chegaram pouco antes das cinco, horário em que o escritório fechava. Com 20 mil dólares no bolso, foram para um bar que tinham descoberto durante o fim de semana. O Rooster Bar, o "bar do galo", ficava escondido na Florida Avenue, no trecho da Rua U, bem longe da clientela da Foggy Bottom. Ocupava o térreo de um prédio de quatro andares que, embora pintado de vermelho vivo, atraía pouca atenção. O chefe de Todd, um agenciador de apostas que todo mundo chamava de Maynard, era dono tanto do bar quanto do prédio, além do Old Red Cat e de dois outros bares na cidade. Maynard cedera à insistência de Todd e concordara em transferi-lo para lá. Concordara também em contratar Mark, que alegava ter grande experiência como barman. Eles ficariam responsáveis pelo bar à noite e nos finais de semana e, com novos empregos diurnos, seu futuro financeiro parecia bem mais promissor. É claro que eles ainda tinham suas imensas dívidas, embora não tivessem nenhuma intenção de quitá-las.

O Rooster Bar tinha o aspecto e o clima de um bar antigo. A maior parte dos fregueses era de funcionários públicos que moravam por perto ou passavam lá todas as tardes para tomar algumas doses antes de voltar para casa, enquanto esperavam o trânsito melhorar. Para alguns, isso demorava horas. O largo balcão em forma de meia-lua era feito de mogno polido e latão, e às cinco horas da tarde, fosse qual fosse o dia, ficava abarrotado com importantes burocratas de médio escalão virando drinques na happy hour e assistindo ao noticiário da Fox News. A cozinha preparava uma comida razoável a preços razoáveis.

Numa mesa de canto, diante de uma porção de frango frito e chope, Mark e Todd passaram horas planejando o que fariam em seguida.

Na terça, mataram aula e pesquisaram na internet um falsificador de primeira que pudesse lhes fornecer novas identidades. Encontraram um em Bethesda, num fundo de garagem onde o "consultor de segurança" imprimiu dois conjuntos de carteiras de habilitação perfeitas, uma do Distrito de Columbia e outra do estado de Delaware para Mark Upshaw e Mark Finley, antes Mark Frazier; e uma do Distrito de Columbia e outra do estado de Maryland para Todd Lane e Todd McCain, antes Todd Lucero. O custo foi de 200 dólares em dinheiro para cada par de documentos, e o falsário lhes ofereceu passaportes perfeitos por 500 pratas cada um. Eles não quiseram, pelo menos não ainda. Seus passaportes atuais ainda estavam na validade, e eles não tinham planos de sair do país.

Com nomes novos, os dois compraram celulares e chips. Ficaram com os antigos aparelhos para monitorar quem pudesse estar à sua procura. Ao sair da loja, foram até um bureau de impressão expresso e encomendaram papel de carta e cartões de visita para seu novo empreendimento, a Upshaw, Parker & Lane Advogados. Mark Upshaw e Todd Lane. Nomes novos, telefones novos, futuro novo. O endereço era Florida Avenue, 1.504, o mesmo do Rooster Bar.

Eles mataram aula na quarta e, enquanto os outros inquilinos do Coop estavam na aula, os dois carregaram suas roupas, alguns livros e uma quantidade menor ainda de panelas, frigideiras e louça. Saíram do prédio sem avisar nada a ninguém. Os aluguéis de janeiro já estavam atrasados, e eles calculavam que deveriam ser processados pelo senhorio, que teria extrema dificuldade em encontrá-los. Mudaram-se para um apartamento sujo de três cômodos no último andar em cima do Rooster

Bar, uma verdadeira pocilga, que pelo visto vinha sendo usada como depósito desde os tempos de Franklin Roosevelt. Não tinham combinado nada com Maynard em relação ao valor do aluguel, mas haviam sugerido trocar o pagamento por trabalho, tudo por fora, claro. Maynard gostou da ideia.

A perspectiva de morar ali não era agradável sob nenhum aspecto, mas a alternativa de pagar mais ou ser perseguido pelos cobradores também não. Se passar alguns meses morando num buraco fosse manter os cobradores afastados, então Mark e Todd podiam suportar. Eles compraram duas camas, um sofá, algumas cadeiras, um conjunto barato de mesa de jantar e algumas outras peças variadas de uma loja de segunda mão ao lado de um albergue para sem-tetos.

Decidiram deixar a barba crescer. Como típicos estudantes de Direito, já era raro que fizessem a barba. O visual desleixado era algo esperado. Agora, as suíças poderiam proporcionar um disfarce a mais.

Na quarta-feira à tarde, eles se aventuraram pela primeira vez até o bairro de Judiciary Square, onde ficavam os diversos fóruns que cuidavam dos assuntos jurídicos da capital. O ponto central era District Courthouse, o fórum distrital, um imenso edifício de concreto estilo anos 1970 onde eram julgadas pessoas acusadas de todo tipo de atividade criminosa. Sua selva de salas se espalhava por seis andares. Os corredores viviam lotados de advogados entrando e saindo de audiências e de réus nervosos liberados sob fiança, reunidos com seus entes queridos. O fórum era aberto ao público; depois dos procedimentos de segurança obrigatórios com detetores de metal e scans corporais, entrar era fácil e gratuito. Eles assistiram a julgamentos com júris populares. Assistiram a audiências preliminares nas quais detentos usando uniformes do presídio eram arrastados até diante de um juiz para uma rápida papelada e em seguida mandados de volta para a prisão. Assistiram a audiências nas quais advogados de acusação e defensores públicos travavam uma batalha de argumentos. Estudaram o rol de processos e coletaram o máximo de documentação possível. Zanzaram pelos corredores e observaram cuidadosamente os advogados reunidos com famílias assustadas. Não ouviram nem uma vez alguém perguntar a um advogado ou advogada se ele ou ela tinha registro para advogar. Não viram nem uma vez algum conhecido.

Nessa noite, eles trabalharam até às dez servindo bebidas e comidas no

Rooster Bar, depois se recolheram ao seu sujo apartamento, onde passaram horas na internet percorrendo o labirinto do sistema de tribunais do Distrito de Columbia. Seu futuro era o Direito Penal, principalmente porque os honorários podiam ser pagos em espécie e os clientes não teriam interesse algum em passar no seu escritório para uma consulta. As reuniões aconteceriam ou na prisão ou no fórum, igualzinho às de Darrell Cromley.

Eles tornaram a matar aula na quinta e abriram novas contas correntes. Havia seis agências do Banco Swift na região metropolitana de Washington. Mark foi até uma perto da estação de trem Union Station e depositou 500 dólares em nome de Mark Upshaw. Todd Lane fez o mesmo na agência da Rhode Island Avenue. Juntos, eles foram a uma terceira agência do Swift, na Pennsylvania Avenue, e abriram uma conta de pessoa jurídica usando um número de registro fiscal falso. Na quinta à tarde, voltaram ao fórum e continuaram a observar o circo.

Faltaram às aulas de sexta e pararam de pensar na Foggy Bottom. Se possível, nunca mais tornariam a ver aquele lugar. Isso por si só já era emocionante.

A intimação a Gordy por embriaguez ao volante exigia que ele comparecesse à Sala 117 do Fórum Distrital na sexta-feira à uma da tarde. Às 12h45, Mark e Todd chegaram em frente à sala e tentaram aparentar o maior nervosismo possível. Estava começando a juntar gente. Mark segurava a intimação com cara de quem precisava de ajuda. Ambos estavam de jeans e botas, a aparência desleixada. Mark usava também um boné da John Deere. Um cara de pasta na mão chegou e os viu. Aproximou-se e perguntou para Mark:

– O senhor está aqui porque foi pego dirigindo alcoolizado?

– Isso – respondeu Mark. – O senhor é advogado?

– Sou. O senhor já tem um?

– Não, senhor.

– Posso ver sua intimação?

Mark lhe passou o papel e o advogado franziu o cenho enquanto o lia. Então sacou um cartão de visitas e o entregou para Mark. Preston Kline, Advogado.

– O senhor precisa de um advogado para isso – disse Kline. – Meus honorários são mil pratas, em dinheiro.

– Sério, tanto assim? – perguntou Mark, chocado.

Ao seu lado, Todd deu um passo à frente e falou:

– Eu sou amigo dele.

– Está uma pechincha, filho – argumentou Kline. – Eu posso lhe poupar muito dinheiro. Se for considerado culpado, o senhor vai perder a carreira por um ano, mas antes disso vai passar um tempo no xadrez. Embora eu provavelmente consiga suspender isso.

Kline não tinha nem de longe a lábia de Darrell Cromley, mas naquele momento isso não tinha importância.

– Estou com quatrocentos em dinheiro aqui – disse Mark. – O resto eu posso conseguir depois.

– Tá, mas tem que pagar antes do dia da audiência – exigiu Kline.

– Que audiência?

– Tá, nós vamos entrar e falar com o juiz, o nome dele é Cantu, um belo de um linha-dura. Quem vai falar sou eu, o senhor só fala se eu mandar. Cantu vai seguir o roteiro de praxe, tudo coisa de rotina, e o senhor vai alegar inocência. Ele vai marcar uma audiência para daqui a um mês, algo assim, e isso vai me dar tempo para fazer o meu trabalho. Estou partindo do princípio de que o senhor soprou mesmo 0,11.

– Soprei, sim.

– Está com a grana aí?

Mark levou a mão ao bolso e tirou o dinheiro. Estendeu quatro notas de cem, que Kline agarrou.

– Vamos entrar e cuidar da papelada.

– Posso entrar também? – perguntou Todd.

– Claro. O zoológico é aberto ao público.

Lá dentro, advogados se aglomeravam depois da tribuna enquanto mais ou menos uma dezena de espectadores observava. Kline indicou a Mark um lugar na primeira fila e tirou da pasta alguns papéis.

– Isto aqui é um contrato de prestação de serviços jurídicos entre o senhor e eu – falou, e apontou. Então escreveu no documento a quantia de mil dólares. – É também uma nota promissória do pagamento da quantia que falta. Dê uma olhada, preencha com seu nome e endereço, e assine no final.

Mark pegou sua caneta e escreveu o nome de Gordon Tanner e seu antigo endereço. Ele e Todd estavam apostando alto na possibilidade de ninguém reconhecer o nome de Gordy das notícias sobre o suicídio. Duvidavam muito que alguém no imenso sistema do fórum houvesse retirado o nome de Gordy do rol de casos pendentes por embriaguez ao volante. Caso sim, e caso alguém questionasse Mark, seu plano era simplesmente fugir.

Mark leu o contrato e tentou decorá-lo o máximo possível. Devolveu-o e perguntou:

– O senhor faz muitos contratos assim?

– O tempo todo – respondeu Kline, presunçoso, como se fosse um advogado importante.

– Escute, meu irmão entrou numa briga num jogo do Caps e está sendo acusado de agressão – disse Todd. – O senhor cuida desse tipo de coisa?

– Claro. Agressão simples ou qualificada?

– Simples. Eu acho. Quanto o senhor cobra?

– Mil pratas se houver acordo. Se ele for a julgamento, aí sai bem mais caro.

– E o senhor consegue evitar que ele seja preso?

– Claro, sem problema nenhum. Se ele se declarar culpado de arruaça, sai livre. Mais tarde eu consigo remover a acusação da ficha dele por mais mil. Quero dizer, se a ficha estiver limpa.

– Obrigado. Vou falar com ele.

À uma da tarde, o juiz Cantu ocupou seu lugar e todos se levantaram. Começou então a linha de montagem em que um réu após o outro, todos acusados de embriaguez ao volante, passava pelo portãozinho ao ouvirem seu nome chamado por um oficial de justiça. Apenas cerca da metade estava com um advogado. Todos precisavam responder se desejavam se declarar culpados ou inocentes. Os que se reconheciam culpados recebiam papéis de um promotor e eram encaminhados para se sentar num canto e preenchê-los. Os que se declaravam inocentes recebiam uma data para retornar em fevereiro.

Mark e Todd observaram cada etapa e ouviram cada palavra. Em breve estariam trabalhando naquele ramo.

Quando o nome de Gordon Tanner foi chamado, Kline falou:

– Tire o boné.

Ele conduziu Mark até a tribuna, e ambos ergueram os olhos para o juiz.

– Dr. Kline, bom dia – disse o juiz Cantu.

Já fazia vinte minutos que eles o observavam trabalhar, e o cara parecia um Papai Noel, sorridente e gentil com todos que se apresentavam diante dele. Embora a vara de infrações de trânsito fosse o degrau mais baixo da escada, ele parecia gostar daquilo.

– Réu primário? – perguntou o juiz Cantu.

– Sim, Meritíssimo – respondeu Kline.

– Eu sinto muito – disse ele a Mark com uma expressão agradável.

Mark estava com um nó na barriga que parecia uma bola de boliche e quase esperava que alguém, quem sabe algum dos promotores assistentes, de repente gritasse: "Ei, estou reconhecendo esse nome. Pensei que Tanner tivesse pulado da ponte." Mas não houve nenhuma surpresa.

– Posso ver sua habilitação, Sr. Tanner? – pediu o juiz.

Mark franziu o cenho e disse:

– Bem, Meritíssimo, eu perdi minha carteira. Com cartão de crédito, com tudo.

– Bem, o senhor não vai precisar da habilitação. Suponho que vá se declarar inocente.

– Isso mesmo, Meritíssimo – respondeu Kline depressa.

O juiz fez anotações aqui e ali e falou:

– Certo, sua audiência está marcada para 14 de fevereiro. Vai ser um Dia de São Valentim inesquecível.

Ele sorriu como se tivesse dito algo engraçado. Kline pegou uns papéis com um oficial de justiça e finalizou:

– Obrigado, Meritíssimo. Até lá.

Eles se afastaram da tribuna e, quando estavam começando a sair do tribunal, Mark sussurrou para o advogado:

– Escute, tudo bem se a gente ficar aqui olhando?

– Se estiverem entediados a esse ponto, tudo bem.

Os dois se sentaram na última fila enquanto Kline desaparecia. Todd sussurrou:

– Então é assim que se lida com uma acusação por embriaguez ao volante. Não tem nada demais. Outros advogados entravam e saíam à medida que novos réus iam chegando. Dez minutos mais tarde, Kline reapareceu com outro cliente, que sem dúvida acabara de abordar no corredor.

Eles ficaram assistindo ao espetáculo por mais uma hora e foram embora. Segundo o cartão de visita de Kline, seu escritório ficava na Rua E, não muito longe do Fórum Distrital. Eles andaram três quarteirões e encontraram o endereço. Ficava num prédio de quatro andares evidentemente abarrotado de advogados. Uma lista ao lado da porta enumerava os nomes de uns dez escritórios pequenos e vários profissionais independentes. Pelo visto, Kline advogava sozinho. Enquanto Mark esperava do lado de fora, Todd entrou numa área de recepção apertada onde uma mulher de aspecto cansado trabalhava atrás de uma mesa grande. Ela o cumprimentou sem sorrir.

– Pois não?

– Ahn, sim, estou procurando um advogado chamado Preston Kline – disse Todd, olhando em volta.

No final da mesa da recepcionista havia uma fileira de divisórias com os nomes de vários advogados. Recados telefônicos e cartas estavam empilhados bem arrumadinhos junto a cada nome.

– O senhor é cliente? – indagou ela.

– Talvez. Me indicaram o nome dele, dizendo que ele é um bom criminalista.

– Bom, ele está no fórum. Posso anotar seu nome e telefone e ele retorna.

– E o escritório dele fica aqui?

– Sim, no segundo andar. Por quê?

– Bem, será que eu poderia falar com o sócio ou com o assistente dele? Preciso falar com alguém.

– Ele trabalha sozinho. A secretária dele sou eu.

Todd hesitou e olhou em volta.

– Tá, eu tenho o telefone dele, vou dar uma ligada. Obrigado. – E saiu antes que ela pudesse responder. Quando eles estavam se afastando, Todd falou: – Exatamente como a gente pensou. O cara trabalha na rua. Tem um cubículo no segundo andar sem nenhum funcionário. A recepcionista atende o telefone para uma porção deles. Uma operação bem informal.

– Adorei – disse Mark. – Agora só falta a gente arrumar uma recepcionista.

14

Zola foi a uma aula na segunda-feira, mas a achou tão deprimente que desistiu das outras. A aula, Direitos dos Idosos, era uma daquelas eletivas inúteis de que os alunos do terceiro ano, próximos da linha de chegada, tanto gostavam. Ela e Gordy tinham se matriculado e planejavam se revezar para aturar as palestras, depois comparar anotações no final e ser recompensados com um conceito A ou B. Era uma turma pequena, de uns vinte alunos, e quando o lugar à sua direita ficou vazio, ela não conseguiu evitar pensar em Gordy. Ele deveria estar sentado ali.

Quando começaram a sair, no mês de setembro anterior, eram muito cuidadosos. Gordy era um aluno popular, dono de uma personalidade extrovertida, e atraía bastante atenção. Zola não era a primeira garota de quem ele ia atrás, mas com certeza era a primeira negra por quem havia se apaixonado. Os amigos sabiam que ele tinha uma namorada firme na cidade dele, uma namorada ciumenta que ia sempre a Washington verificar o que ele andava fazendo. Zola e Gordy tinham sido cuidadosos, mas com o tempo as pessoas haviam começado a reparar. O boato acabou se espalhando.

O professor dera início à aula com alguns comentários tristes sobre a tragédia do Sr. Tanner, e Zola foi alvo de alguns olhares. Quase não ouviu mais nada depois disso e mal podia esperar para sair do prédio, mas não antes de ir pegar seu cheque de 10 mil dólares. Ela o depositou no banco, agasalhou-se e saiu pela cidade. Quando o céu ficou cinza, entrou na National Portrait Gallery para matar o tempo.

Durante a faculdade de Direito, tinha conseguido encontrar empregos em meio período aqui e ali. Vivia de maneira mais frugal do que o restante de seus amigos empobrecidos, mas como não bebia, saía pouco e usava transporte público, conseguira guardar dinheiro. Os 20 mil anuais que o governo lhe emprestava para as despesas pessoais eram mais do que suficientes e, faltando um semestre para o fim do curso, Zola tinha 16 mil numa conta poupança cuja existência ninguém mais conhecia. Em Washington não passavam de uns meros trocados, mas no Senegal isso era muito dinheiro. Caso seus pais e seu irmão acabassem mesmo deportados, aquela quantia poderia se revelar vital para a sua sobrevivência. Propinas eram comuns por lá, e embora a ideia de ir ao Senegal lhe causasse arrepios – bem como a de ser presa ou ter sua entrada de volta negada –, ela sabia que um dia talvez fosse obrigada a partir em socorro da família com o máximo de dinheiro vivo possível. Assim, seguia economizado e tentava não pensar no financiamento.

Não tivera notícias dos pais. O uso do telefone era restrito no centro de detenção. Seu pai estava confiante de que eles teriam permissão para avisá-la antes de serem finalmente postos num voo de volta para o Senegal, mas as regras relativas às deportações pareciam mudar diariamente. Ela se convenceu de que eles continuavam no país, e isso a reconfortou um pouco, apesar de não saber muito bem por quê. O que era pior: viverem como prisioneiros num campo federal ou serem largados nas ruas de Dacar? As alternativas não eram nem um pouco promissoras. Nunca lhes permitiriam voltar para seu bairro em Newark. Os subempregos que eles haviam se esforçado para conseguir nos 26 anos anteriores seriam assumidos por outros trabalhadores sem documentação. O ciclo continuaria, pois o serviço precisava ser feito e os americanos nativos preferiam não fazê-lo.

Quando não estava sentindo saudades de Gordy e culpando a si mesma, estava preocupada com a família e com sua assustadora situação. Caso desse um jeito de esquecer essas duas tragédias, ainda precisava confrontar as incertezas relacionadas ao próprio futuro. À medida que os dias frios e escuros de janeiro passavam, Zola ficava profunda e compreensivelmente deprimida.

Após dez dias praticamente morando com Todd e Mark, precisou se afastar um pouco. Os dois estavam faltando às aulas e pareciam decididos a não voltar à faculdade. Mandavam-lhe mensagens de texto ocasionais para ver como estavam as coisas, mas pareciam ocupados com questões mais importantes.

No final da manhã de terça, ela ouviu barulhos do outro lado do corredor e percebeu que os Tanners estavam levando embora caixas com os pertences de Gordy. Pensou em ir dizer oi e dar os pêsames, mas desistiu. O Sr. Tanner e o irmão de Gordy passaram uma hora em idas e vindas entre o apartamento e um furgão estacionado na rua. Foi uma tarefa difícil, e ela ficou escutando-os trabalhar por uma fresta na porta. Quando eles se foram, pegou uma chave extra e entrou no apartamento de Gordy. Os antigos móveis que tinham vindo com o apartamento continuavam ali, e ela se sentou no sofá no escuro e chorou livremente.

Em duas ocasiões – momentos muito pouco oportunos – havia pegado no sono naquele sofá e permitido que ele escapasse. A culpa era esmagadora.

Na quarta-feira, pronta para ir à aula, estava prestes a sair quando seu pai ligou. Eles continuavam no centro de detenção, sem nenhuma novidade quanto à deportação definitiva. Nada havia mudado desde que ela fora visitá-los. Ele tentou parecer animado, um desafio e tanto nas circunstâncias em que se encontrava. Zola vinha tentando localizar parentes no Senegal para avisar e pedir ajuda, mas até então não tivera sucesso. Depois de 26 anos sem praticamente nenhum contato, uma recepção calorosa parecia improvável. Além disso, como seus pais não faziam ideia de quando seriam deportados, parecia impossível preparar sua acolhida. Segundo seu pai, a maior parte da família já fugira do país anos antes. Os que permaneciam lá tinham os próprios problemas e não se mostrariam dispostos a ajudar.

Eles conversaram por vinte minutos e, depois de encerrar a ligação, ela tornou a cair em prantos. Ir à aula parecia a coisa mais insignificante do mundo. Ela estava ali por causa de um sonho equivocado de se tornar advogada e lutar para proteger a própria família e outros imigrantes. Agora isso era uma causa perdida, um sonho despedaçado.

Havia montado uma pequena biblioteca de manuais e procedimentos sobre imigração, e passava horas na internet lendo publicações do governo, artigos e blogs. Estava em contato com vários grupos de direitos humanos e advogados voluntários. Uma questão ainda a assustava. Em sua sanha aleatória por prender e deportar, o ICE cometera erros. Zola tinha uma pasta com casos em que cidadãos americanos legítimos tinham sido levados em detenções coletivas e mandados de volta. Conhecia umas dez histórias nas quais cidadãos cujos pais não tinham documentação haviam sido equivocadamente identificados e expulsos. E em quase todos os casos a detenção ilegal ocorrera após a família ter sido presa.

Sozinha e vulnerável, com a família presa, ela mais uma vez temia a batida na porta.

Na quinta-feira, vestiu suas melhores roupas para uma entrevista no Departamento de Justiça. Havia diversos cargos iniciais disponíveis, mas a demanda era alta. Ela já se sentia sortuda pelo simples fato de ter conseguido uma entrevista. O salário de 48 mil não era o que tinha em mente três anos antes, mas essas fantasias já haviam ficado para trás havia tempo.

O governo federal tinha criado um programa de perdão de dívida para jovens advogados que entrassem para o serviço público. No programa, alunos que se dispusessem a trabalhar para qualquer setor do governo estadual, local ou federal, ou para determinadas instituições sem fins lucrativos, poderiam reembolsar apenas dez por cento de seus salários anuais, durante dez anos, e o restante da dívida seria perdoado. Para muitos alunos, principalmente os da Foggy Bottom, era uma perspectiva tentadora, sobretudo considerando o mercado de trabalho saturado no setor privado. A maioria preferia trabalhar em alguma agência pública ligada ao Direito, mas outros estavam se candidatando para lecionar em escolas ou entrar para o Corpo da Paz.

A entrevista era no subsolo de um prédio de escritórios na Wisconsin Avenue, longe da sede do Departamento de Justiça que ficava perto da Casa Branca. Quando Zola chegou e assinou seu nome, a pequena sala de espera estava abarrotada de alunos do terceiro ano, alguns dos quais ela conhecia da faculdade. Ela pegou uma senha, ficou em pé até vagar uma cadeira, e já tinha praticamente desistido quando seu nome foi chamado. Passou quinze minutos conversando com um sobrecarregado funcionário júnior do Departamento de Justiça e mal via a hora de sair dali.

Considerando a instabilidade da sua vida, dez anos era muito tempo para se comprometer com alguma coisa.

15

O jantar de sexta foi no Rooster Bar, um lugar do qual ela jamais tinha ouvido falar. Segundo Todd, ele e Mark queriam convidá-la para um jantar especial. Bastou ver o bar, porém, para ela saber que eles estavam tramando alguma coisa. Os dois a aguardavam numa mesa de canto, ambos usando ternos novos, ambos deixando a barba crescer e ambos usando óculos novos e esquisitos. Os de Mark eram redondos, de armação de tartaruga. Todd havia optado por um modelo estreito e sem armação, ao estilo europeu.

Ela se sentou na frente deles e perguntou:

– Tá bom, o que está acontecendo?

– Você foi à aula esta semana? – quis saber Todd.

– Eu tentei ir. Pelo menos fiz um esforço. Não vi vocês por lá.

– A gente largou a faculdade e recomenda muito – disse Mark.

– É incrível, Zola – emendou Todd. – Adeus faculdade. Adeus preocupação com a prova da ordem.

– Como assim? – perguntou ela. – Onde vocês arrumaram esses ternos?

– É o nosso novo visual – esclareceu Mark. – A gente agora é advogado e precisa estar vestido de acordo, embora na nossa especialidade não se possa andar bem-vestido demais. Advogados especializados em infrações por embriaguez ao volante raramente saem nas capas de revista, você sabe.

– Sei. E quem estaria desesperado o suficiente para contratar vocês?

– A gente abriu nosso próprio escritório – disse Todd. – E contratou a nós mesmos. O Escritório Modelo de Upshaw, Parker & Lane.

Ele lhe entregou um cartão de visitas novo com nome, endereço e telefone do estabelecimento.

Zola olhou o cartão, observou-o e disse:

– Vocês estão de brincadeira, né?

– Estamos falando seríssimo – confirmou Mark. – E estamos contratando.

Ela respirou fundo, virou devagar as palmas das mãos para eles e falou:

– Tá. Não vou fazer mais nenhuma pergunta. Ou vocês me dizem o que está acontecendo ou eu vou embora.

– Você não vai a lugar nenhum – interpôs Todd. – A gente abandonou nossos apartamentos, largou a faculdade, mudou de nome e arrumou um jeito de ganhar uns trocados. Vamos passar por advogados, encontrar clientes no fórum para ganhar honorários em dinheiro vivo, claro, e torcer muito para não sermos pegos.

– Não vamos ser pegos – afirmou Mark. – Tem gente demais fazendo exatamente a mesma coisa.

– Mas todos eles têm registro – disse ela.

– Como é que você sabe? Ninguém nunca verifica. E os clientes não fazem a menor ideia. De qualquer maneira, eles estão tão apavorados e assoberbados que nunca nem cogitam perguntar. Como nós não perguntamos ao Darrell Cromley na cadeia.

– Isso é contra a lei – disse ela. – Eu não aprendi grande coisa na Foggy Bottom, mas sei que advogar sem registro é contra a lei.

– Só se a gente for pego – retrucou Mark.

– Tem um risco, claro, mas não é tão significativo assim – acrescentou Todd. – Se alguma coisa sair errado, é só a gente sumir outra vez e pronto.

– E a gente acha que vai dar para ganhar um dinheiro, livre de impostos, claro – disse Mark.

– Vocês são malucos.

– Não, na verdade a gente é bem esperto. Estamos escondidos bem à vista, Zola. Escondidos do nosso senhorio. Dos serviços de financiamento estudantil. De todo mundo que possa querer nos achar. E além disso vamos ganhar um bom dinheiro.

– E as suas dívidas?

Mark tomou um gole de cerveja, limpou a boca e se inclinou para mais perto.

– O que vai acontecer é o seguinte. A faculdade um dia vai perceber que a gente largou o curso, mas não vai fazer nada. A maioria das faculdades de Direito com boa reputação notifica o Departamento de Educação e depois começa a negociar quanto da anuidade vai ser reembolsada. Podem apostar que a Foggy Bottom não quer reembolsar nada, então ela vai ignorar o fato de que a gente sumiu e ficar com todo o dinheiro. A gente vai entrar em contato por e-mail com os nossos cobradores e dar a eles a impressão de que está indo às aulas. A formatura é em maio, e, como vocês sabem, vamos precisar nos comprometer com um cronograma de reembolso que começa seis meses depois. Quando a gente não pagar, eles vão nos colocar na lista dos inadimplentes.

– Sabia que no ano passado um milhão de universitários ficaram inadimplentes? – acrescentou Todd.

Ela deu de ombros. Talvez soubesse; talvez não.

– Então a gente tem um tempo, uns nove ou dez meses, antes de ficar inadimplente – prosseguiu Mark. – A essa altura, já vamos estar bombando com nosso escritório modelo e juntando dinheiro.

– Mas inadimplência é inadimplência, é um processo garantido, impossível de defender – disse ela.

– Só se eles nos encontrarem – retrucou Todd. – Meu consultor de empréstimo trabalha numa empresa na Filadélfia. A de Mark fica em Nova Jersey. O seu fica onde mesmo, que eu não me lembro?

– Em Chevy Chase.

– Tá, um pouco mais perto, mas mesmo assim você vai estar segura. A questão é que eles não vão conseguir nos encontrar porque a gente tem novos nomes, novos endereços. Vão nos passar para algum escritório de advocacia de quinta categoria, sem dúvida um daqueles do Hinds Rackley, e eles vão processar a gente. Grande coisa. Estão processando uma porção de universitários, e os processos não valem nada.

– Mas o nosso crédito vai por água abaixo.

– Que crédito? O nosso crédito já foi por água abaixo porque não temos como pagar as dívidas. Mesmo que a gente encontre um trabalho honesto, não tem chance alguma de conseguir pagar o que deve.

O garçom apareceu, e Mark pediu um prato de nachos. Quando o garçom saiu, Zola comentou:

– Jantar especial, sei.

– Com os nossos cumprimentos. Quem paga é a firma – disse Todd com um sorriso.

Ela continuava segurando o cartão de visitas. Olhou para ele e perguntou:

– De onde vieram esses nomes?

– Da lista telefônica – respondeu Mark. – Nomes comuns. Eu sou Mark Upshaw e tenho documentos que provam isso. Ele é Todd Lane, só mais um advogado rasteiro arrumando clientes por aí.

– E Parker, quem é?

– Você – respondeu Todd. – Zola Parker. Estávamos pensando que o nosso escritório modelo precisava de um pouco de diversidade, então pusemos você como sócia. Todo mundo igual, entende? Três sócios igualitários.

– Três pilantras igualitários – disse ela. – Desculpem, mas isso é uma loucura.

– É mesmo. E mais louco ainda é a ideia de terminar o curso lá na Foggy Bottom, se formar em maio sem emprego, depois começar a estudar para a prova da ordem. Encare os fatos, Zola: você não está emocionalmente preparada para isso. Nem nós, então já tomamos a nossa decisão.

– Mas a gente já está quase terminando a faculdade – argumentou ela.

– E depois? – rebateu Mark. – A gente se forma com um diploma de Direito que não vale nada. Só mais um pedaço de papel, um presente de Hinds Rackley e sua faculdade de fundo de quintal. A gente foi enganado, Zola, sugado para dentro de um esquema de proporções épicas. Gordy estava certo. Não dá para simplesmente se deixar levar e torcer por um milagre. Pelo menos a gente está tentando se defender.

– Vocês não estão se defendendo coisa nenhuma. Estão é sacaneando os contribuintes.

– Os contribuintes estão sendo sacaneados pelo Congresso e pelo Departamento de Educação – rebateu Todd. – E pelo Rackley, claro, que já ganhou o dinheiro dele nas costas da gente.

– Mas fomos nós quem decidimos pegar dinheiro emprestado. Ninguém nos obrigou.

– Verdade, mas o dinheiro foi emprestado sob pretextos falsos – disse Mark. – Quando vocês começaram a estudar Direito, achavam mesmo que um dia estariam sentados aqui com uma montanha de dívidas e desempregados? Não, pô. O quadro que eles pintaram naquela época era bem mais cor-de-rosa. Peguem o dinheiro, tirem o diploma, passem na prova da ordem, e poderão trabalhar numa ótima profissão que vai tornar superfácil pagar tudo.

O garçom trouxe outra rodada de bebidas. Houve um hiato na conversa, e eles ficaram bebendo e olhando para a mesa.

– Parece bem arriscado – comentou Zola baixinho.

Mark e Todd assentiram.

– É, tem alguns riscos, mas a gente não considera que eles sejam tão significativos assim – disse Mark. – O primeiro é a gente ser pego advogando sem registro, mas isso não é muito grave. Uma advertência, uma pequena multa e pronto.

– A gente estudou os casos, e advogar sem registro não é tão raro assim – acrescentou Todd. – Isso acontece, e os casos aliás são fascinantes, mas ninguém vai preso.

– E você diz isso para me deixar tranquila?

– Acho que sim. Olhe aqui, Zola, no nosso plano, se alguém começar a desconfiar e nos denunciar... Digamos que a Ordem dos Advogados do Distrito de Columbia apareça com um monte de perguntas. Basta a gente sumir outra vez.

– E isso é para me deixar mais tranquila ainda?

Mark a ignorou e prosseguiu:

– O segundo risco é a gente entrar para a lista de inadimplentes e isso de alguma forma ferrar ainda mais as nossas já ferradas vidas.

Os nachos chegaram, e cada um deles deu uma garfada. Depois da segunda, Zola levou um guardanapo de papel aos olhos e eles perceberam que ela estava chorando.

– Escutem, eu não consigo ficar no meu apartamento – disse ela. – Toda vez que olho para a porta do Gordy eu quase desmorono. A família levou as coisas dele embora na terça, e vez ou outra eu entro lá para ficar sentada no escuro. Preciso sair, ir para algum lugar. – Eles assentiram, pararam de comer e deram mais uns goles na bebida. – E tem mais uma coisa...

Zola respirou fundo, enxugou os olhos outra vez e contou a história de uma universitária do Texas que tinha sido arrancada de seu quarto no alojamento no meio da noite por agentes do ICE. Ela foi mandada para El Salvador, onde reencontrou a família de trabalhadores sem documentação que fora expulsa um mês antes. O problema era que a moça havia nascido nos Estados Unidos e tinha cidadania plena. Seus recursos e sua papelada continuavam enterrados na burocracia.

Zola lhes contou que havia encontrado uma dezena de casos de cidadãos americanos capturados em batidas do ICE e deportados, e todas as prisões haviam ocorrido após a detenção de membros da família. Estava vivendo com medo, e isso estava acabando com ela.

Mark e Todd a escutaram com empatia. Quando ela terminou e as lágrimas secaram, Mark falou:

– Bom, a gente encontrou um esconderijo excelente. Tem lugar para você.

– Onde? – perguntou ela.

– Aqui em cima. Estamos dividindo uma pocilga no terceiro andar, sem elevador, devo acrescentar, e tem dois quartos logo abaixo da gente. Maynard falou que eles podem ser nossos por um aluguel bem razoável.

– Quem é Maynard?

– Nosso patrão – respondeu Todd. – O dono disto aqui.

– Não é muito legal – avisou Mark. – Mas você teria ao menos alguma privacidade.

– Eu não vou dividir uma casa com vocês.

– Não, de jeito nenhum. A gente vai estar no terceiro andar, e você, no segundo.

– Lá tem cozinha?

– Na verdade, não, mas, de qualquer forma, você não precisa cozinhar.

– E banheiro?

– Isso poderia ser um problema – respondeu Todd. – O único banheiro fica no terceiro andar, mas a gente pode dar um jeito. Não é o ideal, Zola, mas a gente tem que se virar. Dá para aguentar uns meses e ver como as coisas evoluem.

– É o lugar perfeito para se esconder – disse Mark. – Tipo Anne Frank se escondendo dos nazistas, só que não tão grave assim, sabe?

– Isso é para eu me sentir melhor?

– Acho que eu preciso de uma analogia melhor.

– E esse Maynard? – indagou ela. – Quanto ele sabe?

– Eu trabalho para o Maynard faz três anos, e ele é um cara legal – respondeu Todd. – Ele é meio trambiqueiro também, um agente de apostas de marca maior e tal, e não faz a menor ideia do que seja um escritório modelo. Ele acha que a gente ainda está na faculdade, mas na verdade não está nem aí. Estamos negociando com ele, oferecendo horas de trabalho no bar em troca do aluguel. Ele vai aceitar.

– Na verdade eu não consigo me ver abordando pessoas que foram pegas alcoolizadas ao volante, como aquele Cromley – disse ela.

– É claro que não, Zola – falou Mark. – Até agora, pelo que a gente observou, todos esses vigaristas são homens, a maioria branca. Você não iria se encaixar, porque, bem, você tende a chamar atenção.

– Então qual é a minha especialidade?

– Secretária – disse Todd.

– Não gostei. Onde fica o escritório?

– Na sua sala de estar. É lá que fica a nova sede do Upshaw, Parker & Lane.

– Engraçadinhos.

– Nos parece que os seus talentos estão na área das indenizações por responsabilidade civil, que, como sabemos graças à nossa estupenda formação jurídica, continua sendo a área mais lucrativa do Direito de fundo de quintal.

Como se os dois tivessem ensaiado, Mark aproveitou a deixa e disse:

– Vemos você trabalhando nas emergências dos hospitais, abordando vítimas de acidentes. Nesta cidade, a maioria é negra, e você pode se entrosar bem. Elas vão acreditar e querer contratar você.

– Eu não sei nada sobre Direito de responsabilidade civil – esclareceu ela.

– É claro que sabe. Já viu mil anúncios na televisão, aqueles mercenários implorando por casos. Eles não são os caras mais brilhantes do planeta, então é de se pensar que não precisa ser nenhum gênio para trabalhar com responsabilidade civil.

– Valeu.

– E um ou dois acidentes de carro bem bacanas já bastam para fazer um dinheiro, Zola – completou Todd. – Eu conheci um advogado no Old Red Cat que estava passando fome até escorregar num chão congelado e cair. Quando estava internado no hospital, levaram para lá um outro cara que tinha se machucado numa colisão de moto. Um ano mais tarde, o cara fechou um acordo de quase um milhão no caso da moto e levou um terço do dinheiro.

– Simples assim – disse ela.

– É. Sempre vai ter alguém se machucando, e essas pessoas sempre vão ser levadas para o hospital. É lá que você vai estar esperando.

– Vai dar certo, Zola, porque a gente vai fazer dar certo – disse Mark. – Só nós três, um por todos e todos por um. Sócios igualitários até o fim.

– E qual vai ser o fim, gente? Qual é o objetivo?

– Sobreviver – respondeu Todd. – A gente vai sobreviver se escondendo e se fazendo passar por outras pessoas. Vamos catar clientes na rua porque não temos como voltar atrás.

– E se a gente for pego?

Mark e Todd tomaram um gole e ficaram pensando numa resposta. Por fim, Mark falou:

– Se a gente for pego, simplesmente foge outra vez. E some.

– Uma vida de fugitivos – concluiu ela.

– A gente está fugindo agora – disse Todd. – Você pode não querer admitir, mas é o que estamos fazendo. Estamos vivendo uma vida que não é sustentável, então não temos outra escolha senão fugir.

Mark estalou os dedos e disse:

– O negócio é o seguinte, Zola. A gente está nessa juntos, cúmplices e leais até o fim. Temos de combinar agora, logo de cara, que, se for preciso, a gente vai embora junto.

– Para onde?

– Nos preocupamos com isso quando chegar a hora.

– E a família de vocês? – perguntou ela. – Vocês contaram para eles?

Ambos hesitaram, e o silêncio transmitiu a resposta.

– Não, eu não contei para a minha mãe porque ela já tem problemas suficientes no momento – disse Mark. – Ela acha que eu estou na faculdade, ansioso para me formar, com um belo emprego garantido. Acho que vou esperar uns dois meses, depois mentir e dizer a ela que estou tirando um semestre sabático. Sei lá. Vou pensar em alguma coisa.

– E você? – perguntou Zola a Todd.

– A mesma coisa – respondeu ele. – No momento eu não tenho coragem de contar para os meus pais. Não tenho certeza de qual versão da verdade soa pior. Por um lado, eu devo 200 mil e estou desempregado. Por outro, larguei a faculdade e decidi mudar de identidade para ganhar um dinheiro abordando gente que bebeu e dirigiu. Vou esperar, assim como o Mark, e depois penso em alguma coisa.

– E se o esquema der errado e vocês se meterem em problemas?

– Zola, isso não vai acontecer – falou Mark.

– Eu queria acreditar em vocês, mas não estou convencida de que saibam do que estão falando.

– A gente também não está convencido – disse Todd. – Mas já tomamos a nossa decisão e não temos como voltar atrás. A questão é saber se você está com a gente ou não.

– Vocês estão pedindo muito. Querem que eu vire as costas para três anos de faculdade de Direito.

– Sem essa, Zola – disse Mark. – O que a faculdade de Direito fez por você? Nada, a não ser arruinar sua vida. A gente está oferecendo uma saída. Talvez não seja a saída mais limpa, mas no momento é a única que temos.

Ela mordeu um nacho e correu os olhos pelo bar. O lugar estava lotado de homens na casa dos 30 e 40, todos bebendo e assistindo a jogos de basquete e hóquei nas televisões grandes. Havia algumas mulheres, mas não muitas, e quase nenhum estudante universitário.

– E vocês dois estão trabalhando aqui? – perguntou ela.

– É – respondeu Todd. – Bem mais divertido do que ficar em sala de aula e estudar para a prova da ordem.

– E quais são os termos da sociedade?

– Estamos juntando nosso dinheiro para as despesas deste mês – respondeu Mark. – Dez mil cada. Isso vai cobrir a abertura: computadores novos, telefones novos, material de escritório, identidades novas, umas roupas melhores.

– Você está dentro? – quis saber Todd.

– Deixem eu pensar um pouco, tá? Ainda acho que vocês estão malucos.

– Disso a gente não vai discordar.

16

Cerca de trinta meses antes, quando Mark Frazier assinou seu nome no último formulário de financiamento federal e mergulhou de cabeça no pântano do endividamento estudantil, o Departamento de Educação lhe atribuiu aleatoriamente uma consultora de empréstimos, uma mulher chamada Morgana Nash. Ela trabalhava para a NowAssist, uma empresa privada de Nova Jersey terceirizada pelo governo para administrar as dívidas estudantis, e sua escolha tinha sido aleatória. Mark nunca a havia encontrado. Nem tinha motivo para tal. Na condição de endividado, podia estabelecer os canais de comunicação e, como a maioria dos estudantes, havia decidido ter o menor contato possível. Ele e a Sra. Nash se correspondiam apenas por e-mail. Ela certa vez lhe pedira seu número de celular, mas como ele não era obrigado a divulgá-lo, não o informou. A NowAssist era uma das várias empresas de administração de dívidas, todas supostamente monitoradas de perto pelo Departamento de Educação. As que não tinham um desempenho tão bom recebiam menos clientes ou eram simplesmente descredenciadas. Segundo o site do departamento, a posição da NowAssist na classificação era a do meio da lista. Além da dívida sufocante em si, Mark não tinha reclamações em relação à Sra. Nash e a seus serviços. Depois de trinta meses ouvindo um bando de estudantes de Direito reclamando, ele sabia que havia algumas empresas bem ruins.

O último e-mail da Sra. Nash, que ele recebera em sua antiga conta de e-mail, dizia:

Olá, Mark Frazier,
Espero que tenha passado um bom feriado e esteja pronto para seu último semestre da faculdade de Direito. Parabéns por ter chegado até aqui e boa sorte nesses últimos meses. Da última vez que nos comunicamos, em novembro, você estava animado com o cargo no Ness Skelton, mas ainda não sabia qual seria o seu salário inicial. Seria ótimo receber uma atualização com relação a esse assunto. Com base no seu salário, eu gostaria de iniciar o processo de estruturação de um plano de pagamento. Como você sabe, a lei exige que um plano de reembolso seja assinado na conclusão do curso, e a primeira parcela vence exatamente seis meses depois disso. Sei que você está ocupado, mas, por favor, dê uma olhada quando puder.

Última parcela, 13 de janeiro de 2014 = US$32.500. Dívida total, principal e juros: US$266.000.

Atenciosamente, Morgana Nash, Representante do Setor Público

Mark esperou dois dias e no sábado de manhã respondeu:

Cara Sra. Nash,
Obrigado por me escrever, foi um prazer receber sua mensagem. Espero que esteja tudo bem com a senhora. As coisas no Ness Skelton andam de pernas para o ar ultimamente. O escritório se fundiu com outro de Londres e tudo parece estar meio em transição. Na verdade não consigo encontrar ninguém lá disposto a falar sobre a minha vaga. Fico até com a impressão de que a proposta de emprego pode ter desaparecido no meio da fusão. É bem inquietante. Além disso, meu melhor amigo pulou no Potomac da Arlington Memorial Bridge na semana passada (ver link) e, bom, não estou com cabeça para pensar na faculdade. Me dê um tempinho para eu me recuperar. A última coisa que eu quero é falar sobre pagamentos.

Obrigado pela sua paciência.
Seu amigo,
Mark.

TODD ESTAVA VINCULADO a uma empresa chamada Scholar Support Partner, a SSP. Ou simplesmente SS, como Todd e muitos outros alunos a chamavam. Ficava na Filadélfia e tinha um péssimo histórico de administração de dívidas. Todd havia encontrado pelo menos três ações judiciais no país nas quais a SSP fora processada por práticas abusivas de cobrança. A empresa fora flagrada acoplando tarifas indevidas a seus empréstimos e já havia sido multada. Mesmo assim, o Departamento de Educação continuava a fazer negócios com ela.

Seu "consultor" era um espertalhão chamado Rex Wagner, um cara truculento em quem Todd teria adorado dar um soco se tivesse tido oportunidade, o que, é claro, nunca iria acontecer. Imaginou Wagner enfiado num cubículo quente de uma central de teleatendimento em algum escritório de subsolo vagabundo, provavelmente gordo, comendo batata frita de saquinho e usando fones de ouvido presos na careca enquanto perturbava jovens pelo telefone e disparava e-mails irritadinhos.

Seu último e-mail dizia:

Prezado Sr. Lucero,
Estamos na reta final agora, com a formatura chegando, então está na hora de falar sobre pagamentos, assunto que suponho que o senhor não queira discutir, uma vez que, com base na nossa última correspondência um mês atrás, ainda não encontrou um "emprego significativo no meio jurídico". Espero que isso tenha mudado. Queira por favor me atualizar com relação a seus mais recentes esforços em busca de emprego. Infelizmente não poderei aceitar um plano de reembolso com base no seu aparente desejo de trabalhar apenas como barman. Vamos conversar. O quanto antes, melhor.

Parcela mais recente: US$32.500, 13 de janeiro de 2014; total principal e juros: US$195.000.

Atenciosamente,
Rex Wagner,
Consultor de Empréstimos Sênior

Ao que Todd acabou respondendo:

Prezado Consultor de Empréstimos Sênior Wagner, da SS,
Eu consigo ganhar mais dinheiro como barman do que o senhor atormentando universitários. Já li sobre a sua empresa, os processos contra ela e suas táticas abusivas, mas não o estou acusando de nenhum abuso – ainda. Não estou inadimplente; eu ainda nem me formei, caramba, então pegue leve. Não, não tenho um emprego de verdade porque não tem nenhum emprego por aí, pelo menos não para quem se forma em instituições de fundo de quintal como a FDFB, que, aliás, praticamente mentiu para a gente lá no começo, quando estávamos pensando em nos inscrever. Cara, como fomos burros.

Me dê um pouco de tempo e vou pensar em alguma coisa.
Todd Lucero.

Wagner respondeu:

Prezado Sr. Lucero,
Eu gostaria de manter um clima positivo. Já trabalhei com muitos universitários que tiveram dificuldade para encontrar trabalho, mas todos eles acabaram conseguindo. É preciso muita iniciativa e muita sola de sapato para sair na rua e bater de porta em porta. Washington está repleta de ótimos escritórios de advocacia e empregos públicos bem-remunerados. Tenho certeza de que o senhor vai encontrar uma carreira gratificante. Vou ignorar o fato de ter empregado os termos "abuso" e "atormentando". Toda nossa correspondência por e-mail se tornará pública, e sugiro escolhermos com cuidado as nossas palavras. Gostaria de conversar sobre isso com o senhor por telefone, mas naturalmente não tenho seu número.

Saudações,
Rex Wagner,
Consultor de Empréstimos Sênior

Todd respondeu:

Prezado Consultor de Empréstimos Sênior Wagner, da SS,
Peço desculpas se o ofendi. Não sei se o senhor se dá conta da pressão que estou sofrendo neste momento da minha vida. Nada correu conforme

o planejado, e o futuro parece horrivelmente sombrio. Amaldiçoo o dia em que decidi entrar na faculdade de Direito. Principalmente na Foggy Bottom. O senhor sabe que o cara de Wall Street que é dono da faculdade ganha 20 milhões líquidos por ano com ela? E que ela é apenas uma das oito que ele tem? Fascinante. Em retrospecto, eu deveria ter comprado uma faculdade de Direito, em vez de me inscrever em uma.

Não, não vou lhe dar meu telefone. De acordo com os numerosos processos contra a SS, os piores abusos ocorreram pelo telefone, pois as ligações quase nunca são gravadas. Vamos nos ater aos e-mails, onde cada palavra importa.

Ainda amigos.
Todd Lucero.

PASSARAM O SÁBADO inteiro limpando, pintando e tirando sacos de lixo. O "apartamento" de Zola era na verdade três cômodos: um para a cama, outro para a sala de estar/escritório e um armário de produtos de limpeza que tinha potencial. Eles convenceram Maynard a deixar que mudassem uma parede de lugar e abrissem uma porta. Um dos primos do sujeito era um mestre de obras sem registro que fazia bicos sem se dar ao trabalho de pedir as autorizações necessárias. Por mil pratas em dinheiro vivo, falou que conseguiria improvisar um pequeno chuveiro, pia e privada e transformar o armário de limpeza em banheiro. Todd e Mark duvidavam que Zola fosse ficar impressionada, mas ela na verdade não tinha escolha.

Ela não havia concordado em entrar para a sociedade, mas era apenas uma questão de tempo.

O DIA ESTAVA frio e ensolarado, e Zola precisava de um pouco de ar puro. Saiu de seu apartamento cedo no sábado de manhã e foi a pé até a esplanada do National Mall, onde se sentou nos degraus do Lincoln Memorial e ficou olhando os turistas. Ao ver o Monumento a Washington e o Capitólio ao fundo, lá longe, pensou nos pais e no irmão trancafiados como prisioneiros num centro de detenção lamentável, aguardando a deportação. Aquela vista era majestosa, e todos os prédios e monumentos eram símbolos de uma liberdade sem limites. Já a vista deles, se é que eles tinham alguma, eram cercas e arame farpado. Por causa do sacrifício deles, ela havia recebido a dádiva da cidadania, um status permanente que nada fizera para merecer. Eles haviam trabalhado como cães num país do qual se orgulhavam, com o sonho de um dia virem a ter ali um lugar. Em que exatamente sua expulsão iria beneficiar aquela grande nação de imigrantes? Não fazia sentido e parecia apenas cruel.

Ela tentou não pensar em Gordy. A tragédia dele havia ficado para trás. Remoê-la não tinha utilidade alguma. Eles nunca teriam um futuro juntos, e Zola fora tola de pensar que sim. Mas ele continuava ali, e ela não conseguia se livrar da culpa.

Ao passar pelo espelho d'água, ela tentou imaginar aquele lugar lotado com 250 mil pessoas em 1963, quando o Dr. Martin Luther King descreveu seu sonho. Seu pai sempre dizia que a grandeza dos Estados Unidos era que qualquer um podia correr atrás do próprio sonho e, com trabalho e sacrifício, torná-lo realidade.

Agora os sonhos dele tinham virado pesadelos, e ela nada podia fazer.

No Monumento a Washington, Zola entrou numa longa fila para subir até o alto, mas logo ficou entediada e foi embora. Adorava o museu Smithsonian e passou algumas horas perdida na história americana. Em nenhum momento do dia gastou tempo pensando na faculdade de Direito ou em encontrar um "emprego significativo no meio jurídico".

No fim da tarde, Todd mandou uma mensagem de texto e sugeriu "outro jantar especial". Zola, porém, recusou e disse que tinha outros planos. Leu um romance, assistiu a um filme antigo e foi se deitar pouco depois das onze. O edifício residencial sacudia com música alta e universitários barulhentos passando para lá e para cá. Sábado à noite na cidade grande. Um bate-boca no corredor a acordou perto da uma, mas ela conseguiu pegar no sono outra vez.

Estava dormindo profundamente quando alguém começou a esmurrar sua porta. Para imigrantes, sobretudo os sem documentação, as regras eram conhecidas. Manter sempre sapatos, roupas e celular por perto, não atender à porta e torcer e rezar para não ser o ICE. Se for, eles arrombam a porta mesmo, e não há para onde fugir. Embora ela estivesse em situação tão regular quanto qualquer agente do ICE, com certeza sua vida não era tão segura como a deles.

Zola se levantou de um pulo e vestiu a calça jeans. Os murros continuaram, e uma voz gritou bem alto: "Abra! Imigração!" Ela foi até a sala e ficou encarando a porta, aterrorizada, com o coração batendo feito uma britadeira. Estava com o celular na mão, prestes a ligar para Mark, como se ele pudesse correr até lá às duas da manhã para salvá-la. Os murros cessaram. Não se ouviram mais vozes, somente o arrastar de pés no chão. Ela se preparou para a porta ser derrubada, mas não houve nada exceto silêncio. Então, na outra ponta do corredor, alguns risos.

Seria mesmo o ICE ou só alguém pregando uma peça de mau gosto? Ela esperou e tentou controlar a respiração. Conforme os minutos foram passando, ficou imóvel no escuro, com medo até de se mexer ou fazer qualquer ruído. O ICE podia mesmo aparecer para fazer perguntas, mas não àquela hora, certo? Quando o ICE aparecia, o negócio ficava sério. Eles não batiam e iam embora se ninguém atendia.

Independentemente de quem fora, o estrago estava feito. Bem devagar, Zola voltou para o quarto, vestiu um suéter, calçou os sapatos e esperou mais um pouco. Ao ver que tudo estava em silêncio, destrancou a porta, olhou para um lado e para o outro do corredor, não viu ninguém e trancou a porta atrás de si. Com a chave reserva de Gordy, entrou no apartamento dele, manteve as luzes apagadas e se esticou sobre o seu colchão sem lençol.

Dormir foi impossível. Ela não podia viver daquele jeito. Se os seus dois amigos eram malucos o suficiente para assumir uma vida nova, ela iria correr o risco com eles.

MORGANA NASH ESCREVEU:

Caro Mark,
Sinto muitíssimo pelo seu amigo. Entendo que você esteja abalado. Mesmo assim, vamos tentar saber qual é a situação no Ness Skelton e começar a conversar sobre um cronograma de pagamento.

Meus pêsames.
Morgana Nash, Representante do Setor Público.

No domingo de manhã, Mark disparou de volta:

Cara Sra. Nash,
Obrigado pelos seus pêsames. Isso significa muito para mim. Parece que eu fui demitido do Ness Skelton, demitido antes mesmo de começar, o que não tem problema, porque aquilo é uma porcaria mesmo e eu desprezo as pessoas que trabalham lá. Então estou desempregado outra vez. Eu e toda a minha turma da faculdade. Realmente não tenho a força emocional para começar a procurar outro emprego sem futuro.

Por favor, me dê um pouco de espaço, tá?

Um beijo,
Mark.

Na manhã de segunda-feira cedinho, ela respondeu:

Caro Mark,
Sinto muito que você esteja aborrecido. Estou apenas fazendo o meu trabalho, e ele exige que eu tenha uma conversa com você sobre os pagamentos. Há muitas vagas boas na região de Washington, e sei que você vai encontrar um emprego significativo no meio jurídico.

Apenas me mantenha informada.
Morgana Nash, Representante do Setor Público.

Mark respondeu:

Cara Sra. Nash,
Não há nada para informar. Nada mesmo. Estou fazendo terapia, e meu terapeuta me disse para ignorá-la por enquanto.

Me desculpe.
Mark.

17

Eles esperaram até segunda-feira, perto do meio-dia, horário em que o prédio estava vazio e os vizinhos estavam em aula, e levaram as caixas de Zola até seu novo apartamento no segundo piso acima do Rooster Bar. Se ela teve alguma objeção em relação aos seus novos aposentos, guardou isso para si. Na verdade, desembalou suas roupas e seus pertences com um sorriso e pareceu satisfeita com seu novo esconderijo. Era apenas um local temporário. Quando criança, em Newark, ela havia morado em lugares bem menores, quase sem nenhuma privacidade. Mark e Todd não faziam ideia de quanto sua família era pobre na época.

O mestre de obras, no comando de sua equipe de eslovacos esforçados e sem dúvida ilegais, estava ocupado com a transformação do armário de limpeza em banheiro, então os sócios desceram a rua para um almoço tardio. Diante de saladas e chá gelado, Todd enumerou algumas das regras básicas. Eles viveriam num mundo de dinheiro vivo, nada de cartões. Cartões de crédito deixam rastros. Haviam convencido Maynard a trocar o aluguel por trabalho. Todd e Mark trabalhariam 25 horas por semana cada um na função de barman e não haveria nenhum registro. Maynard aceitaria o trabalho em troca do aluguel, incluindo as contas de água, luz e gás, a internet e a TV a cabo, e os deixaria usar o endereço para a rara correspondência que esperavam receber. Ele parecia gostar da ideia de ter três jovens advogados praticamente escondidos no seu prédio, e parecia desconhecer a diferença entre um escritório modelo e um escritório de verdade. Maynard fazia poucas perguntas.

Era irônico o cuidado dos três para evitar o crédito se basear no fato de terem coletivamente mais de 600 mil dólares em dívidas, mas no momento isso não teve qualquer impacto.

Eles fariam outra visita ao seu contato de segurança duvidoso e arranjariam uma carteira de motorista falsa para Zola, que seria seu único documento de identidade. Depois de ela virar Zola Parker, comprariam-lhe um celular, mas manteriam o antigo para monitorar as pessoas que pudessem estar à sua procura. Todos eles seriam processados por seus senhorios, mas os processos de nada valeriam porque Mark Frazier, Todd Lucero e Zola Maal não existiriam mais e obviamente haveriam deixado a cidade. Depois de algum tempo, eles seriam colocados na lista de inadimplentes pelos cobradores de suas dívidas estudantis, mas ainda faltavam vários meses para isso. Não é possível processar alguém de forma eficiente quando não se consegue encontrar a pessoa. Eles tentariam evitar todos os antigos amigos, mas continuariam a atualizar a própria página no Facebook, embora com menor frequência. Não teriam contato nenhum com a Foggy Bottom e tinham certeza de que a sua ausência não seria notada por ninguém na administração.

Em alguns momentos, Zola se sentia sobrecarregada por aquela armação. Aquilo era uma loucura e estava fadado a acabar mal, mas ela se sentia mais segura, e a segurança era sua principal preocupação. Além do mais, seus sócios estavam excessivamente confiantes – ou então fingiam muito bem. Lá no fundo, ela sabia que eles não tinham a menor ideia do que estavam fazendo, mas era difícil ignorar o entusiasmo dos dois. Por mais relutante que estivesse, ela se sentia reconfortada com a lealdade deles.

Mark ficou sério e começou a falar sobre a vida pessoal dos três. Era importante evitarem novas amizades e namoros sérios. Ninguém mais podia saber sobre o esquema. A parceria precisava estar cercada por um muro impenetrável.

Zola o interrompeu dizendo:

– Está de brincadeira comigo? A gente acabou de enterrar meu namorado, e você acha que eu quero começar a namorar outra vez?

– É claro que não – disse Mark. – Todd e eu no momento estamos solteiros, e é melhor ficarmos todos assim.

– É, e se você quiser fazer sexo, Mark e eu estamos sempre disponíveis, só para manter as coisas dentro da empresa, sabe como é – disse Todd.

– Sem chance – retrucou ela, dando risada. – Nossa vida já está suficientemente complicada.

– Claro, mas guarde essa ideia – insistiu Todd.

– Essa é a sua melhor cantada? "Vamos manter as coisas dentro da empresa?"

– Sei lá. É a primeira vez que eu uso.

– Bom, nem precisa usar de novo. Não funcionou.

– Eu estou brincando, Zola.

– Não está, não. O que houve com aquela Sharon, com quem você estava saindo no semestre passado?

– Ela já era.

– Vamos combinar que qualquer pegação tem que ser fora do prédio, tá? – perguntou Mark.

– Tá, pode ser – concordou Zola. – O que mais tem na lista?

– A gente não tem uma lista – respondeu Mark. – Quer fazer alguma pergunta?

– Estamos escutando – completou Todd. – Este é o nosso grande momento, nossa melhor hora. Vamos pôr tudo na mesa.

– Tá. Eu duvido muito que consiga catar casos de indenização nas emergências dos hospitais. E duvido que algum de vocês dois saiba fazer isso.

– Tem razão, mas a gente pode aprender – disse Todd. – Precisamos aprender. É uma questão de sobrevivência.

– Ah, Zola, eu acho que você vai se revelar um talento natural – falou Mark. – Uma linda jovem negra com um vestido de arrasar, quem sabe uma saia curta, uns saltos estilosos. Eu contrataria você num piscar de olhos se a minha mulher tivesse se ferrado num acidente de carro.

– Meu único vestido bom é o que eu usei no funeral.

– A gente vai fazer um upgrade no seu guarda-roupa – anunciou Todd. – Não somos mais estudantes de Direito, mas profissionais de verdade. Roupas novas para todo mundo. Está previsto no orçamento da firma.

– Essa é a única coisa promissora que eu escutei até agora – disse ela. – E digamos que a gente arrume uns clientes e precise encontrar com eles no escritório. E aí?

Era óbvio que eles haviam pensado em tudo. Sem hesitar, Mark respondeu:

– A gente diz que nosso escritório está em reforma e encontra com eles lá embaixo no bar.

– No Rooster Bar?

– Isso. Bebidas por conta da empresa enquanto a gente analisa a papelada – acrescentou Todd. – Eles vão adorar.

– Lembre-se que a maior parte dos nossos clientes serão pequenos marginais que pagam em dinheiro vivo, Zola. Nossos encontros com eles vão ser ou no fórum ou na prisão, e o último lugar ao qual eles vão querer ir é um escritório de advocacia – concluiu Mark.

– E não vamos ter encontros com outros advogados – falou Todd. – Nada desse tipo.

– É claro que não.

– Se a gente ficar encurralado, sempre pode alugar uma sala por algumas horas num escritório coletivo. Tem um aqui na esquina.

– Imagino que vocês tenham pensado em tudo.

– Não, Zola, a gente está perdido – retrucou Todd. – Mas vamos dar um jeito, fazer a coisa dar certo e ainda nos divertir um pouco pelo caminho.

– O que mais está incomodando você? – perguntou Mark.

– Hum. Duvido que eu consiga não contar nada para a Ronda. Ela é uma amiga próxima e está preocupada comigo.

– Ela é também a maior fofoqueira da nossa turma – disse Todd. – Você não pode contar nada.

– Não vai ser fácil. Duvido que eu consiga largar a faculdade sem ela perceber.

– Ela sabe sobre você e o Gordy? – indagou Mark.

– É claro que sabe. Ele deu em cima dela no primeiro ano.

– O que você contou para ela? – quis saber Todd.

– Ela quis conversar, então a gente se encontrou ontem à noite para comer um sanduíche. Falei que eu estava péssima e sem ir às aulas por enquanto, que talvez tirasse um semestre até as coisas melhorarem. Ela não foi muito enxerida, só queria falar sobre o Gordy e os últimos dias dele. Eu não disse muita coisa. Ela acha que eu talvez precise fazer terapia, algum tipo de aconselhamento para o luto. Falei que ia pensar no assunto. Ela foi um amor, e eu precisava disso.

– Zola, você precisa cortar o contato com ela – disse Mark. – Mantenha-a a distância, mas com delicadeza. A gente precisa se afastar do povo da faculdade. Se a notícia de que nós três estamos matando o último semestre se espalhar, a faculdade talvez comece a fazer perguntas. Até aí nada demais, a menos, é claro, que eles decidam notificar o Departamento de Educação.

– Achei que a gente não estivesse preocupado com os empréstimos.

– Sim, mas precisamos adiar a inadimplência o máximo possível. Se as empresas de cobrança descobrirem que a gente largou o curso, vão começar a nos importunar com o pagamento. Quando não nos encontrarem, vão passar nossos dossiês para advogados que vão contratar detetives para bisbilhotar. Prefiro lidar com isso mais para a frente.

– Eu gostaria de evitar a coisa por completo – revelou Todd.

– Ah, eu acho que a gente vai conseguir.

– Mas vocês não fazem ideia de como, né? – indagou ela.

Mark e Todd se entreolharam e nada foi dito durante alguns instantes. O celular de Todd vibrou e ele o tirou do bolso.

– Errei – falou, e tirou outro aparelho de outro bolso. Dois aparelhos, um velho e um novo. Um para o passado, outro para o presente. Ele leu uma mensagem de texto. – É o Wilson dizendo: "E aí, cara, você matou aula hoje de novo. O que está rolando?"

– Talvez isso tudo seja mais difícil do que a gente pensou.

18

Às 8h45, algumas pessoas se reuniam em pequenos grupos nervosos no largo corredor em frente à Sala 142 do Fórum Distrital. Uma placa ao lado da porta informava que ali era o reino de Sua Excelência Fiona Dalrymple, 19ª Vara Penal, Tribunal de Assuntos Gerais, Distrito de Columbia. Os convocados para comparecer naquele dia e hora eram de modo geral um bando de pessoas mal-encaradas vindas dos bairros mais barra-pesada, a maioria de pele negra ou parda, quase todas segurando o pedaço de papel que havia ordenado seu comparecimento ali ou então ao lado de alguém próximo com o tal papel na mão. Ninguém estava sozinho. Os acusados traziam consigo cônjuges, pais, mães ou filhos adolescentes, e todos exibiam alguma versão da mesma expressão assustada e impotente. Por enquanto, não havia nenhum advogado importunando as vítimas.

Zola e Todd chegaram primeiro, ambos vestidos de modo casual, e começaram a observar todos os outros. Recostaram-se numa parede e ficaram esperando o Dr. Upshaw, que logo apareceu trajando um terno elegante, carregando uma pasta de couro velha. Ele foi se juntar aos dois, e ficaram os três reunidos como os outros, cochichando, aguardando como se alguém fosse ser escolhido aleatoriamente para uma execução.

– Gostei daquele cara ali – disse Todd, meneando a cabeça na direção de um homem baixinho e rechonchudo de origem latina com cerca de quarenta anos, um pedaço de papel na mão e uma esposa ansiosa.

– Também gostei dele – disse Zola, num tom de quem acha graça. – Ele poderia ser nosso primeiro cliente.

– São tantos entre os quais escolher – disse Mark quase entre os dentes.

– Tá bom, Figurão, mostre para a gente como é que se faz.

Mark engoliu em seco, abriu um sorriso falso e disse:

– É moleza.

E andou até o casal. Quando ele estava se aproximando, a mulher baixou os olhos de medo enquanto o marido arregalava os dele.

– Com licença – disse Mark em voz baixa. – Sr. Garcia? Estou procurando Freddy Garcia.

O homem fez que não com a cabeça, mas não disse nada. Mark cravou os olhos na intimação que ele segurava com força na mão direita.

– O senhor foi chamado ao tribunal?

Pergunta idiota. Por que outro motivo o cara estaria faltando ao trabalho e esperando em frente à sala de um tribunal? Ele aquiesceu depressa, sim, enquanto conseguia permanecer calado.

– Qual é a acusação? – perguntou Mark.

Ainda sem dizer nada, o homem lhe estendeu a intimação, e Mark a pegou e leu com o cenho franzido.

– Agressão – murmurou. – Pode ser coisa séria. O senhor já esteve no tribunal antes, Sr. Lopez?

Movimentos vigorosos com a cabeça. Não. A esposa tirou o olhar dos próprios sapatos e encarou Mark como se quisesse chorar. Outras pessoas se movimentavam em volta à medida que o número de presentes crescia.

– Olhe aqui, o senhor precisa de um advogado. A juíza Dalrymple pode ser durona. Está me entendendo? – Com a mão livre, Mark sacou um cartão de visitas tinindo de novo e o empurrou para o sujeito. – Agressão pode render uma pena de prisão, mas eu consigo dar um jeito nisso. O senhor não tem nada com que se preocupar. Quer ajuda?

Meneios de cabeça, sim, sim.

– Certo, olhe aqui, meu honorários são mil pratas. O senhor pode pagar esse valor?

A boca do Sr. Lopez se escancarou quando ele ouviu falar em dinheiro. Atrás de Mark, uma voz incisiva e bem distinta chamou atenção, sem dúvida dirigida a ele.

– Ei, o que está acontecendo aqui?

Mark se virou e deu com o semblante confuso e preocupado de um genuíno advogado de porta de cadeia, um quarentão mais alto do que ele, de nariz empinado, vestido com um terno gasto. O homem avaliou a situação perfeitamente no tempo que levou para se aproximar.

– O que está havendo, meu chapa? – perguntou ele a Mark numa voz ligeiramente mais baixa. – Está importunando o meu cliente?

Sem conseguir dizer nada, Mark deu um passo para trás no exato momento em que o advogado arrancava a intimação da sua mão direita. O recém-chegado olhou para o Sr. Lopez e perguntou:

– Juan, esse cara está importunando você?

O Sr. Lopez entregou o cartão de visitas de Mark ao advogado, que leu e disse:

– Olhe aqui, Upshaw, esse senhor é meu cliente. O que está tentando fazer?

Como precisava responder alguma coisa, Mark conseguiu dizer:

– Nada. Eu estava procurando Freddy Garcia.

Ele olhou em volta e reparou em outro cara de terno a encará-lo.

– Sem essa – disse o advogado. – Você está tentando roubar meu cliente. Ouvi você dizer que cobra mil dólares de honorários. Não foi isso, Juan?

Subitamente fluente e falante, Lopez respondeu:

– Foi. Ele disse mil dólares, falou que eu vou ser preso.

O advogado deu um passo mais para perto de Mark até seus narizes ficarem a menos de meio metro um do outro. Mark pensou em lhe dar um soco, mas rapidamente decidiu que uma briga entre dois advogados no corredor em frente à sala do tribunal não iria melhorar a situação.

– Se mande daqui, Upshaw – sibilou o advogado.

Mark tentou sorrir enquanto dizia:

– Ei, meu chapa, relaxe. Estou procurando meu cliente Freddy Garcia. Eu errei de pessoa, tá?

O advogado abriu um sorriso desdenhoso e disse:

– Bom, se você soubesse ler, teria reparado que a intimação está em nome do Sr. Juan Lopez, este meu cliente aqui. Aposto que Freddy Garcia não está nem no rol para hoje, e aposto mais ainda que você está só abordando possíveis clientes.

– Ninguém melhor do que o senhor para saber – retrucou Mark. – Relaxe.

– Eu estou relaxado. Agora se mande.

Mark quis sair correndo, mas conseguiu dar um passo para trás devagar.

– Está certo, babaca.

– Vá importunar outro.

Mark se virou, temendo os olhares de Todd e Zola.

Mas eles tinham sumido.

ENCONTROU-OS APÓS DOBRAR uma quina, e os três rumaram depressa para um café no térreo. Enquanto aproximavam cadeiras de uma mesinha, Mark notou que Todd e Zola estavam rindo tanto que nem conseguiam falar. Isso o deixou com raiva, mas depois de alguns segundos ele também começou a rir. Todd finalmente recuperou o fôlego e disse:

– Ótimo trabalho, Darrell.

Zola enxugou as bochechas com as costas de uma das mãos.

– Freddy Garcia – conseguiu dizer, enquanto Todd desatou a rir outra vez.

– Tá, tá bom – falou Mark, ainda rindo.

– Desculpe – disse Todd, segurando a barriga.

Eles passaram um longo tempo rindo. Mark finalmente conseguiu se recuperar e perguntou:

– Quem quer café?

Foi até o balcão, comprou três cafés e levou as xícaras de volta até a mesa, onde os outros sócios tinham recuperado o controle.

– A gente viu o cara chegar, e quando ele percebeu o que você estava fazendo partiu para o ataque – disse Todd.

– Pensei que ele fosse bater em você – comentou Zola.

– Eu também – concordou Mark.

Eles ficaram tomando seus cafés, os três à beira de um novo acesso de riso. Por fim, Mark disse:

– Tá, agora a parte boa. Foi uma cena lamentável, admito, mas ninguém sequer cogitou se eu era ou não advogado. Isso vai ser moleza.

– Moleza! – Todd desatou a rir outra vez. – Você quase saiu no braço por causa do nosso primeiro cliente.

– Viu a cara do Juan quando vocês dois começaram a brigar? – perguntou Zola. – Ele deve pensar que todos os advogados são doidos.

Ela também havia recomeçado a rir.

– Vamos pôr na conta da experiência – disse Mark, rindo também. – A gente não pode desistir agora.

– Você não é nenhum Darrell Cromley – comentou Todd.

– Cale a boca. Vamos lá.

EM SUA SEGUNDA incursão, eles decidiram mudar de estratégia. Um ajuntamento heterogêneo de pessoas aguardava em frente ao tribunal de Sua Excelência Leon Handleford, 10ª Vara Penal. Todd chegou primeiro e tentou parecer o mais nervoso possível. Estudou as pessoas e concentrou sua atenção num rapaz negro que esperava acompanhado por uma mulher mais velha, provavelmente a mãe. Todd foi até lá, sorriu para os dois e puxou conversa:

– Que jeito de passar o dia, né?

– Com certeza – respondeu o rapaz, enquanto a mãe revirava os olhos, frustrada.

– Esta é a sessão para quem foi pego embriagado ao volante, certo? – indagou Todd.

– Infrações de trânsito – disse o rapaz.

– Ele foi pego a 137 por hora numa área limitada a 65. É a segunda multa este ano. O valor do seguro foi às alturas. Vou lhe contar...

– Cento e trinta e sete – repetiu Todd. – Isso é que é meter o pé.

– Eu estava com pressa.

– O policial disse que ele vai preso – falou a mãe, inconformada.

– Vocês têm advogado? – perguntou Todd.

– Ainda não – respondeu o rapaz. – Não posso perder a carteira, cara. Se eu perder a carteira, perco o emprego.

Mark apareceu com um ar decidido e um telefone grudado na orelha. Ele havia cruzado olhares com Todd, se aproximado depressa e guardado o telefone, ignorando o rapaz e a mãe.

– Acabei de falar com o advogado de acusação, um cara que conheço muito bem. Consegui diminuir a pena e eles vão cortar a multa pela metade. Ainda estamos discutindo a suspensão, mas as coisas estão caminhando. Você trouxe a outra metade dos meus honorários?

– Claro – respondeu o outro depressa, e levou a mão ao bolso para pegar um bolo de dinheiro. Na frente de todo mundo, separou cinco notas de 100 dólares e as entregou para Mark. Enquanto Mark pegava o dinheiro, apontou para seu novo amigo e tornou a falar. – Escute, este cara aqui foi pego a 137 por hora numa área de 65. Quais são as chances dele?

Mark não fazia a menor ideia, mas ele agora era Darrell Cromley, um advogado de porta de cadeia veterano, e tinha resposta para qualquer pergunta.

– Cento e trinta e sete – repetiu ele, fingindo assombro. – Estava alcoolizado?

– Não – respondeu o rapaz.

– De cara limpa – disse a mãe. – Ainda se ele estivesse bêbado... Mas ele sabia exatamente o que estava fazendo.

– Pare com isso, mãe.

– Qualquer coisa acima de 130 é cana.

– O senhor aceita casos de excesso de velocidade? – perguntou a mãe.

Mark lhe abriu um sorriso exagerado, como se fosse capaz de lidar com qualquer coisa.

– Isto aqui é a minha área, senhora, a vara de infrações de trânsito. Conheço todos os juízes e todos os meandros.

– Eu não posso perder a carteira – disse o rapaz.

– Que tipo de trabalho o senhor faz? – indagou Mark, olhando para o relógio.

– Entregador. É um bom emprego, e eu não posso perder.

Um bom emprego. Bingo! Por embriaguez ao volante, a multa era de mil dólares. Mark calculava que dirigir acima da velocidade permitida custasse um pouco menos, mas a ideia de um emprego remunerado aumentava os valores em jogo. Num tom muito profissional, falou:

– Olhe aqui, eu cobro mil pratas de honorários, e por esse preço consigo reduzir a acusação para o bom e velho excesso de velocidade e manter o senhor fora da cadeia.

Ele olhou para o relógio outra vez, como se questões importantes demandassem urgência.

O rapaz olhou para a mãe com um ar esperançoso, e ela balançou a cabeça como quem diz: "Foi você quem armou essa confusão, se vire." Ele olhou para Mark e disse:

– Só estou com trezentos aqui. Posso pagar o resto depois?

– Pode, antes da sua próxima audiência. Deixe-me ver a intimação.

O rapaz a sacou do bolso e lhe entregou. Mark passou os olhos rapidamente. Benson Taper, 23 anos, solteiro, domiciliado na Emerson Street, nordeste da capital.

– Certo, Benson, vamos falar com o juiz – disse ele.

ABORDAR CLIENTES NO corredor já era um desafio para os nervos, sobretudo para um novato fingindo ser advogado, mas entrar numa corte e encarar de frente as engrenagens da justiça era aterrorizante. Mark sentiu os joelhos bambearem quando eles avançaram pelo corredor central. O frio na barriga aumentava mais e mais a cada passo.

Controle-se, seu idiota, disse ele para si mesmo. Não demonstre medo algum. Tudo não passa de um jogo. Se Darrell consegue fazer isso, você também consegue. Ele apontou para um lugar numa fileira do meio e, manobrando o tráfego como se aquela fosse a *sua* sessão, sussurrou para a mãe:

– Sente-se ali.

Ela o fez, e os dois avançaram até a primeira fila e se sentaram. Benson lhe passou os 300 dólares, e Mark lhe entregou um contrato de prestação de serviços advocatícios idêntico ao que havia assinado em nome de Gordy para Preston Kline. Finda a papelada, ele e Benson ficaram sentados assistindo ao cortejo.

Alguns metros à sua frente, diante da tribuna do juiz, um guarda-corpo na altura dos joelhos separava os espectadores da ação principal. Depois dele havia duas mesas compridas. A da direita estava coberta por pilhas de papel e vários jovens promotores reunidos ali cochichavam e faziam piadas enquanto iam pondo ainda mais papéis aqui e ali. A mesa à esquerda estava quase vazia. Dois advogados de defesa entediados conversavam em voz baixa apoiados nela. Oficiais de justiça andavam de um lado para o outro entregando papéis para os advogados e para o juiz Handleford. Embora o tribunal estivesse em sessão, a área da tribuna zumbia com uma atividade digna de uma linha de montagem e ninguém parecia muito preocupado em não fazer barulho. Um aviso grande dizia: "Proibido Celular. Multa 100 dólares."

O juiz Handleford era um homem de cabelos brancos, grande e barbado, próximo dos 60 anos, totalmente entediado com sua rotina diária. Raramente erguia os olhos e parecia ocupado assinando seu nome em despachos.

Um dos oficiais olhou para os presentes e chamou um nome. Uma mulher alta de 50 e poucos anos atravessou nervosa o guarda-corpo e se apresentou diante de Sua Excelência. Estava ali por causa de uma acusação por embriaguez ao volante. Sabia-se lá como dera um jeito de chegar até aquele ponto sem nenhum advogado ávido ao lado. Mark anotou seu nome mentalmente: Valerie Blann. Pegaria o telefone dela no rol de processos e lhe ligaria mais tarde. Ela se declarou inocente e recebeu uma nova data de audiência para o final de fevereiro. O juiz Handleford mal ergueu os olhos. Um oficial chamou o nome seguinte.

Mark engoliu em seco outra vez, tomou coragem e atravessou o portão do guarda-corpo. Com o cenho franzido no seu melhor semblante de advogado, foi até a mesa da acusação, pegou uma cópia do rol e foi se sentar à mesa da defesa. Dois outros advogados chegaram. Um foi embora. Eles iam e vinham sem que ninguém reparasse nele. Um dos promotores contou uma piada e algumas pessoas riram. O juiz agora parecia estar cochilando. Mark olhou para o salão e viu Zola sentada atrás da mãe de Benson, os olhos arregalados, observando cada movimento. Todd tinha avançado até a primeira fila para ver melhor. Mark se levantou, foi até uma oficial de justiça sentada ao lado da tribuna do juiz, entregou-lhe um cartão e lhe informou que estava representando o Sr. Benson Taper. Ela o encarou. Quem se importa com isso?

Quando o nome de Benson foi chamado, Mark se levantou e acenou para o seu cliente. Lado a lado, os dois se apresentaram diante do juiz Handleford, que mal exibia qualquer sinal de vida. Uma promotora se aproximou e Mark se apresentou. Seu nome era Hadley Caviness, e ela era uma graça: corpo lindo, saia curta. Mark pegou seu cartão; ela pegou o dele. O juiz falou:

– Sr. Taper, parece que o senhor tem alguém para representá-lo, então suponho que esteja se declarando inocente.

– Isso mesmo, Meritíssimo – disse Mark, suas primeiras palavras no tribunal.

E com elas, junto com seus dois sócios, ele acabara de infringir a Seção 54B do Código Penal do Distrito de Columbia: advogar sem registro; passível de punição com uma multa de até mil dólares, indenização, e não mais de dois anos de cadeia. Graças à sua extensa pesquisa, eles sabiam que, nos últimos quarenta anos, apenas um impostor havia cumprido pena por praticar o Direito em Washington sem autorização. Ele fora condenado a seis meses, cumprira dois e tivera um comportamento particularmente ruim.

No contexto do comportamento criminal, advogar sem registro era uma infração de gravidade bem pequena. Ninguém saía ferido. E, se eles três trabalhassem bem, seus clientes sairiam ganhando. A justiça seria protegida. E assim por diante. Eles podam passar horas justificando aquela farsa.

Todd praticamente prendeu a respiração enquanto seu sócio estava em pé diante do juiz. Seria possível ser tão fácil assim? Mark com certeza se encaixava naquele papel, e seu terno era mais elegante do que os dos outros advogados de ambos os lados do tribunal. E os outros? Quantos estariam tentando sobreviver debaixo de uma montanha de dívidas?

Sentada na borda da cadeira, Zola esperava alguém gritar: "Esse cara é um impostor!" Mas ninguém olhou duas vezes para o Dr. Upshaw. Ele entrou na roda sem qualquer sobressalto, só mais um entre dezenas. Após passar meia hora assistindo, ela reparou que alguns dos advogados de defesa se conheciam e conheciam um ou dois da acusação. Pareciam estar em casa ali. Outros se mantinham discretos e não falavam com ninguém, exceto com o juiz. Não importava. Aquilo era uma vara de infrações de trânsito, e todo mundo estava executando as mesmas ações automáticas que nunca mudavam.

A audiência seguinte de Benson ficou para dali a um mês. O juiz Handleford anotou seu nome; Mark falou: "Obrigado, Meritíssimo", e acompanhou seu cliente até fora da sala.

O mais novo escritório de advocacia da cidade tinha algumas semanas para decidir o que fazer. O dinheiro de Benson pagou um almoço numa delicatessen ali perto. Na metade de seu sanduíche, Todd se lembrou de Freddy Garcia, e os três riram bastante outra vez.

Para o segundo turno de trabalho, Mark trocou de terno, pois agora tinha três, e Todd se arrumou. Eles chegaram ao fórum à uma da tarde e começaram a caçar clientes. Obviamente o estoque era infinito. No início trabalharam juntos, aprendendo pequenos truques à medida que prosseguiam. Ninguém reparou neles, e os dois relaxaram e se misturaram aos outros advogados que zanzavam pelo imenso fórum.

Em frente à 6ª Vara, Todd colou o celular na orelha e teve uma conversa importante com ninguém. Em voz alta o bastante para todo mundo ouvir, falou:

– Olhe aqui, eu já cuidei de cem casos de embriaguez ao volante com você do outro lado, então não me venha com essa. Esse rapaz soprou 0,09, quase no limite, e tem um histórico perfeito no trânsito. Pare de remanchar. Ou você reduz a acusação para imprudência, ou eu vou bater um papo com o juiz. Se você me forçar, eu levo isso a julgamento, e você sabe o que aconteceu da última vez. Eu fiz a polícia passar vergonha e o juiz retirou as acusações. – Houve uma pausa enquanto ele escutava o telefone mudo. – Agora sim. Passo aí em uma hora para assinar o acordo.

Quando ele guardou o celular no bolso, um homem chegou perto e perguntou:

– O senhor por acaso é advogado?

AINDA VESTIDA DE modo casual, Zola ia de sessão em sessão, avaliando réus que pareciam estar sem advogado. Os juízes muitas vezes lhes perguntavam onde eles trabalhavam, se eram casados, essas coisas. A maioria tinha empregos não muito impressionantes. Ela tomou nota de alguns dos mais promissores. Usando os nomes e endereços do rol de processos como referência, fez uma lista de nomes para seus sócios ligarem. Em duas horas, ficou entediada com a monotonia massacrante da justiça penal dos casos de pequena importância.

Aquilo podia ser maçante, mas era mais divertido do que ficar sentada em sala de aula preocupada com a prova da ordem.

ÀS CINCO, ELES chegaram ao Rooster Bar e foram para uma mesa de canto. Mark foi ao bar buscar duas cervejas e um refrigerante e pedir sanduíches. Como iria trabalhar no turno das seis à meia-noite, as bebidas eram por conta da casa.

Eles estavam satisfeitos com o primeiro dia de trabalho. Todd conseguira fisgar um cliente acusado de embriaguez ao volante e havia se apresentado diante do juiz Cantu. O promotor mencionara nunca o ter visto antes, e ele respondera que trabalhava no fórum havia um ano. Mark havia conseguido um caso de agressão simples na 9ª Vara e se apresentado diante de um juiz que o olhara de cima a baixo sem dizer nada. Dali a poucos dias, seus rostos já seriam conhecidos.

Sua pescaria somava 1.600 dólares em dinheiro vivo, com promissórias para outros 1.400. Some-se a isso o fato de que os lucros eram não declarados e livres de impostos, e eles ficaram quase tontos com a perspectiva de ganhar rios de dinheiro. A beleza daquela farsa era a sua ousadia. Ninguém em sã consciência se postaria diante de um juiz e se faria passar por advogado.

19

À meia-noite, Mark subiu a escada até o terceiro andar e entrou em seu apartamento bagunçado. Todd o aguardava no sofá com o laptop no colo. Havia duas latas vazias de cerveja sobre a mesa de centro bamba que eles haviam comprado por 10 dólares. Mark pegou uma cerveja na pequena geladeira e se deixou cair numa cadeira em frente ao amigo. Estava exausto e precisava dormir.

– Está trabalhando no quê? – perguntou.

– Ações coletivas. Hoje são quatro contra o Banco Swift, e parece que é uma simples questão de ligar para um dos advogados e entrar com o processo. Acho que está na hora de a gente fazer isso. Esses caras estão anunciando feito uns doidos, mas só na internet. Ainda não tem nenhuma propaganda na TV e acho que o motivo é o preço baixo por cada ação individual. Não são casos de responsabilidade civil com valores altos. As indenizações não valem muito, só uns trocados pelas tarifas fajutas e coisas assim que o banco incluiu nos extratos mensais. A beleza é que são muitas ações, talvez até um milhão de clientes que foram enganados pelo Swift.

– Vi que o presidente deles se apresentou ao Congresso hoje.

– Sim, e foi uma carnificina. O cara foi massacrado tanto pelos republicanos quanto pelos democratas. Ele foi uma testemunha horrível, quer dizer, o cara literalmente suava, e o comitê acabou com ele. Todo mundo está pedindo demissão. Um blogueiro acha que o Swift está tão mal das pernas que não tem outra escolha a não ser fazer um acordo para resolver essa confusão logo e partir para outra. Ele acha que o banco vai pagar um bilhão ou algo assim nas ações coletivas, depois gastar dinheiro de verdade numa nova campanha publicitária para encobrir seus erros.

– O de sempre. Nenhuma menção ao Rackley?

– Ah, não. O cara está escondido atrás do seu muro de empresas-laranjas. Passei horas procurando, e não tem referência nenhuma a ele nem às suas empresas de fachada. Fiquei pensando se o Gordy estava certo em relação ao envolvimento dele no Swift.

– Aposto que sim, mas a gente precisa continuar procurando.

Eles passaram alguns instantes calados. Antes era normal ter uma televisão ligada, mas eles ainda precisavam telefonar para a empresa de TV a cabo. Planejavam fazer um gato no acesso do bar, mas ainda não estavam prontos para a porção de perguntas que o instalador faria. Seus dois aparelhos de tela plana estavam num canto.

Por fim, Mark falou:

– Gordy, Gordy. Com que frequência você pensa nele?

– Muita – respondeu Todd. – O tempo todo.

– Você pensa no que a gente deveria ter feito de diferente?

– Para falar a verdade, sim. A gente poderia ter feito algo, mas o Gordy não estava são. Não tenho certeza se conseguiríamos impedir o que ele fez.

– É o que eu vivo dizendo a mim mesmo. Mas sinto saudade dele. Muita mesmo. Fico pensando o que ele iria achar se pudesse ver a gente agora.

– O Gordy que eu conhecia antigamente nos diria que a gente está maluco. Mas aquele cara dos últimos tempos provavelmente iria querer entrar para o nosso escritório.

– Como sócio sênior, se bobear. – Eles conseguiram dar umas risadas rápidas. – Uma vez li uma história sobre um cara que se matou – comentou Mark. – Um psicanalista dizia que era fútil tentar entender. É impossível, não faz sentido nenhum. Quando alguém chega a esse ponto, está em outro mundo, um mundo que aqueles que sobreviverem jamais vão entender. E, se você algum dia entender, pode ser que também esteja com problemas.

– Bom, eu não estou com problemas, porque nunca vou entender. Com certeza ele tinha uma porção de problemas, mas se matar não era a solução. Poderia ter parado de beber, acertado a medicação, resolvido ou não as coisas com a Brenda. Se tivesse dito não ao casamento, teria ficado bem mais feliz a longo prazo. Você e eu temos os mesmos problemas com a faculdade, a prova da ordem, falta de emprego, os cobradores e não estamos com tendências suicidas. Na verdade nós estamos reagindo.

– E não somos bipolares, então nunca vamos entender.

– Vamos mudar de assunto – sugeriu Todd.

Mark tomou um gole de cerveja.

– Tá. E nossa lista de vítimas?

Todd fechou o laptop e o colocou no chão.

– Nada. Liguei para oito das nossas vítimas em potencial, e ninguém quis falar comigo. O telefone é um excelente equalizador, e essas pessoas de agora à noite não estavam nem de longe tão nervosas quanto aquelas no fórum mais cedo.

– Está parecendo fácil demais? Quer dizer, a gente faturou 3 mil pratas de honorários hoje, e não tinha ideia do que estava fazendo.

– A gente teve um dia bom, e nem sempre vai ter tanta sorte. O mais incrível é o fluxo, a quantidade de pessoas mastigada pelo sistema.

– Graças a Deus elas existem.

– É um estoque infinito.

– Isso é uma loucura, sabia? E não é sustentável.

– Verdade. Mas a gente poderia continuar por um tempão. E com certeza é melhor do que a alternativa.

Mark tomou um gole, bufou e fechou os olhos.

– Isso não tem volta. A gente está infringindo muitas leis. Advogar sem registro. Evasão fiscal. E imagino que também algum artigo da lei trabalhista. Se entrarmos na ação coletiva contra o Swift, podemos colocar isso na lista.

– Você está reconsiderando? – quis saber Todd.

– Não. E você?

– Não, mas estou preocupado com a Zola. Às vezes eu sinto que a gente arrastou ela para esta situação. Ela está muito frágil no momento e está com medo.

Mark abriu os olhos e esticou as pernas.

– Verdade, mas pelo menos agora ela está se sentindo segura. Tem um bom esconderijo, e isso é crucial. Todd, ela é uma garota dura na queda, que sobreviveu a mais coisas do que a gente pode imaginar. Nesse momento ela está exatamente onde quer estar. E ela precisa da gente.

– Coitada. Hoje à noite ela encontrou a Ronda, as duas saíram para beber, e disse a ela que estava pensando em tirar um semestre de folga da faculdade, que no momento não conseguia se concentrar no curso e na prova da ordem. Ela acha que Ronda engoliu a história. Eu falei com o Wilson que nós dois iríamos aparecer na aula qualquer dia. Ele está preocupado, mas eu garanti que a gente estava bem. Quem sabe essa gente nos deixa em paz.

– Se a gente ignorar, eles vão nos esquecer. Têm coisas mais importantes com que se preocupar.

– Bom, a gente também: nossa nova carreira – disse Todd. – Agora que temos esses clientes, precisamos entregar o serviço. Estamos prometendo a essas pessoas que vamos conseguir evitar que elas sejam presas e reduzir suas multas. Alguma ideia de como podemos conseguir isso?

– Amanhã a gente descobre. O segredo é ficar parça dos promotores, saber quem eles são e ser persistente. E olhe, Todd, se a gente não conseguir cumprir todas as vezes, não vamos ser os primeiros advogados que prometeram demais. Vamos pegar nossos honorários e seguir em frente.

– Você fala como um vigarista de verdade.

– É isso que eu sou. Vou deitar.

ABAIXO DELES, ZOLA também continuava acordada. Estava deitada em sua cama frágil, recostada nos travesseiros, com as pernas cobertas por uma manta. O quarto estava escuro e a única luz vinha da tela do seu laptop.

Sua consultora de empréstimo era uma mulher chamada Tildy Carver, que trabalhava para uma empresa de cobrança próxima, em Chevy Chase, chamada LoanAid. A Sra. Carver havia se mostrado razoavelmente agradável durante a faculdade, mas seu tom estava mudando à medida que os semestres passavam. Naquela tarde, enquanto estava sentada na sessão tomando notas, Zola recebera o último e-mail de Carver:

> Prezada Sra. Maal. Em nossa última correspondência, um mês atrás, a senhora estava se preparando para seu último semestre. Na época não estava otimista em relação às suas possibilidades de emprego. Tenho certeza de que, com a conclusão do curso tão próxima, deve estar ocupada com várias entrevistas. Poderia por favor me manter atualizada

em relação aos seus esforços para arrumar um emprego? Aguardo notícias suas.

Atenciosamente, Tildy Carver, Consultora de Empréstimos Sênior

Última parcela, 13 de janeiro de 2014, US$32.500; total principal e juros: US$191.000.

Na segurança de seu esconderijo, ela encarou aquele número "total" e balançou a cabeça. Ainda era difícil acreditar que tivesse entrado por vontade própria num sistema que permitia a alguém como ela pegar tanto dinheiro assim emprestado, quando a ideia de pagar o que devia era uma impossibilidade absurda. Agora não deveria estar preocupada com o reembolso, claro, mas achava aquele plano complicado também. Era errado simplesmente fugir e pôr a culpa no sistema.

Seus pais não faziam ideia de quanto ela devia. Sabiam que ela estava pegando quantias legítimas disponibilizadas pelo governo e tinham inocentemente acreditado que qualquer programa oferecido pelo Congresso devia ser atencioso e bom. Agora eles jamais saberiam – o que era um pequeno consolo.

Ela digitou:

Prezada Sra. Carver. Foi um prazer receber sua mensagem. Tive uma entrevista semana passada no Departamento de Justiça e estou aguardando uma resposta. Estou pensando seriamente em trabalhar no setor público ou para uma organização sem fins lucrativos, de modo a aliviar o peso dos pagamentos. Manterei a senhora informada.

Atenciosamente, Zola Maal

Ouviu passos lá em cima e concluiu que seus sócios estavam andando pelo apartamento. Desligou o laptop e se esticou debaixo das cobertas. Estava grata por aquele esconderijozinho aconchegante, grata porque não haveria nenhuma batida repentina na porta. O primeiro apartamento do qual tinha lembrança não era muito maior do que aquele seu novo espaço. Ela e os dois irmãos mais velhos dividiam um quarto minúsculo. Os meninos dormiam num beliche, e ela numa cama desmontável. Seus pais ficavam ali perto, em outro quarto apertado. Ela não se dava conta de que eles eram pobres e assustados e de que não deveriam estar ali. Apesar disso, porém, sua casa era um lugar feliz, com muitas risadas e diversão. Seus pais faziam bicos e trabalhavam em qualquer horário, mas um dos dois geralmente estava em casa. Caso contrário, havia sempre algum vizinho no corredor para dar uma olhada nas crianças. Sua porta da frente em geral vivia aberta, e o pessoal "de casa" vivia entrando e saindo. Havia sempre alguém cozinhando, e o cheiro pairava forte nos corredores. A comida era compartilhada, assim como as roupas e até o dinheiro.

E como eles trabalhavam! Os senegaleses adultos labutavam por longas horas sem reclamar. Só quando fez 12 anos Zola percebeu a nuvem negra que pairava acima do seu mundo. Um homem que eles conheciam foi detido, ficou preso e acabou deportado. Isso deixou os outros apavorados, e seus pais se mudaram outra vez.

Ela pensava nos pais e no irmão o dia inteiro, e geralmente pegava no sono enquanto lutava contra o choro. Seu futuro era incerto, mas não era nada se comparado ao deles.

20

O rei dos outdoors de Washington era um vistoso advogado de contencioso cível chamado Rusty Savage. Seu jingle era "Confie no Rusty", e era impossível passar de carro pelo Beltway sem dar de cara com seu rosto sorridente exortando aqueles que tinham sofrido algum acidente a confiarem nele. Seus anúncios bem-feitos para a TV mostravam clientes que haviam sofrido todo tipo de trauma físico, mas que estavam passando muito bem, porque sabiamente haviam pegado o telefone e discado 0800-Confie-em-Mim.

Os três sócios do UPL haviam pesquisado escritórios de contencioso cível na cidade e selecionado Rusty. A parte operacional contava com oito advogados, vários dos quais eram obviamente capazes de entrar num tribunal e de fato levar um caso a julgamento. Zola ligou para lá e explicou para a atendente que seu marido havia ficado seriamente ferido num acidente envolvendo uma carreta e que precisava marcar um horário para falar com Rusty. A mulher explicou que ele estava ocupado com um "julgamento importante na vara federal", mas que um de seus associados ficaria feliz em recebê-la.

Se você não souber nada sobre contencioso cível, encontre alguém que saiba. Usando um nome escolhido na lista telefônica, Zola marcou a hora.

O escritório ficava num prédio de vidro perto da Union Station. Ela e Todd entraram no lobby, que tinha o mesmo visual e clima de uma sala de espera de consultório médico. Filas de cadeiras ladeadas por revisteiros margeavam as paredes. Uns dez clientes, alguns de muletas e bengalas, aguardavam sentados em níveis variados de desconforto. O bombardeio publicitário incessante de Rusty parecia estar rendendo bons frutos. Zola se apresentou à recepcionista e recebeu um questionário numa prancheta. Preencheu os campos com informações fajutas, mas deu um número de telefone verdadeiro, o de seu antigo celular. Quinze minutos depois, um assistente jurídico veio buscá-los e os conduziu até um grande espaço aberto nos fundos, lotado de baias e estações de trabalho. Vários funcionários subalternos trabalhavam freneticamente nos telefones e computadores, redigindo documentos. Os advogados tinham salas fechadas nas laterais com vista para a cidade. O assistente bateu na porta de uma delas, e eles adentraram os domínios de Brady Hull.

Pelo site, sabiam que o Dr. Hull tinha cerca de 40 anos e havia se formado em Direito pela American University. Naturalmente, tinha "paixão por lutar pelos direitos de seus clientes" e alegava ter um histórico impressionante de "indenizações importantes". O assistente se retirou e as apresentações foram feitas. Eles se sentaram em cadeiras de couro em frente ao Dr. Hull, cuja mesa era só ligeiramente mais arrumada do que um aterro sanitário.

Tom (Todd) explicou que o marido de Claudia Tolliver (Zola) era seu melhor amigo e que ele estava ali para dar apoio moral. O marido, Donnie, tinha pedido a Tom para acompanhar sua mulher na reunião e tomar notas enquanto ele, Donnie, estava preso em casa por causa dos ferimentos.

O Dr. Hull no início se mostrou cético e disse:

– Bem, em geral não faço isso. Talvez tenhamos de conversar sobre assuntos privados e confidenciais.

– Por favor, não tem problema – disse Claudia. – Tom é um amigo de confiança.

– Muito bem – disse o Dr. Hull. Ele tinha a aparência exausta de um homem com compromissos demais, telefonemas demais para dar, dossiês demais para avaliar e horas de menos no dia. – Quer dizer que o seu marido se machucou? – falou, olhando para uma folha de papel. – Me conte o que aconteceu.

– Bom, foi três meses atrás – começou Claudia. Ela hesitou, olhou para Tom e conseguiu parecer abalada e nervosa. – Ele estava voltando do trabalho pela Connecticut Avenue, lá perto do Cleveland Park, quando foi atingido por uma carreta. Donnie estava no sentido norte e o caminhão no sentido sul. Por algum motivo o caminhão desviou para a esquerda, atravessou a divisória entre as pistas e bateu nele. Bem de frente, do nada.

– Então não há dúvida quanto à responsabilidade? – perguntou Hull.

– Segundo a polícia, não. O motorista do caminhão não falou nada, então até agora não se sabe por que ele invadiu a outra pista.

– Preciso ver o boletim de ocorrência.

– Está comigo, em casa.

– A senhora não trouxe? – perguntou Hull modo grosseiro.

– Desculpe. É a primeira vez que eu faço isso. Não sabia ao certo o que trazer.

– Bom, mande uma cópia assim que puder. E os registros médicos dele? A senhora trouxe?

– Não, doutor. Não sabia que precisava.

Hull revirou os olhos de frustração ao mesmo tempo que seu telefone apitava. Ele olhou de relance para o aparelho e por um segundo pareceu prestes a atender a ligação.

– Qual a gravidade dos ferimentos?

– Bom, ele quase morreu. Teve uma concussão grave, passou uma semana em coma. Quebrou a mandíbula, a clavícula, seis costelas, uma delas perfurou o pulmão. Quebrou uma das pernas. Foi operado duas vezes e provavelmente vai precisar de pelo menos mais uma cirurgia.

Hull pareceu impressionado.

– Nossa, ele se machucou mesmo. Em quanto estão as despesas médicas até agora?

Ela deu de ombros e olhou para Tom, que fez o mesmo, como se não tivesse a menor ideia.

– Quase 200 mil, talvez – disse ela. – Ele agora está fazendo fisioterapia, mas não consegue andar muito bem. O negócio é o seguinte, Dr. Hull, eu não sei o que fazer. Logo depois do acidente, os advogados ficavam ligando noite e dia. Acabei parando de atender. Tive que lidar com a seguradora, e não tenho certeza de que posso confiar neles.

– Nunca confie numa seguradora num caso como esse – aconselhou o advogado em tom severo, como se ela já tivesse cometido um erro. – Nem fale com eles. – Hull agora não estava mais tão distraído e conseguia se concentrar. – Que tipo de trabalho Donnie faz?

– Ele opera uma empilhadeira num armazém. É um emprego muito bom. Ele deve ganhar uns 45 mil por ano. Desde o acidente ele não trabalha, e meu dinheiro está acabando.

– Nós podemos conseguir empréstimos de transição – disse Hull, convencido. – Fazemos isso o tempo todo. Não queremos nossos clientes contando centavos enquanto negociamos uma indenização. Se a responsabilidade for tão clara quanto a senhora está dizendo, vamos conseguir essa indenização sem ir a julgamento.

– Quanto o senhor cobra? – perguntou ela. Tom ainda não tinha dito nada.

– Não cobro nada – respondeu Hull com orgulho. – Nem taxas, nem honorários. – Tom teve vontade de dizer: "Nossa, eu já vi isso nuns cinquenta outdoors." Mas não falou nada, claro. – Nós recebemos quando vocês receberem. Nossos honorários são baseados em contingência, em geral 25 por cento da indenização. Se formos a julgamento, é claro que há muito mais trabalho da nossa parte, de modo que aumentamos para um terço do valor.

Claudia e Tom aquiesceram. Finalmente algo que eles haviam aprendido na faculdade de Direito.

– Bem, Dr. Hull, o negócio é o seguinte – disse ela. – A seguradora está dizendo que vai arcar com todas as despesas médicas, os salários perdidos e as despesas com fisioterapia, e além disso vai pagar 100 mil dólares de indenização.

– Cem mil pratas! – exclamou Hull, sem acreditar. – Parece mesmo coisa de seguradora. Eles estão tentando jogar o valor para baixo porque vocês não têm advogado. Escute, Claudia, na minha mão esse caso vale um milhão de dólares. Mande a seguradora ir se ferrar e... não, espere, não diga nada. Não diga mais nada ao negociador. Qual é a seguradora, aliás?

– Clinch.

– Ah, claro. Parece mesmo coisa da Clinch. Eu vivo processando esses palhaços, conheço eles bem.

Claudia e Tom relaxaram um pouco. Sua pesquisa os havia levado até a Clinch, uma das líderes em seguros da região. O site da empresa alegava uma longa tradição na proteção das empresas de frete e transporte.

– Um milhão de dólares – repetiu Tom.

Hull suspirou, sorriu, e conseguiu até dar uma risadinha. Uniu as mãos atrás da cabeça como se o velho mestre precisasse ensinar seus alunos.

– Eu não garanto nada, tá? Não posso avaliar direito nenhum caso até ter todas as informações. Boletim de ocorrência, registros médicos, salários perdidos, a grande questão das sequelas permanentes, que, para ser honesto e brutal, geram muito mais dinheiro. Vamos torcer para Donnie se recuperar plenamente, voltar ao trabalho, e em breve estar andando como se nada tivesse acontecido. Se isso acontecer, com base num histórico médico próximo ao que a senhora mencionou, eu pediria algo na faixa de 1,5 para a Clinch e passaria uns meses negociando.

Tom ficou de queixo caído, sem acreditar.

Abalada pela informação, Claudia falou:

– Nossa. Como o senhor chegou nesse número?

– Na verdade é uma forma de arte. Mas não é tão complicado assim. Peguem o total das despesas médicas e usem um multiplicador de cinco ou seis, digamos. A Clinch vai contrapropor três, quem sabe três e meio. A Clinch também conhece a minha reputação e, acreditem, esse pessoal não quer me encontrar num tribunal. Esse vai ser um fator muito importante nessa nossa negociação.

– Quer dizer que o senhor já ganhou deles antes? – perguntou Tom.

– Ah, muitas vezes. Este pequeno escritório de advocacia aterroriza até as grandes seguradoras.

Pelo menos é isso que os seus anúncios de TV alegam, pensou Tom consigo mesmo.

– Eu não fazia ideia – disse Claudia, como se estivesse chocada.

O telefone de mesa tocou, e o advogado resistiu ao impulso de atender. Inclinou-se para a frente, pôs os cotovelos na mesa e disse:

– Funciona assim: meus assistentes vão cuidar da papelada. A senhora e Donnie assinam um contrato de serviços advocatícios, tudo preto no branco, sem surpresas. Com o contrato assinado, eu entro em contato com a seguradora e estrago o dia deles por lá. Começamos a montar os registros médicos, e as coisas correm daí. Se a responsabilidade estiver clara, a coisa se resolve em seis meses. Mais alguma pergunta?

Ele obviamente estava pronto para passar ao caso seguinte. Claudia e Tom se entreolharam com expressões de incompreensão e balançaram a cabeça.

– Acho que não – disse ela. – Obrigada, Dr. Hull.

O advogado se levantou, estendeu a mão e disse:

– Bem-vindos a bordo. Vocês acabam de tomar uma ótima decisão.

– Obrigada – agradeceu ela, apertando a mão dele.

Tom também apertou a mão de Hull, e eles saíram depressa da sala. O assistente lhes entregou uma pasta com as palavras "Pacote Cliente Novo: Confie no Rusty" escritas na capa, e conduziu-os até a porta.

Quando a porta do elevador se fechou, os dois começaram a rir.

– Que aulinha boa! – comentou Zola.

– Direito de Responsabilidade Civil I – respondeu Todd. – Um curso expresso desses levaria quatro meses na Foggy Bottom.

– É, e o professor seria um palhaço que nunca colocou anúncio num outdoor.

– Agora a gente só precisa de um ou dois clientes.

Na saída, enquanto Todd dirigia, Zola verificou o celular e deu uma risadinha.

– Estamos ficando ricos. Mark acabou de conseguir outro caso de embriaguez ao volante por seiscentos dólares. 4ª Vara.

ESCOLHER O HOSPITAL certo se revelou difícil. Eram muitos na cidade. O Geral Potomac era um hospital público movimentado, gigantesco e caótico, o local de preferência para vítimas de agressão nas ruas. Na outra ponta do espectro, o George Washington era o local para onde o presidente Reagan fora levado após ser baleado. Entre um e outro havia pelo menos mais oito hospitais.

Eles precisavam começar por algum lugar, e decidiram que seria pelo Geral. Todd deixou Zola na entrada principal e foi procurar uma vaga de estacionamento. Como agora era advogada, a Dra. Parker estava usando um blazer de marca falsificado e uma saia acima dos joelhos, mas sem ser curta demais. Os sapatos de salto de couro marrom eram bem estilosos, e com a pasta de couro da Gucci comprada em liquidação ela com certeza ganhava um ar de profissional. Foi seguindo as placas e chegou à cafeteria do térreo. Comprou um café, sentou-se diante de uma mesa de metal e ficou esperando Todd. Não muito longe dali, um adolescente em cadeira de rodas tomava sorvete com uma mulher, provavelmente a mãe. Tinha uma das pernas engessada, com pinos de metal espetados. A julgar pela aparência da mãe, a família não era rica.

Os sócios da UPL haviam decidido que a riqueza era algo a ser evitado. Pessoas com dinheiro tinham uma probabilidade maior de conhecer um advogado de verdade. Já os pobres, não, ou pelo menos era esse o seu raciocínio. Junto a uma parede dos fundos, um homem na casa dos 50 tinha os dois tornozelos engessados e parecia estar com dor. Sozinho, tentava comer um sanduíche.

Ao entrar na cafeteria, Todd parou e olhou em volta. Cruzou olhares com Zola e foi comprar um café. Acabou indo se sentar à sua mesa, onde ela estava ocupada revisando o pacote para clientes novos da UPL, copiado do de Rusty.

– Alguma vítima? – perguntou ele em voz baixa, pegando uma folha de papel.

Zola, que estava fazendo algumas anotações inúteis, respondeu:

– Aquele menino ali, da perna quebrada. E o cara no canto dos fundos, com os dois tornozelos bichados.

Todd olhou em volta devagar enquanto bebericava o café.

– Não tenho certeza se eu consigo fazer isso – disse ela. – Parece muito errado a gente se aproveitar de gente que nem desconfia.

– Ah, Zola, por favor. Ninguém está vendo. Essas pessoas talvez precisem dos nossos serviços. Além disso, se a gente não as conquistar como clientes, o Confie no Rusty vai. E, se elas nos mandarem pastar, a gente não perde nada.

– Vai você primeiro.

– Tá, eu fico com o menino branco. Você pega o cara negro.

Todd se levantou e sacou o celular. Afastou-se, profundamente entretido numa conversa com ninguém, e começou a andar para lá e para cá pela cafeteria. Foi até o final e voltou. Na hora em que estava passando pelo menino da perna quebrada, disse ao telefone:

– Olhe aqui, o julgamento é semana que vem. A gente não vai aceitar 50 mil porque a seguradora está tentando sacanear você. Entendeu? Vou dizer ao juiz que estamos prontos para o julgamento. – Enfiou o telefone no bolso, virou-se e abriu um grande sorriso para o menino. – Puxa, essa perna está com uma cara bem ruim. O que houve?

– Quebrou em quatro lugares – respondeu a mãe, orgulhosa. – Ele operou ontem.

O menino sorriu e pareceu gostar da atenção. Todd olhou para o gesso, continuou a sorrir e disse:

– Nossa, você caprichou. Como conseguiu isso?

– Estava de skate e passei em cima de um pedaço de gelo – respondeu o menino com orgulho.

Skate = risco voluntário, ferimento autoinfligido. Gelo = elemento natural. Vendo a ação judicial ficar mais distante, Todd indagou:

– Estava sozinho?

– Estava.

Negligência pessoal = ninguém mais para culpar.

– Bem, boa sorte – disse Todd.

Puxou o telefone do bolso, fingiu atender uma ligação e se afastou. Ao passar roçando em Zola, falou:

– Primeira derrota. Sua vez.

Ainda ao telefone, ele saiu da cafeteria. Tinha razão: ninguém estava olhando, ninguém se importava.

Bem devagar, ela se levantou e ajeitou os óculos de grau fajutos. Com uma folha de papel numa das mãos e um celular na outra, deu a volta pela cafeteria. Alta, magra, bem-vestida, bonita. O homem com os tornozelos machucados não pôde deixar de notá-la quando ela se aproximou, ao telefone. Ela lhe sorriu ao passar, e ele retribuiu o sorriso. Ela então voltou e perguntou, simpática:

– Sr. Cranston, por acaso?

Ele sorriu e respondeu:

– Não. Meu nome é McFall.

Ela estava em pé ao seu lado, olhando para seus tornozelos.

– Sou advogada e fiquei de encontrar o Sr. Cranston aqui às duas – disse ela.

– Desculpe. Não sou eu.

Pelo visto McFall não era muito falante.

– Deve ter sido um belo acidente de carro – comentou ela.

– Não foi acidente. Eu pisei no gelo e caí no quintal de casa. Quebrei os dois tornozelos.

Que desastrado, pensou ela enquanto mais um processo evaporava.

– Bem, aguente firme aí.

– Obrigado.

Ela voltou para sua mesa e seu café e enterrou o rosto na papelada. Dali a alguns minutos, Todd voltou e sussurrou:

– Fechou com ele?

– Não. Ele escorregou no gelo.

– Gelo, gelo, gelo. Cadê o aquecimento global quando a gente precisa dele?

– Escute, Todd, eu não sirvo para isso. Estou me sentindo um abutre.

– É exatamente isso que nós somos.

21

Wilson Featherstone era outro aluno do terceiro ano da Foggy Bottom e no começo do curso fazia parte da galera. No segundo ano, ele e Todd tinham se desentendido por causa de uma garota, então passaram a sair cada vez menos com ele. Mas Wilson continuava sendo um bom amigo, pelo menos de Mark, e seus telefonemas vinham sendo insistentes. Ele não desistia. Mark finalmente concordou em encontrá-lo para beber alguma coisa. Para evitar seu antigo bairro, optou por um bar perto de Capitol Hill – numa noite de quinta-feira já tarde, enquanto Todd estava servindo bebidas no Rooster Bar e Zola, com relutância, tentava arrumar clientes no hospital George Washington. Mark chegou atrasado e viu Wilson no balcão com a cerveja já pela metade.

– Você está atrasado – observou Wilson com um sorriso e um aperto de mão caloroso.

– Bom ver você, cara – disse Mark, sentando-se na banqueta ao lado.

– Que barba é essa?

– Perdi o barbeador. Como você está?

– Tudo bem. A questão é: como *você* está?

– Eu estou bem.

– Não está, não. Você faltou às três primeiras semanas de aula, as pessoas estão comentando. Todd também. O que está acontecendo?

O barman passou pelo balcão, e Mark pediu um chope. Deu de ombros e disse:

– Estou só dando um tempo. Ando com uns problemas de motivação razoavelmente graves. Gordy meio que acabou comigo, sabe?

– Você se mudou do seu apartamento. Todd também. Ninguém tem visto a Zola. Vocês estão tendo um colapso nervoso, por acaso?

– Eu não sei o que eles estão fazendo. Estávamos com o Gordy no final e não está sendo fácil para a gente.

Wilson deu um gole na bebida ao mesmo tempo que o barman pousava uma caneca na frente de Mark.

– O que houve com o Gordy?

Mark estudou seu chope e pensou numa resposta. Após alguns segundos, falou:

– Ele era bipolar, estava sem tomar a medicação e ficou bem surtado. Foi pego dirigindo bêbado; a gente pagou a fiança, levou ele para casa e ficou lá com ele. Ficamos sem saber o que fazer. Queríamos ligar para a família ou talvez para a noiva dele, mas isso deixou ele ainda mais surtado. Ele me ameaçou quando falei em ligar para os pais dele. Não sei como, conseguiu fugir à noite e foi de carro até a ponte. A gente saiu em pânico atrás dele, mas era tarde demais.

Wilson assimilou o relato e tomou outro gole.

– Nossa, que barra. Ouvi dizer que vocês estavam com ele no fim, mas não sabia que tinha sido tão ruim assim.

– A gente ficou de olho nele. Ele estava trancado no quarto. Zola estava dormindo no sofá, Todd estava no apartamento em frente. Eu estava com a chave do carro dele no bolso. Tentamos levar ele ao médico. Não sei o que mais poderíamos ter feito. Então é, Wilson, dá para dizer que a gente não tem andado muito bem ultimamente.

– Putz, cara. Não vi vocês no funeral.

– A gente estava lá, escondido no balcão. Todd e eu tivemos um encontro desagradável com a família dele antes do funeral. É preciso pôr a culpa em alguém, né? Então a gente quis evitar a família.

– Não foi culpa de vocês.

– Bom, eles com certeza acham que foi, e vou dizer uma coisa: no momento a gente está se sentindo bem culpado. Deveríamos ter ligado para a Brenda ou para os pais dele.

Enquanto refletia, Wilson pediu outra cerveja.

– Não acho. Vocês não podem levar a culpa pelo suicídio dele.

– Obrigado, mas eu não estou conseguindo pensar de outro jeito.

– Então você vai fazer o quê? Largar a faculdade no último semestre? Isso é burrice, Mark. Pô, você está com um emprego garantido para o outono, não está?

– Não. Fui demitido antes mesmo de começar. O escritório fez uma fusão com outro, as coisas se reorganizaram, eu fui limado. Acontece o tempo todo nessa nossa maravilhosa profissão.

– Eu sinto muito. Não sabia.

– Tudo bem. O escritório não ia dar em nada, mesmo. E você? Alguma sorte no quesito emprego?

– Mais ou menos. Arrumei uma vaga numa instituição sem fins lucrativos, então vou entrar na categoria do serviço público e me livrar da maior parte da dívida.

– Vai aguentar dez anos?

– Isso é o que eles pensam. Meu plano é aguentar uns três ou quatro, segurar os cobradores, e paralelamente procurar um emprego de verdade. Mais cedo ou mais tarde o mercado vai melhorar.

– Você acredita mesmo nisso?

– Não sei no que acreditar, mas preciso ir para algum lugar.

– Depois de passar na prova da ordem, claro.

– Vou lhe dizer o que eu acho dessa prova, Mark. No ano passado, metade dos alunos da Foggy Bottom passou, metade levou bomba. Eu estou na metade superior, e se me matar de estudar consigo passar. Quando olho em volta na faculdade, vejo um monte de imbecis, mas eu não sou um deles. Nem você, Mark. Você é inteligente à beça e não tem medo de trabalhar.

– Como eu disse, estou com problemas de motivação.

– Então qual é o seu plano?

– Eu não tenho um plano. Estou à deriva. Acho que vou acabar voltando para a faculdade, embora a ideia de pisar lá me dê náuseas. Quem sabe eu tranco um semestre e retomo depois. Sei lá.

– Você não pode fazer isso, Mark. Se largar, os cobradores vão colocar você na lista dos inadimplentes.

– Acho que eu já estou inadimplente. Tenho uma dívida de 250 mil dólares e nenhuma possibilidade de arrumar um emprego. Para mim isso com certeza parece inadimplência. E sabe do que mais? Eles podem me processar, mas não podem me matar. No ano passado, um milhão de universitários ficaram inadimplentes, e até onde eu sei eles continuam por aí, vivinhos da silva.

– Eu sei, eu sei. Eu leio os blogs.

Ambos tomaram goles de suas bebidas e se entreolharam no espelho acima da fileira dos destilados.

– Onde você está morando agora? – quis saber Wilson.

– Você está me perseguindo?

– Não, mas dei uma passada no seu apartamento. Um vizinho disse que você tinha se mudado. Todd também se mudou. Você tem visto ele? Ele não está mais trabalhando no bar.

– Ultimamente, não. Acho que ele está em Baltimore.

– Ele largou?

– Sei lá, Wilson. Ele comentou sobre dar um tempo. Acho que ele está mais abalado do que eu. Ele e o Gordy eram bem próximos.

– Ele não atende o celular.

– Bom, você e ele não eram exatamente melhores amigos.

– A gente superou aquilo. Pô, Mark, estou preocupado, tá? Vocês são meus amigos e simplesmente desapareceram.

– Valeu, Wilson, isso significa muito para mim. Mas eu vou ficar bem, algum dia. Não tenho certeza em relação ao Todd.

– E a Zola?

– O que tem ela?

– Bom, ela também sumiu. Ninguém a vê faz tempo. Ela se mudou.

– Eu tenho falado com a Zola, e ela está péssima. Foi a última a ver o Gordy vivo e está lidando muito mal com isso. Para completar, os pais dela estão prestes a ser deportados de volta para o Senegal. Ela não está nada bem.

– Coitada. Gordy foi burro de se envolver com ela.

– Pode ser, sei lá. No momento nada faz sentido.

Eles passaram um tempão bebendo sem dizer nada. No espelho, Mark viu um rosto conhecido numa mesa do outro lado do salão. Um rosto bonito que ele já tinha visto numa sessão. Hadley Caviness, a procuradora assistente que estava cuidando do caso de excesso de velocidade de Benson Taper. Seus olhares se cruzaram por um breve instante e ela desviou.

Wilson olhou para o relógio no pulso e falou:

– Olhe, isso tudo é deprimente para caramba, mas já deu minha hora. Mantenha contato, Mark, por favor, e me avise se eu puder ajudar. Tá?

Ele acabou a cerveja e pôs uma nota de dez dólares no balcão.

– Pode deixar, Wilson. Valeu.

Wilson se levantou, deu-lhe um tapinha no ombro e saiu. Mark olhou no espelho e viu que Hadley estava sentada com três outras moças, todas bebendo e conversando. Seus olhares tornaram a se cruzar, e ela o encarou por alguns segundos.

MEIA HORA MAIS tarde, um grupo de moças pagava a conta. Quando estavam de saída, Hadley deu meia-volta e foi até o balcão.

– Está esperando alguém? – perguntou ela.

– Estou. Você. Sente-se.

Ela estendeu a mão e disse:

– Hadley Caviness, 10ª Vara.

Ele apertou a mão dela e disse:

– Eu sei. Mark Upshaw. Posso lhe pagar uma bebida?

Ela se sentou na banqueta.

– Claro.

Mark acenou para chamar o barman.

– O que vai ser?

– Um Chardonnay.

– E para mim outro chope.

O barman se afastou e eles se viraram um para o outro.

– Não tenho visto você por lá – disse ela.

– Bom, eu estou lá todos os dias, enfrentando o sistema.

– Você é novo na cidade.

– Tem uns dois anos que estou aqui. Trabalhava num escritório e cansei da ralação. Agora estou por conta própria, me divertindo um pouco. E você?

– É meu primeiro ano na promotoria, então sobrou para mim a vara de trânsito. Um saco. Não estou curtindo muito, mas paga as contas. Onde você estudou?

– Delaware. Vim para a cidade grande para mudar o mundo. E você?

Ele estava torcendo para ela não dizer que havia estudando na Foggy Bottom.

– Kentucky, graduação e depois Direito. Vim para cá por causa de um emprego em Capitol Hill, mas não deu certo. Tive sorte e arrumei uma vaga na promotoria. Espero que seja só temporário.

As bebidas chegaram. Eles brindaram e beberam.

– E depois, quais são seus planos? – indagou Mark.

– Nesta cidade, quem pode saber? Estou de olho no mercado à procura de oportunidades, eu e milhares de outros. A situação não anda lá muito boa.

Sério?, pensou Mark. *Você deveria ir dar uma volta na Foggy Bottom.*

– Ouvi dizer.

– E você? Não me diga que planeja fazer carreira defendendo motoristas bêbados.

Mark riu, como se aquilo tivesse alguma graça.

– Na verdade, não. Eu tenho um sócio, e a gente quer entrar no mercado de responsabilidade civil.

– Você ficaria bonito num outdoor.

– Esse é o meu sonho. Isso e anúncios na TV.

Ela já tinha tomado vários drinques e estava sentada bem perto, quase encostando nele. Estava de pernas cruzadas, e sua saia havia subido bastante. Belas pernas. Ela tomou um gole de vinho, pousou o copo no balcão e perguntou:

– Tem planos para hoje mais tarde?

– Absolutamente nenhum. E você?

– Estou livre. Moro com uma amiga que trabalha para o censo nacional e vive viajando. Detesto ficar sozinha, detesto mesmo.

– Você é bem rápida.

– Por que perder tempo? Eu sou igual a você, e neste momento a gente está pensando a mesma coisa.

Mark pagou a conta e chamou um carro. No caminho de volta, ela pegou sua mão esquerda e a pousou sobre uma das coxas nuas. Ele deu uma risadinha e sussurrou:

– Eu adoro esta cidade. Cheia de mulher agressiva.

– Se você está dizendo.

O carro parou em frente a um prédio residencial na Rua 15. Mark pagou o motorista e entrou de mãos dadas com Hadley, como se já se conhecessem há meses. Beijaram-se no elevador, beijaram-se de novo na pequena sala bem-arrumada e concordaram que nenhum dos dois queria ver televisão. Enquanto ela tirava a roupa no banheiro, Mark conseguiu disparar uma mensagem de texto rápida para Todd: *Me dei bem. Não vou dormir em casa. Sonhe com os anjos.*

Todd respondeu: *Quem é a garota?*

Mark: *Você provavelmente vai conhecer muito em breve.*

ELE ENCONTROU TODD às 9h30 em frente à 6ª Vara. O corredor fervilhava com a coleção heterogênea habitual de acusados, além de vários advogados andando por lá. Todd abordava uma jovem que parecia estar em prantos. Quando ela finalmente balançou a cabeça para dizer que não, ele recuou e reparou no sócio que o observara de longe. Foi até ele e falou:

– Terceira tentativa. Hoje está devagar. Sua cara está horrível. Não dormiu?

– Foi incrível. Depois eu conto. Cadê a Zola?

– Não falei com ela hoje de manhã. Tem acordado tarde, muitas noites nos hospitais.

– Acha que ela está realmente abordando as pessoas ou só lendo um livro? Quer dizer, ela ainda não fisgou nenhum cliente.

– Não sei. Vamos deixar para falar disso depois. Vou lá para a 8ª Vara.

Todd se afastou com a pasta na mão e, após dar alguns passos, sacou o celular como se tivesse algo urgente para resolver. Mark seguiu em direção à 10ª Vara e entrou. O Juiz Handleford presidia a sessão e conversava com um réu. Como sempre, advogados e oficiais de justiça se aglomeravam ao redor de seu banco, mexendo em papéis. Hadley estava lá, conversando com outro promotor. Ao ver Mark, sorriu e se aproximou. Eles se sentaram à mesa dos advogados de defesa como se tivessem algum assunto importante para tratar.

Poucas horas antes, os dois haviam sucumbido à exaustão e dormido maravilhosamente enroscados e nus. Ela agora estava revigorada, olhar repousado, muito profissional. Já Mark parecia cansado.

Em voz baixa, ela disse:

– Eu sei o que você está pensando, mas a resposta é não. Hoje à noite eu tenho compromisso.

– Nem tinha me passado pela cabeça – disse ele com um sorriso. – Mas você tem meu telefone.

– Eu tenho vários telefones.

– Tá. Será que a gente poderia falar sobre o meu cliente Benson Taper?

– Claro. Não me lembro dele. Deixe-me pegar a pasta. – Ela se levantou e foi até a mesa de um oficial, onde folheou uma grande gaveta de pastas. Encontrou a de Benson e voltou para a mesa da defesa. Passou os olhos pelas informações e tornou a falar: – O cara estava voando, né? Quase 140 quilômetros por hora numa área de 65. Isso é direção perigosa e poderia incorrer em pena de reclusão.

– Eu sei. O negócio é o seguinte: Benson é um jovem negro com um bom emprego. Ele é entregador e, se for acusado de direção perigosa, vai perder o emprego. Vocês não podem diminuir a acusação?

– Por você, qualquer coisa. Que tal um simples excesso de velocidade? Vocês pagam uma pequena multa e dão uma advertência ao garoto.

– Simples assim? – perguntou Mark com um sorriso.

Ela se inclinou mais para perto e disse:

– Claro. Quem satisfaz a promotoria consegue bons acordos, pelo menos comigo.

– Seu chefe precisa aprovar isso?

– Mark, isto aqui é uma vara de trânsito, tá? A gente não está falando de uma acusação de homicídio. Vou pôr isto aqui na frente do velho Handleford ali, e ele não vai dizer nada.

– Eu te amo, gata.

– É o que todos dizem.

Ela se levantou com a pasta e estendeu a mão para selar o acordo. Os dois se cumprimentaram de modo profissional.

22

Benson almoçava um sanduíche num café da Georgia Avenue, no bairro de Brightwood. Estava com o uniforme de trabalho impecável. Ficou feliz em ver Mark e perguntou sobre as boas notícias. Mark apanhou na pasta um despacho do juiz e disse:

– Fizemos progressos. Trouxe o resto dos honorários?

Benson pôs a mão num dos bolsos e sacou algumas notas.

– Setecentos – falou, ao entregar o dinheiro.

Mark pegou as notas e disse:

– Foi tudo reduzido a um simples excesso de velocidade. Sem condução arriscada, sem pena de prisão. Multa de 150 dólares pagável em até quinze dias.

– Está de brincadeira?

Mark sorriu e olhou para a garçonete que havia aparecido de repente.

– Um café e um sanduíche de bacon, alface e tomate – falou.

Ela se afastou sem dizer nada.

– Como você conseguiu isso? – perguntou Benson.

Fui para a cama com a promotora, quis dizer Mark com orgulho, mas deixou passar.

– Negociei com o tribunal, falei para o juiz como você era um cara legal, com um bom emprego e tal, e ele aliviou. Mas você não pode ser multado outra vez, Benson. Entendeu?

– Uau. Mark, você é o cara. Que incrível.

– Peguei o juiz num dia bom, Benson. Da próxima vez não vamos ter tanta sorte.

– Não vai haver próxima vez, prometo. Não estou acreditando nisso. Eu tinha certeza de que seria demitido e perderia tudo.

Mark deslizou uma folha de papel na direção dele e lhe passou uma caneta.

– Aqui está o despacho. Assine aqui no final e não vai precisar voltar ao tribunal.

Com um grande sorriso, Benson assinou seu nome.

– Mal posso esperar para contar para a minha mãe. Ela está me enchendo desde que fui pego. Ela gostou de você, sabia, Mark? Falou: "Aquele rapaz sabe o que está fazendo. Ele vai ser um excelente advogado."

– Bom, está na cara que ela é muito inteligente.

Mark pegou o despacho e guardou na pasta. Benson deu uma mordida em seu sanduíche e ajudou-a a descer com um gole de chá gelado. Limpou a boca com um guardanapo e perguntou:

– Escute, Mark, você aceita outros tipos de caso? Casos grandes?

– Claro. Meu escritório lida com uma ampla gama de causas. Em que você está pensando?

Benson olhou em volta, como se alguém se importasse.

– Bom, eu tenho um primo, ele é da Virgínia, da região de Tidewater, e se meteu numa encrenca. Está com tempo para ouvir?

– Estou esperando meu almoço – respondeu Mark. – Manda ver.

– Bom, meu primo e a mulher dele tiveram um bebê um tempo atrás, sabe, e as coisas ficaram confusas no hospital. O parto foi difícil, deu tudo errado, e o bebê morreu dois dias depois. A gravidez tinha ido bem, sabe? Nenhum sinal de problema. Aí, de repente, o bebê morre. Era o primeiro filho deles, um menininho, e isso depois de eles passarem um tempão tentando engravidar. A mãe caiu em depressão profunda, teve uma crise nervosa e os dois começaram a brigar. Estavam arrasados e não souberam lidar com a situação. Acabaram se separando, depois se divorciaram. Um divórcio ruim. Até hoje os dois continuam na pior. Meu primo está bebendo demais, e ela ficou louca de pedra. Uma verdadeira tragédia, sabe? Eles tentaram descobrir o que houve durante o parto, mas o hospital não informa muita coisa. Na verdade, o hospital enrola todas as vezes. Eles contrataram um advogado para descobrir, mas o cara não ajudou muito. Disse que bebês mortos não valem muito dinheiro. Falou que é difícil processar médicos e hospitais porque eles têm todos os registros e além do mais contratam os melhores advogados para manter você preso para sempre nos tribunais. A ex-mulher do meu primo diz que não quer ir a julgamento. Ele ainda quer saber o que aconteceu e quem sabe abrir um processo ou algo assim, mas ele também está bem na pior. É verdade que bebês mortos não valem grande coisa, Mark?

Mark não fazia a menor ideia, mas até ali a história havia fisgado seu interesse. Conseguiu dar uma resposta evasiva digna de um verdadeiro advogado:

– Depende dos detalhes do caso. Eu precisaria ver o prontuário.

– Estão com ele, uma pilha enorme de papéis que o hospital entregou para o advogado dele, ou ex-advogado, melhor dizendo. Ele dispensou o cara e agora diz que quer falar com outro advogado. Você acha que poderia dar uma olhada?

– Claro.

O sanduíche chegou, com batatas fritas e picles, mas sem a bebida. Mark disse à garçonete:

– Obrigada, mas eu pedi também uma xícara de café.

– Ah, sim – disse ela, irritada, e se afastou.

Mark deu uma mordida no sanduíche e Benson fez o mesmo.

– Qual é o nome do cara?

Benson limpou a boca e disse:

– Ramon Taper, temos o mesmo sobrenome. Nossos pais são irmãos, mas os dois deram no pé. Todo mundo chama ele de Digger.

– Digger? Escavador?

– É. Quando ele era menino, pegou uma pazinha e desenterrou umas flores do quintal de uma vizinha. Roubou as flores e tentou replantar mais abaixo na rua. O apelido pegou.

O café finalmente chegou, e Mark agradeceu.

– Ele é barra-pesada? – perguntou Mark.

Benson riu e respondeu:

– Pode-se dizer isso. Digger sempre foi barra-pesada. Passou um tempo numa instituição para menores infratores, mas não é um cara mau. Nem ficha de verdade ele tem. Estava indo bem, casou com uma boa garota, e eles estavam se virando bem até o bebê morrer. Depois do divórcio, a mãe se mudou para Charleston. Digger ficou vagando e se mudou para cá alguns meses atrás. Trabalha em meio expediente numa loja de bebidas, que é o último lugar onde deveria trabalhar. Ele tem um fraco por vodca. Estou muito preocupado com ele.

– Quer dizer que ele está aqui em Washington?

– É, mora bem perto de mim, com outra maluca.

Enquanto Mark mordia seu picles, alguma coisa lhe disse para recusar Digger e seus problemas, mas ele havia ficado curioso.

– Vou dar uma olhada.

DOIS DIAS DEPOIS, Mark voltou ao café. O lugar estava vazio, com exceção de um homem negro baixinho e muito magro sentado a uma mesa e segurando uma pasta grossa. Mark se aproximou dele:

– Você deve ser o Digger.

Os dois se cumprimentaram com um aperto de mão e Mark se sentou.

– Prefiro Ramon – disse Digger.

– Está certo. Eu sou Mark Upshaw. Prazer em conhecê-lo, Ramon.

– Igualmente. – Ele estava usando um quepe de motorista com a aba bem abaixada na frente e pousada sobre um par de óculos de grau grandes e redondos, de armação preta. Os olhos por trás das lentes estavam inchados e vermelhos.

– Benson falou que o senhor é um jovem advogado muito bom – disse Ramon. – Contou que você salvou o emprego dele.

Mark sorriu e tentou pensar em algo adequado para responder quando a mesma garçonete apareceu.

– Café preto. Ramon?

– Nada, só água.

Ela se afastou e Mark encarou Ramon. Sua dicção estava bastante articulada, mas era óbvio que ele havia bebido.

– Benson me falou um pouco sobre o caso – disse Mark. – Parece mesmo uma tragédia.

– Pode-se dizer que sim. Algo de ruim aconteceu no parto, não sei se a gente um dia vai saber exatamente o quê. Eu não estava lá.

Mark assimilou essa informação e, quando ficou aparente que nenhum outro detalhe seria fornecido, perguntou:

– Posso saber por que não estava lá?

– Digamos apenas que eu não estava e deveria estar. Asia nunca conseguiu superar isso, e é claro que a culpa sobrou toda para mim. Ela sempre falou que, se eu estivesse lá, poderia ter me certificado de que o hospital estava fazendo as coisas direito.

– Asia é a sua ex-mulher?

– Isso. Ela entrou em trabalho de parto duas semanas antes do previsto, entende? Foi logo depois da meia-noite, e o neném nasceu depressa. O hospital estava muito cheio, tinha havido uns tiroteios e um grande acidente de carro, e, bom, a gente nunca vai saber direito o que aconteceu. Mas parece que houve negligência, e o bebê entalou quando estava saindo. Ficou sem oxigênio. – Ele cutucou a pasta com o dedo. – Teoricamente deveria estar tudo aqui, mas a gente acha que o hospital tentou esconder as coisas.

– A gente quem?

– O primeiro advogado, o que eu mandei embora. Depois que tudo isso aconteceu, a Asia ficou maluca, sabe, me botou para fora de casa e pediu o divórcio. Ela arrumou um advogado, eu arrumei outro, as coisas ficaram feias. Eu fui pego dirigindo alcoolizado, então arrumei outro advogado para isso. Uma porção de advogados na minha vida, e eu simplesmente não tive energia para uma grande ação na justiça.

Ele tornou a cutucar a pasta.

O café chegou, e Mark deu um gole.

– O primeiro advogado é de onde?

– Norfolk. Ele queria 5 mil para pagar um especialista para revisar os registros médicos. Eu não tinha 5 mil e não gostava nem um pouco desse advogado. Ele nunca retornava as ligações e parecia sempre ocupado demais. O senhor também vai querer 5 mil?

– Não – respondeu Mark, mas só para prolongar a conversa.

Não fazia ideia de como cuidar de um caso de erro médico, mas, como sempre, imaginou que pudesse aprender na prática. Seu plano, se é que ele tinha um, era aceitar o caso, revisar os registros médicos e tentar determinar se havia responsabilidade. Caso houvesse, ele passaria o caso para um advogado de verdade especializado em negligência médica. Se tudo avançasse, ele e seus sócios teriam o mínimo de envolvimento possível e, com sorte, algum dia ficariam com uma fatia dos generosos honorários. Sim, era esse o plano.

– E a Asia agora está fora da jogada?

– Ah, sim. Ela foi embora faz tempo. Não temos contato.

– Ela vai entrar na ação se abrirmos uma?

– Não, de jeito nenhum. Ela não quer ter nada a ver com essa história toda. Está morando em Charleston com uns parentes, e espero que eles estejam tentando ajudar. Ela está louca, Dr. Upshaw. Ouve vozes, esse tipo de coisa. É bem triste, mas ela não suporta me ver e já disse várias vezes que nunca vai entrar na justiça.

– Tá, mas pensando no futuro, se houver uma indenização, ela vai ter direito a metade do dinheiro.

– Por quê? A ação é minha. Por que ela deveria receber alguma coisa se não quer participar?

– É a lei – disse Mark, sem fazer a menor ideia se era mesmo. No entanto, alguma coisa da faculdade ele havia assimilado, e recordava vagamente um dos casos de Direito Civil do primeiro ano. – Vamos nos preocupar com isso depois. No momento precisamos fazer avançar a investigação. Qualquer indenização está muito longe ainda.

– Não parece correto.

– Você quer continuar?

– Claro, é por isso que estou aqui. O senhor quer a causa?

– É por isso que estou aqui.

– Então combinado. Agora me diga o que vai acontecer.

– Bom, primeiro você assina um contrato de serviços advocatícios com o meu escritório, que vai me dar autoridade para requisitar todos os registros médicos. Eu mando revisar o prontuário e, caso pareça existir responsabilidade civil clara por parte dos médicos e do hospital, você e eu teremos outra conversa para decidirmos se queremos entrar com uma ação.

– Quanto tempo isso vai levar?

Novamente sem ter ideia da resposta, Mark respondeu num tom convincente:

– Não muito. Coisa de semanas. Nós não ficamos sentados em cima das coisas, Ramon. Nós trabalhamos depressa.

– E o senhor não vai querer nenhum dinheiro adiantado?

– Não. Tem escritórios que pedem um adiantamento ou dinheiro para as despesas, mas nós não. O nosso contrato estipula uma contingência de um terço se houver indenização, quarenta por cento se formos a julgamento. Esses são casos complexos, defendidos vigorosamente por pessoas com muito dinheiro. Então a nossa porcentagem é um pouco maior do que um caso corriqueiro de responsabilidade civil. E esse tipo de litígio custa caro. Nós vamos adiantar o dinheiro das despesas e receber na indenização. Você concorda?

Ramon tomou um gole de água e olhou pela janela. Enquanto refletia, Mark tirou um contrato da pasta e preencheu as lacunas. Por fim, Ramon tirou os grandes óculos e enxugou os olhos com um guardanapo de papel. Bem baixinho, falou:

– Isso tudo é tão terrível, Dr. Upshaw.

– Pode me chamar de Mark.

Os lábios de Ramon tremiam quando ele falou:

– Claro, Mark. As coisas estavam indo bem para mim e para Asia. Eu amava aquela mulher, acho que vou amar para sempre. Ela não era forte, mas era uma boa menina e linda. Não merecia o que aconteceu. Acho que ninguém merece. A gente estava pronto para o Jackie, tinha passado um tempão tentando.

– Jackie?

– O nome dele era Jackson Taper e a gente ia apelidar ele de Jackie. Em homenagem a Jackie Robinson. Eu gosto de beisebol.

– Eu sinto muito.

– Ele viveu dois dias, nunca teve nenhuma chance. Aquele pessoal ferrou com ele, Mark. Não era para isso ter acontecido.

– A gente vai descobrir o que houve, Ramon. Eu prometo.

Ramon sorriu, mordeu o lábio inferior, tornou a enxugar os olhos e pôs os óculos. Estendeu a mão para pegar uma caneta e assinou o contrato.

COMO COSTUMAVAM FAZER, os sócios se encontraram no final da tarde na mesma mesa nos fundos do Rooster Bar para falar sobre os casos do dia. Mark e Todd pediram cerveja, e Zola, um refrigerante. Após três semanas advogando sem licença, eles haviam aprendido muito e estavam relativamente à vontade com a nova rotina; Zola menos do que os outros dois. O medo de serem pegos tinha quase desaparecido, embora sempre incomodasse em algum nível. Mark e Todd apareciam regularmente nas varas penais, assim como milhares de outros advogados, e respondiam às mesmas perguntas de juízes entediados. Faziam acordos rápidos com promotores, nenhum dos quais parecia nem minimamente curioso em relação às suas credenciais. Assinavam seus nomes falsos em despachos e outros documentos. Percorriam os corredores em busca de clientes, esbarrando muitas vezes em outros advogados, todos atarefados demais para desconfiar do que quer que fosse.

Apesar do início rápido, logo aprenderam que não era tão fácil assim conseguir casos. Num dia bom, conseguiam recolher uns mil dólares ou algo em torno disso em honorários de clientes novos. Num dia ruim, não conseguiam nada, o que não era infrequente.

Zola havia reduzido o escopo de sua busca para os três hospitais mais movimentados: o Católico, o Geral e o George Washington. Ainda não conseguira um só cliente, mas tinha sido encorajada por algumas ocasiões em que quase chegara lá. Não lhe agradava o que estava fazendo, aproveitar-se de gente ferida, mas por enquanto não tinha outra escolha. Mark e Todd estavam dando duro para sustentar a operação. Ela se sentia obrigada a contribuir de alguma forma.

Os três debateram longamente a frequência com que deveriam ser vistos abordando clientes em potencial e se apresentando diante dos juízes. Por um lado, a familiaridade lhes proporcionaria credibilidade à medida que se tornassem personagens cotidianos na linha de montagem. Por outro, quanto mais advogados, promotores, oficiais de justiça e juízes conhecessem, maior o grupo de pessoas que poderiam um dia fazer a pergunta errada. E qual poderia ser essa pergunta? Um oficial de justiça entediado poderia indagar: "Qual é mesmo o seu número de registro na ordem? O que está aparecendo para mim não consta no sistema." A ordem dos advogados do Distrito de Columbia tinha 100 mil inscritos, cada um com um número que precisava constar em cada despacho e cada petição. Mark e Todd estavam usando números fictícios, claro. No entanto, a grande quantidade de advogados proporcionava um excelente disfarce e até agora os oficiais não haviam demonstrado interesse.

Ou então um juiz poderia querer saber: "Quando foi que você se filiou à ordem, filho? Eu nunca o tinha visto por aqui." Mas nenhum juiz havia se mostrado sequer remotamente curioso.

Um promotor assistente poderia perguntar: "Você estudou na Faculdade de Direito de Delaware, é? Eu tenho um amigo que estudou lá. Conhece fulano?" No entanto, os assistentes da promotoria eram ocupados e importantes demais para jogar esse tipo de conversa fora, e Mark e Todd reduziam seus diálogos ao mínimo.

Nunca temiam as perguntas das pessoas mais importantes de todas: os clientes.

Zola tomou um gole do refrigerante e falou:

– Tá, preciso confessar uma coisa. Eu acho que fiz um Freddy Garcia.

– Ah, a gente precisa escutar isso – disse Todd, rindo.

– Então. Ontem à noite eu estava no George Washington, fazendo o meu papel de sempre, quando reparei num casal negro jovem comendo uma daquelas pizzas horríveis numa mesa. Ela estava toda machucada, com gesso em várias partes do corpo, um colar cervical, cortes pelo rosto. Tinha que ser um acidente de carro, né? Então vou até lá, faço minha ceninha e eles resolvem conversar. Na verdade ela foi atropelada por um táxi, *tlim*, vários seguros, e a filha deles de 8 anos está no CTI no andar de cima. O caso vai ficando cada vez melhor. Aí eles me perguntam o que estou fazendo ali, numa cafeteria de hospital, e eu recito as minhas falas com perfeição. Minha mãe está muito doente, nas últimas, estou naquele esquema horrível de esperar na cabeceira. Entrego meu cartão e ficamos de nos falar depois. Meu telefone toca e eu me afasto para ir ver como minha mãezinha está passando. Saio do hospital sorrindo porque finalmente consegui fisgar um peixe grande.

Ela parou alguns instantes para fazê-los esperar e retomou:

– Bom, hoje à tarde eu recebo um telefonema, não dos meus clientes novinhos em folha, mas do advogado deles. Pelo visto eles já contrataram um. Frank Jepperson, um cara desagradável que só. E, nossa, ele tinha muita coisa a dizer.

Mark já estava rindo.

– Você fez mesmo um Freddy Garcia – disse Todd.

– Pois é. Ele me acusou de tentar roubar os clientes dele. Eu disse que não, que a gente estava só tendo uma conversinha enquanto eu dava um tempo de ficar sentada com mamãe. Ele perguntou: Sério? Então por que eu tinha dado meu cartão para eles? E que raio é esse tal de Upshaw, Parker & Lane que ele nunca tinha ouvido falar? E assim por diante. No final, acabei desligando. Olhem aqui, eu simplesmente não tenho jeito para isso. Vocês precisam me arrumar outra especialidade. Alguns dos funcionários da cafeteria já estão começando a me olhar torto.

– Zola, você tem um talento natural – disse Mark.

– Só precisa de um caso grande, só isso – acrescentou Todd. – A gente está fazendo o trabalho braçal por uns trocados enquanto você corre atrás dos peixes grandes.

– Estou me sentindo uma predadora. Tem alguma outra coisa que eu possa fazer?

– Não me ocorre nada – respondeu Todd. – Você não pode ficar nas varas penais como a gente porque aquilo lá é coisa de meninos e você chamaria atenção demais.

– Também não quero isso – disse ela. – Podem ficar com aquilo lá.

– Eu realmente não vejo você como uma advogada de divórcios – disse Mark. – Para isso é preciso um escritório de verdade, porque esse tipo de cliente demanda muito tempo e precisa de muito contato.

– Como é que você sabe? – indagou Todd.

– Estudei na Foggy Bottom.

– Eu tirei A em Direito de Família – disse ela.

– Eu também – replicou Todd. – E faltei metade das aulas.

– Não dá para a gente alugar um escritoriozinho bacana e eu trabalhar com divórcios?

– Vamos falar sobre isso mais tarde – decidiu Mark. – Estou com um assunto sobre o qual a gente precisa conversar. Eu acho que arrumei um caso grande.

– Conte para a gente – pediu Todd.

Mark iniciou o relato sobre a ação judicial de Ramon. No fim, sacou um contrato de serviços advocatícios e apontou para assinatura no final.

– Ele assinou e tudo – falou, orgulhoso.

Todd e Zola examinaram o contrato e pensaram numa dezena de perguntas.

– Tá, e agora? – perguntou Zola.

– Vamos ter que gastar um dinheiro – explicou Mark. – Vai custar 2 mil para contratar um perito para revisar os registros médicos. Eu dei uma pesquisada na internet e existe uma porção deles, a maioria médicos aposentados que não fazem nada além de trabalhar com escritórios de advocacia e avaliar casos que envolvem negligência médica. Tem vários aqui na capital. A gente gasta um dinheiro, pega a opinião de um especialista e, se houver responsabilidade civil, a gente encaminha o caso para um advogado fera.

– E ganha quanto? – quis saber Zola.

– Metade da indenização. É assim que os grandes advogados de contencioso cível funcionam, por indicação. Uns subalternos como a gente encontram os casos, aí passam para os caras que sabem o que estão fazendo, depois sentam e esperam o dinheiro aparecer.

Todd parecia cético.

– Não sei. Se a gente se envolver num caso grande, talvez isso estrague nosso disfarce. Se os nossos nomes estiverem nas petições, muitas pessoas vão ver. O advogado que estiver tocando o caso, os advogados da defesa, as seguradoras, o juiz. Não sei. Parece arriscado demais.

– É só não pôr nossos nomes nas petições – disse Mark. – A gente diz para o advogado nos manter fora dos autos. Deve dar certo, não?

– Eu não sei, Mark – titubeou Todd. – A gente não faz ideia de onde está se metendo. Além do mais, não tenho certeza se eu quero gastar 2 mil pratas.

– A gente poderia Confiar no Rusty, não? – perguntou Zola com um sorriso.

– Não. Vamos contratar um especialista em erro médico. Tem vários aqui em Washington que vivem de processar médicos e hospitais. Advogados de julgamento de verdade. Vamos lá, Todd. Eu não vejo muito risco. A gente pode ficar nos bastidores, deixar outra pessoa fazer o trabalho e levar um bom dinheiro.

– Quanto?

– Vai saber? Digamos que tenha havido negligência dos médicos e do hospital. Digamos que a gente consiga uma indenização de 600 mil, só para simplificar os cálculos. A nossa parte seria de 100 mil, e a gente não fez nada a não ser conseguir o caso.

– Você está sonhando – disse Todd.

– E que mal tem sonhar? Zola?

– É tudo arriscado nesse jogo – respondeu ela. – Toda vez que a gente aparece na frente de um juiz e finge ser advogado, está correndo um risco. Eu sou a favor de a gente tentar.

– Está dentro, Todd? – quis saber Mark.

Todd terminou a caneca e observou os sócios. Até então, pelo menos na curta história da UPL, ele havia sido um pouco mais agressivo do que os outros dois. Recuar agora ficaria parecendo fraqueza.

– Um passo de cada vez – disse ele. – Vamos ver o que diz o perito, aí a gente avalia.

– Fechado – disse Mark.

23

Sentado atrás de sua mesa exageradamente gigante, Frank Jepperson examinou o cartão de visitas de Zola. Na condição de veterano de guerra por indenização da capital, sabia muito bem o que ela estava fazendo. Em seus primeiros anos, ele também havia andado pelos corredores dos hospitais da cidade, espreitando clientes em potencial. Conhecia todos os macetes. Pagava propina para motoristas de reboque que atendiam locais de acidentes. Molhava a mão de policiais de trânsito que lhe encaminhavam clientes. Todo dia de manhã, percorria os registros da polícia à procura dos acidentes mais promissores. Com o sucesso, pudera contratar um ajudante em tempo integral, um ex-policial chamado Keefe, e fora Keefe quem fisgara a família com quem Zola havia falado na cafeteria do George Washington. Jepperson os fizera assinar tudo direitinho, e agora vinha uma novata tentar roubar sua caça.

O território de Jepperson eram as ruas barra-pesada de Washington, onde havia poucas regras e muitas figuras suspeitas. Quando possível, porém, ele tentava proteger seu território, principalmente quando um elemento novo causava desconfiança.

Sentado diante dele, com uma das botas de caubói de pele de avestruz em cima de um joelho, Keefe estava ocupado cortando as unhas das mãos.

– E você achou o lugar? – perguntou Jepperson.

– Achei. No térreo funciona um estabelecimento chamado The Rooster Bar. O escritório fica dois andares acima, e não tem jeito de subir até lá.

Eu tomei uns drinques e conversei com um barman que alegou não saber nada. Ele se fechou completamente quando perguntei sobre Zola Parker.

– E a ordem dos advogados?

– Eu verifiquei. Lá não tem registro de ninguém com esse nome. Vários Parkers, mas nenhuma Zola.

– Interessante. E o escritório... Upshaw, Parker & Lane?

– Nada, mas, enfim, como você sabe, os escritórios de advocacia mudam tão rápido que é impossível acompanhar quem está trabalhando onde. A ordem diz que tem dificuldade para acompanhar os nomes dos escritórios.

– Interessante.

– Quer registrar uma reclamação?

– Vou pensar. Vamos ver se a gente esbarra de novo com esses palhaços.

NO OITAVO ANDAR da Faculdade de Direito Foggy Bottom, uma funcionária júnior da administração notou que três professores tinham relatado que dois alunos do terceiro ano, Mark Frazier e Todd Lucero, haviam faltado a todas as aulas das primeiras quatro semanas do semestre de primavera. Ambos haviam recebido seus empréstimos referentes ao último semestre, mas pelo visto não estavam se dando o trabalho de frequentar as aulas. Não era tão raro assim os formandos faltarem e fazerem tudo de qualquer jeito, mas não assistir a uma aula sequer durante mais de um mês era demais.

Ela mandou um e-mail para o Sr. Frazier.

Caro Mark,

Você está bem? Sua total ausência neste semestre foi notada e estamos preocupados. Por favor, entre em contato assim que puder.

Faye Doxley, Assistente de Matrículas.

Mandou uma mensagem idêntica para Todd Lucero. Dois dias depois, nem um nem outro tinham respondido.

NO DIA 14 de fevereiro, Zola entrou na sessão de Sua Excelência Juiz Joseph Cantu e ficou observando as atividades. Quase uma hora depois, um oficial de justiça chamou o nome de Gordon Tanner. O advogado dele, Preston Kline, postou-se em frente ao juiz e disse:

– Meritíssimo, estou sem notícias do meu cliente há um mês. Posso apenas supor que ele fugiu.

Um oficial entregou um papel ao juiz. Ele o leu duas vezes e disse:

– Bem, Dr. Kline, pelo visto o seu cliente morreu.

– Puxa, Meritíssimo. Tem certeza? Eu não fazia ideia.

– Foi confirmado.

– Ah, bem, ninguém me disse nada. Acho que isso explica algumas coisas.

– Espere um minuto – disse o juiz Cantu, passando os olhos por mais alguns papéis. – Segundo estes registros, ele morreu no dia 4 de janeiro, suicídio. Tem até uma matéria do *Post*. Mas ele compareceu com o senhor bem aqui na minha frente no dia 17 de janeiro. Pode me explicar isso?

Kline coçou o queixo enquanto olhava para sua cópia do rol de processos.

– Bem, não, Meritíssimo, não sei explicar. Nós com certeza estivemos aqui no dia 17, mas, para dizer a verdade, eu não tive contato com ele desde então.

– Imagino que seja porque ele morreu.

– É tudo muito difícil de entender, Meritíssimo. Eu não sei.

Frustrado, Cantu ergueu as duas mãos e disse:

– Bem, se o rapaz morreu, não tenho outra escolha senão dar o caso por encerrado.

– Sim, Meritíssimo, suponho que sim.

– Próximo caso.

Zola saiu poucos minutos depois e contou aos sócios o que tinha acontecido.

MARK ENTROU NO prédio comercial da Rua 16 e pegou o elevador até o terceiro andar. Achou a porta da Consultoria Potomac e entrou na pequena recepção. Uma secretária meneou a cabeça para duas cadeiras, e ele se acomodou. Cinco minutos depois, o Dr. Willis Koonce apareceu e se apresentou. Mark o seguiu até uma pequena sala no final do corredor.

Koonce era um obstetra aposentado que trabalhara em Washington anos antes. Segundo seu site na internet, havia passado os últimos vinte anos atuando como especialista em litígios, uma testemunha profissional. Alegava já ter analisado milhares de casos, e fora convocado para testemunhar em mais de cem julgamentos em 21 estados. Quase sempre trabalhava no lado dos requerentes.

Assim que Mark se sentou, Koonce começou dizendo:

– Você pegou eles de jeito, filho. E eles estão loucos tentando acobertar tudo. Aqui está meu parecer. – Ele lhe entregou um documento de duas páginas, redigido em entrelinha simples. – Todos os termos técnicos estão aí. Vou poupar seu tempo explicando em termos leigos. A mãe, Asia Taper, foi deixada sem assistência, ou quase, durante um período crucial. É difícil saber se ela estava sendo monitorada porque faltam informações, mas basta dizer que os batimentos cardíacos fetais desaceleraram, o útero se rompeu e houve um atraso significativo para realizar uma cesariana. Sem esse atraso, o bebê provavelmente teria ficado bem. Em vez disso, ele sofreu o que se conhece como isquemia, danos cerebrais profundos, e, como sabemos, veio a morrer dois dias depois. Foi bom ele ter morrido; caso contrário, o menino teria vivido mais ou menos dez anos basicamente como um vegetal, sem conseguir andar, falar nem se alimentar sozinho. Tudo isso poderia ter sido evitado com um monitoramento correto e uma cesárea rápida. Eu classificaria a negligência como grave, e, como o senhor sabe, isso deveria tornar a indenização mais fácil. – Mark não sabia, mas mesmo assim assentiu. – No entanto, como o senhor também sabe, o estado da Virgínia fez um acordo com os médicos vinte anos atrás, no meio do grande movimento de reforma do contencioso, e todas as indenizações agora têm um teto. O máximo que vocês podem esperar conseguir são 2 milhões de dólares. É triste, mas é assim. Se o menino tivesse vivido, a indenização seria bem maior. Mas esse é um caso da Virgínia.

– Então vamos ganhar no máximo 2 milhões? – indagou Mark, como se estivesse decepcionado com uma soma tão pífia.

– Infelizmente, sim. O senhor tem licença para advogar na Virgínia?

– Não, não tenho.

Nem em qualquer outro lugar, aliás.

– Já advogou em algum caso de erro médico? Digo, o senhor parece bem jovem.

– Não. Vou indicar alguém para o caso. Alguma sugestão?

– Claro. – Koonce pegou uma folha de papel e lhe entregou. – Aqui está uma lista dos melhores escritórios do Distrito de Columbia para casos como esse. Todos esses caras advogam na Virgínia, todos são bons profissionais. Já trabalhei com cada um deles.

Mark olhou para todos os nomes.

– Alguém em especial?

– Eu começaria pelo alto, com Jeffrey Corbett. Para mim, ele é o melhor. Só cuida de casos de ginecologia e obstetrícia. Ele vai deixar os médicos apavorados, e eles vão aceitar um acordo rápido.

Dois milhões. Um acordo rápido. A caixa registradora no cérebro de Mark estava a mil.

Koonce era um homem ocupado. Olhou para o relógio e disse:

– Meus honorários para trabalhar no julgamento são 40 mil, o que inclui o testemunho em juízo. Se o senhor e Corbett quiserem que eu participe, avisem o quanto antes. Tenho muitos casos.

Ele estava se levantando devagar.

– Claro, Dr. Koonce.

Eles se cumprimentaram com um aperto de mão. Mark recolheu os registros médicos de Ramon e saiu depressa.

NO FINAL DESSA tarde, Zola estava sozinha no bar esperando a reunião de atualização diária da UPL. Tinha passado o dia longe dos hospitais e estava se sentindo bem melhor. Após semanas de procura, finalmente havia encontrado o advogado certo no Senegal, na capital Dacar. Segundo o site, Diallo Niang trabalhava num escritório com dois sócios e falava inglês, embora no telefone tivesse sido difícil entender o que ele dizia. Ele era criminalista e tratava também de Direito de Imigração e de Família. Por honorários de 5 mil dólares, o Dr. Niang representaria os interesses dos pais e do irmão de Zola quando eles chegassem, embora ninguém soubesse quando isso poderia acontecer. Mandar essa quantia de dinheiro para um banco no Senegal deixava Zola desconfortável, mas, diante das circunstâncias, ela não tinha outra escolha. O Dr. Niang alegava ter muitos contatos com figuras importantes do governo e afirmava ser capaz de ajudar a família a reingressar no país. Zola tinha lido muitas histórias de terror sobre as atribulações dos deportados que voltavam para casa sem que ninguém os quisesse ali.

Abriu o laptop e checou seus e-mails. Não ficou surpresa ao ver um da faculdade. Faye Doxley tinha escrito:

Cara Sra. Maal,
Os professores Abernathy e Zaran comunicaram que a senhora não compareceu às aulas neste semestre. Estamos preocupados. Poderia por gentileza nos escrever e informar o que está acontecendo?

Atenciosamente,
Faye Doxley,
Assistente de Matrículas

Ela sabia, claro, que Mark e Todd tinham recebido mensagens parecidas e as tinham ignorado. Os sócios estavam surpresos que qualquer um na Foggy Bottom fosse cuidadoso o suficiente para reparar. Ela passou alguns segundos pensando no que escrever, então respondeu:

Sra. Doxley,
Estou com pneumonia, e meus médicos insistem para eu ficar na cama sem contato com ninguém. Estou monitorando minhas aulas e espero me recuperar plenamente. Obrigada pela sua preocupação. Em breve estarei de volta.

Atenciosamente,
Zola Maal

Mentir ainda a incomodava, mas agora era um meio de vida. Praticamente tudo que ela fazia era mentira: o nome falso, o escritório de advocacia falso, os cartões de visitas falsos e a personagem falsa, uma advogada atenciosa se aproveitando de vítimas de acidentes indefesas. Ela não podia continuar assim. Será que a vida poderia ser pior se ainda estivesse frequentando as aulas, tentando arrumar um emprego de verdade e se preocupando com a prova da ordem e seu financiamento?

Sim, poderia. Pelo menos daquele jeito ela se sentia segura e fora do alcance da imigração.

As mentiras continuaram no e-mail seguinte. Era de Tildy Carver, da LoanAid.

Cara Sra. Maal,
Quando nos correspondemos pela última vez, a senhora tinha acabado de escolher o caminho do serviço público no âmbito do programa de perdão de dívida do Departamento de Educação. Não tenho certeza de que seja o melhor no seu caso. É preciso um compromisso de dez anos, o que é muito tempo. Mas cabe à senhora decidir. De todo modo, eu ficaria grata se pudesse me mandar uma atualização sobre a sua situação empregatícia assim que possível.

Um abraço,
Tildy Carver,
Consultora de Empréstimos Sênior

Última parcela, 13 de janeiro de 2014: US$32.500; total principal e juros: US$191.000.

Como sempre, ela encarou os números, incrédula. A tentação era sempre ignorar os e-mails por um ou dois dias, mas ela decidiu enfrentar aquele de uma vez.

Cara Sra. Carver,
Não consegui o emprego no Departamento de Justiça e no momento estou sem poder fazer nenhuma outra entrevista. Encontro-me atualmente de cama com pneumonia e sob cuidados médicos.

Espero voltar às aulas daqui a alguns dias, e darei notícias então.

Atenciosamente,
Zola Maal

Mark chegou com um grande sorriso e pediu uma cerveja. Todd entrou no bar, pediu um chope e se juntou a eles. Parecia cansado e exaurido por um longo dia nas trincheiras e estava de mau humor. Cumprimentou-os dizendo:

– Acabei de passar oito horas abordando os zé manés no fórum e não consegui nada. Zero. Rosca total. E vocês, o que andaram fazendo?

– Relaxe, cara – disse Mark. – Tem dias melhores do que outros.

Todd tomou uma golada de cerveja e falou:

– Relaxar o escambau. A gente já está fazendo essa bosta há um mês, e eu pareço estar carregando o peso todo. Vamos ser honestos: dois terços dos honorários são de casos que eu arrumei.

– Ora, ora – disse Mark, num tom de quem acha graça. – Nossa primeira briga. Imagino que aconteça em todos os escritórios.

Zola fechou o laptop e encarou Todd com raiva.

– Eu não estou brigando – justificou ele. – Só tive um dia ruim.

– Se bem me lembro, eu fui aconselhada a ficar longe das varas penais porque isso é coisa de menino – disse ela. – Minha participação no esquema é ficar de bobeira em hospitais e abordar os feridos, pois a teoria é que apenas um dos meus casos poderia representar uma porção dos seus. Correto?

– Sim, mas você não tem caso nenhum – zombou Todd.

– Estou tentando, Todd – retrucou ela, fria. – Se você tiver outra ideia melhor, eu adoraria ouvir. Não gosto nem um pouco do que estou fazendo.

– Crianças, crianças – disse Mark com um sorriso. – Vamos todos relaxar e contar nossa grana.

Todos os três deram goles e aguardaram. Por fim, Mark falou:

– Estive com nosso perito hoje, aquele a quem pagamos 2 mil paus, e ele disse que é um caso claro de negligência grave dos médicos e do hospital. Tenho cópias do parecer aqui para vocês lerem com calma. É uma lindeza, vale cada centavo. Ele diz, e o cara é um profissional de verdade, que nas mãos do advogado certo esse caso vale a indenização máxima permitida pela constituição da Virgínia: 2 milhões de dólares. Disse que o cara que devemos contratar é um tal de Jeffrey Corbett, um bambambã que ficou rico processando obstetras. O escritório dele fica a uns quatro quarteirões daqui. Eu chequei o cara na internet, e ele parece confiável. Segundo a matéria de uma revista médica, que não era favorável a ele, o Dr. Corbett fatura entre 5 e 10 milhões por ano. – Ele tomou outro gole. – Isso ajuda com o mau humor, Todd?

– Ajuda.

– Achei que fosse ajudar. E, se vocês concordarem, vou ligar para o Dr. Corbett e marcar uma hora.

– Não pode ser tão fácil assim – avisou Zola.

– A gente deu sorte, tá? Só isso. Segundo a minha pesquisa, mais de 2 mil ginecologistas e obstetras são processados a cada ano por todos os tipos de negligência. Tem vários casos de partos ruins por aí, e a gente por acaso esbarrou em um.

Todd acenou para chamar o barman e eles pediram mais uma rodada.

24

No sábado seguinte, os três saíram de Washington cedo no carro de Todd e foram até o Centro de Detenção Federal de Bardtown perto de Altoona, Pensilvânia. Por fora, nada havia mudado desde a sua última visita, sete semanas antes. O arame cortante reluzia ao sol. A cerca alta de arame parecia igualmente ameaçadora. O estacionamento estava lotado com os carros e caminhonetes das dezenas de funcionários que protegiam o território nacional.

Zola estava usando um vestido preto comprido e folgado. Quando Todd desligou o carro, ela tirou da bolsa um hijab e cobriu com ele a cabeça e os ombros.

– Mas que boa muçulmanazinha é você – comentou Todd.

– Cale a boca – disse ela, e saltou.

Para aquela ocasião, Mark Upshaw, seu advogado, estava usando um paletó e uma gravata. Ele havia ligado antes para agendar a visita, na esperança de evitar o drama que eles tinham criado da última vez. Obviamente a documentação estava em ordem, e eles foram conduzidos até a mesma sala de visita, onde aguardaram meia hora até os pais e o irmão de Zola serem trazidos. Zola apresentou os amigos outra vez e deu um abraço na mãe.

Todos controlaram as emoções enquanto seu irmão, Bo, explicava que eles não faziam ideia de quando seriam deportados. Um oficial tinha informado que o ICE estava esperando um número suficiente de senegaleses serem detidos de modo a poder encher o voo fretado. Não havia por que desperdiçar assentos numa viagem cara como aquela. Cem era o número que eles tinham em mente e ainda estavam recolhendo gente sem documentação.

Bo perguntou sobre a faculdade, e os sócios todos concordaram que estava tudo correndo bem. Abdou, pai de Zola, afagou o braço da filha e disse que eles estavam muito orgulhosos por ela estar prestes a se tornar advogada. Zola sorriu e assentiu. Entregou ao pai um cartão com o nome de Diallo Niang, o advogado de Dacar, e disse que, se fosse possível, ele deveria telefonar para ela quando os três estivessem a caminho do avião. Zola ligaria imediatamente para o Dr. Niang, que tentaria facilitar sua chegada. Mas havia muitas variáveis desconhecidas.

Fanta, mãe de Zola, falou pouco. Ficou sentada segurando a mão da filha cabisbaixa, triste e assustada, enquanto os homens conversavam. Vinte minutos depois, Todd e Mark pediram licença e foram esperar no corredor.

Terminada a visita, os três voltaram para o carro e Zola tirou o hijab. Enxugou os olhos e passou um longo tempo sem dizer nada. Quando eles atravessaram a divisa para o estado de Maryland, Todd parou numa loja de conveniência e comprou uma caixa de cerveja. Sem nada para fazer à tarde, eles resolveram fazer um desvio por Martinsburg e ir prestar suas homenagens a Gordy. No cemitério público, não muito longe da igreja, encontraram sua lápide recente rodeada de terra fresca.

NO DOMINGO, MARK pegou o carro de Todd emprestado e foi até sua cidade, Dover. Precisava encontrar a mãe e ter uma conversa séria com ela, mas não estava com disposição para lidar com Louie. A situação de seu irmão continuava igual, e seu caso ia passando lentamente pelas engrenagens da justiça, com uma data de julgamento pairando ameaçadora no mês de setembro.

Louie ainda estava dormindo quando Mark chegou, por volta das onze.

– Ele em geral acorda por volta do meio-dia, a tempo para o almoço – disse a Sra. Frazier enquanto servia na mesa da cozinha um café recém-preparado.

Estava usando um vestido bonito com sapatos de salto, toda sorridente, obviamente feliz por ver o filho predileto. Uma panela de ensopado fervilhava no fogão e exalava um cheiro delicioso.

– Como vai a faculdade? – perguntou ela.

– Bem, mãe, é sobre isso que eu preciso conversar – disse Mark, ansioso para acabar logo com aquilo.

Contou a triste história da morte de Gordy e explicou quanto o episódio fora traumático. Tão traumático que ele havia decidido trancar os estudos naquele semestre e pensar no futuro.

– Você não vai se formar em maio? – indagou ela, surpresa.

– Não. Preciso de um tempo, só isso.

– E o seu emprego?

– Evaporou. O escritório se fundiu com outro maior e eu fui limado. Era um escritório ruim, de toda forma.

– Mas eu pensei que você estivesse animado com a vaga.

– Eu acho que estava fingindo, mãe. O mercado de trabalho anda bem ruim, e eu aceitei a primeira proposta que apareceu. Pensando bem agora, não teria dado certo.

– Ai, ai. Eu estava torcendo para você talvez conseguir ajudar o Louie depois de passar na prova da ordem.

– Infelizmente, acho que não tem como ninguém ajudar o Louie, mãe. Pegaram ele de jeito, e ele vai ter que cumprir uma pena dura. Ele anda falando com o advogado?

– Não, na verdade, não. Ele está com um defensor público muito atarefado. Estou muito preocupada com ele.

E com razão.

– Olhe, mãe, você precisa se preparar para o fato de que o Louie vai ser preso. Eles o filmaram vendendo crack para um policial disfarçado. Não existe muita margem de manobra.

– Eu sei, seu sei. – Ela tomou um gole de café e segurou o choro. Então mudou de assunto. – Mas e os seus empréstimos estudantis? – perguntou.

Ela não fazia ideia do quanto Mark devia, e ele não iria lhe dizer.

– Eu dei uma segurada neles por enquanto. Não vai ter problema.

– Entendi. Mas, se você não está na faculdade, o que anda fazendo esses dias?

– Trabalhando aqui e ali, num bar. E você? Com certeza não deve passar o dia inteiro aqui sentada com ele.

– Ah, não. Eu estou trabalhando em meio-período na Kroger e em meio--período na Target. E quando não estou trabalhando, sou voluntária numa casa de repouso para idosos. E quando o tédio me pega de jeito eu vou ao presídio visitar as detentas. O presídio está cheio delas. Todas condenadas por algo relacionado a drogas, sabia? Eu acho que as drogas vão acabar com este país, juro. Então me mantenho ocupada e tento ficar longe daqui.

– E ele, faz o quê o dia inteiro?

– Dorme, come, vê televisão, joga videogame. Reclama dos problemas. Eu tanto insisti que ele pegou minha velha bicicleta no porão e saiu, mas conseguiu quebrar a bicicleta. Falou que não tem conserto. Eu compro umas cervejas para ele de vez em quando, só para ele calar a boca. A ordem judicial proibiu bebida alcoólica, mas ele fica enchendo o saco até eu comprar cerveja. Acho que ninguém nunca vai descobrir.

– Já pensou em antecipar a audiência dele?

– E dá para fazer isso?

– Não vejo por que não. Vai ser um acordo, mãe. Louie não vai a julgamento porque ele não tem defesa. Vai conseguir um acordo melhor se simplesmente se declarar culpado e acabar logo com isso.

– Mas ele diz que quer ir a julgamento.

– Ele diz isso porque é um imbecil, tá? Não sei se você se lembra, mas eu encontrei o advogado dele quando vim passar o Natal em casa. Ele me mostrou o dossiê do caso e o vídeo. Louie está convencido de que vai conseguir sorrir para o júri e enganar a todos dizendo que a polícia armou para ele uma falsa acusação de tráfico. Ele acha que vai conseguir sair livre do tribunal. Isso não vai acontecer.

– Como funciona um acordo?

– É simples. Quase todos os casos penais são resolvidos com acordos. Ele admite a culpa, evita o julgamento e a promotoria alivia um pouco a pena. O máximo que ele pode receber são dez anos. Não faço ideia de como pode ser o acordo, mas ele provavelmente deve pegar cinco anos, descontado o tempo que passou aguardando a sentença. Com bom comportamento, presídios lotados e tal, talvez saia em três.

– E ele não precisa esperar até setembro?

– Duvido que precise. Com meu conhecimento limitado, não vejo por que ele não poderia fazer o acordo bem antes disso. Assim pelo menos sairia de casa.

O leve esboço de um diminuto sorriso surgiu nos cantos da boca de sua mãe, mas só por um segundo.

– Não consigo acreditar nessa situação – disse ela, olhando para o outro lado. – Ele é um menino tão bom.

Talvez. Louie havia passado todo o ensino médio flertando com o universo das drogas. Houvera muitos alertas vermelhos, mas os pais sempre tinham optado por ignorá-los. A cada sinal de problemas, haviam acorrido em sua defesa e acreditado nas suas mentiras. Tinham deixado Louie chegar àquele ponto, e agora a conta tinha chegado.

Mark sabia exatamente o que iria acontecer. Sua mãe olhou para ele com os olhos marejados e disse:

– Mark, você poderia conversar com o advogado dele? Ele precisa de ajuda.

– Nem pensar, mãe. Louie vai ser preso e eu não vou chegar nem perto do caso dele. O motivo é simples. Eu conheço meu irmão, e ele vai pôr a culpa em todo mundo, menos em si próprio. E vai pôr a culpa especialmente em mim. Você sabe disso.

– Você sempre foi muito duro com ele.

– E você sempre passou a mão na cabeça dele.

Alguém acionou uma descarga nos fundos da casa. A Sra. Frazier relanceou os olhos para o relógio de parede e disse:

– Ele acordou cedo. Falei que você viria almoçar em casa.

Louie entrou na cozinha com um andar vagaroso e um grande sorriso para o irmão estampado no rosto. Mark se levantou, ganhou um abraço de urso e tentou parecer feliz em vê-lo. Louie parecia um urso pardo despertado subitamente da hibernação: barba por fazer, cabelos embaraçados, olhos inchados de tanto dormir. Estava usando um velho moletom do Eagles apertado na cintura e um short de ginástica folgado que caberia num zagueiro de futebol americano. Não usava sapatos nem meias, apenas a tornozeleira. Aquela sem dúvida era a mesma roupa com que ele dormira.

Mark quase fez piada sobre o seu evidente ganho de peso, mas deixou passar. Louie se serviu um café e sentou-se à mesa.

– Sobre o que vocês estavam falando? – quis saber.

– Sobre a faculdade – respondeu Mark depressa, antes que a Sra. Frazier pudesse dizer alguma coisa a respeito do caso do irmão. – Eu estava contando para a mamãe que vou trancar por um semestre. Preciso de um tempo para me readaptar. Meu emprego já era e o mercado está bem ruim no momento, então eu meio que preciso recuperar o fôlego.

– Aí tem – comentou Louie. – Por que você largaria tudo faltando só um semestre?

– Eu não estou largando, Louie. Estou adiando.

– O melhor amigo dele se matou, e ele está muito abalado – explicou a Sra. Frazier.

– Caramba, eu sinto muito. Mas parece estranho desistir no último semestre.

É, Louie, mas você não está exatamente em condições de comentar sobre as decisões profissionais dos outros, pensou Mark, mas estava decidido a evitar qualquer tensão.

– Acredite, Louie, eu estou com tudo sob controle – falou.

– Tenho certeza. Escute, mãe, o que tem dentro dessa panela aí? Que cheiro bom.

– Carne ensopada. Que tal almoçar cedo? – Ela já estava se levantando. Ao abrir o armário, jogou Mark no fogo. – Louie, o Mark acha que você deveria pensar em fazer um acordo. Você conversou sobre isso com o seu advogado?

Maravilha, mãe. Agora a gente vai poder arrumar uma briga.

Louie sorriu para o irmão e rosnou:

– Quer dizer que você agora está advogando, é?

Você não faz ideia.

– Nada disso, Louie, e eu não tenho conselho nenhum. Mamãe e eu estávamos só conversando sobre as coisas no geral.

– Ah, tá. Sim, mãe, eu falei sobre isso com meu advogado em uma das poucas conversas que tivemos. Se eu me declarar culpado, vou preso, com crédito pela pena já cumprida, incluindo a prisão domiciliar com esta minha pulseirinha de tornozelo. Então eu poderia passar os próximos seis meses na cadeia tentando evitar as gangues, tomando banho de chuveiro frio de costas para a parede, comendo ovo em pó e torrada mole, ou poderia passar os próximos seis meses aqui. Não tem muito o que decidir, né?

Mark deu de ombros, como se não tivesse opinião sobre o assunto. Bastaria uma palavra errada naquele momento para iniciar um bate-boca mais sério, e ele não queria participação nenhuma naquilo. A Sra. Frazier estava ocupada dispondo guardanapos de papel e talheres velhos na mesa.

– Eu não vou me declarar culpado, pouco importa o que vocês dois pensem. Eu quero meu dia no tribunal. A polícia armou para cima de mim e posso provar isso ao júri.

– Maravilha – disse Mark. – Com certeza o seu advogado sabe o que está fazendo.

– Ele sabe mais sobre Direito Penal do que você.

– É claro que sabe – ironizou Mark.

Louie tomou um gole ruidoso de café e disse:

– Mas eu estava torcendo para que você pudesse ajudar um pouco no meu caso depois que passasse na prova da ordem nesse verão, quem sabe sentar comigo durante o julgamento para o júri pensar que eu tenho dois advogados, sabe? Imagino que isso não vá acontecer.

– Não, não vai. Eu vou dar um tempo.

– Isso é muito estranho.

A mãe serviu três tigelas fumegantes de ensopado de carne. Louie atacou a sua como se não comesse havia uma semana. Mark lançou um olhar de raiva para a mãe, em seguida olhou para o relógio de pulso. Estava ali havia 40 minutos e não conseguia imaginar como aguentaria mais uma hora.

25

Na segunda-feira, 3 de março, agentes federais fizeram uma batida na sede corporativa do Banco Swift, no centro da Filadélfia. A imprensa foi avisada e fez muitas imagens de um pequeno exército de homens com as letras "FBI" estampadas nas parcas carregando caixas e computadores até caminhões que aguardavam. A empresa divulgou um comunicado dizendo que estava tudo bem, que ela estava cooperando e tudo o mais – enquanto isso a cotação de suas ações na bolsa despencou.

Um comentarista de negócios num canal de TV a cabo recapitulou os problemas do banco. Além da investigação do FBI, havia outras duas em curso no Congresso. Advogados em três estados se exibiam para as câmeras prometendo esclarecer tudo. Havia pelo menos cinco ações coletivas em andamento na justiça, e os advogados estavam eufóricos. Novos litígios eram uma certeza. O presidente do Swift acabara de pedir demissão – para passar mais tempo com a família – e levara consigo cerca de 100 milhões de dólares em opções de compra de ações, quantia que sem dúvida tornaria esses momentos em família bem mais agradáveis. O diretor financeiro estava negociando seu pacote de demissão. Centenas de ex-funcionários iam surgindo, fazendo novas denúncias e abrindo processos por demissões indevidas. Velhos processos contra o Swift foram reexaminados e revelaram que o mau comportamento do banco já durava pelo menos uma década. Clientes protestavam e fechavam contas. Defensores dos direitos do consumidor divulgavam notas condenando "as práticas bancárias mais fraudulentas da história dos Estados Unidos".

Nove por cento das ações do Swift eram controladas por um fundo de investimento com sede em Los Angeles. Como maior acionista, ele não tinha nada a dizer. Os sócios do UPL monitoravam a confusão do Swift diariamente e imprimiam cada palavra sobre o banco que conseguiam encontrar. Até ali, Hinds Rackley dera um jeito de não chamar atenção.

Eles decidiram que, com um caos daqueles, o momento era propício para entrar na brincadeira. Mark entrou em contato com um escritório de advocacia de Miami e se inscreveu como requerente numa ação coletiva. Todd ligou para um 0800 anunciado por um escritório de Nova York e entrou para a sua ação coletiva. Zola ficou mais perto de casa e juntou forças com um escritório de Washington conhecido na área de contencioso de massa.

Poucas horas após se tornarem litigantes, eles foram soterrados pela papelada emitida pelos advogados que perseguiam o Swift. Era uma coleção impressionante.

De acordo com as últimas estimativas, cerca de um milhão de clientes do Swift tinham sido submetidos às práticas corruptas do banco.

RAMON LIGAVA TODOS os dias, inclusive nos fins de semana. Queria atualizações sobre o seu caso, e Mark explicou várias vezes que o parecer inicial de seu "primeiro especialista" era positivo e que eles estavam encaminhando a ação o mais depressa possível. Mark tinha uma reunião com o grande Jeffrey Corbett na quarta, 19 de março, primeira data disponível na agenda lotada do advogado. Pelo visto, ele tinha um calendário de julgamentos impressionante e mal sobrava tempo para avaliar novos casos.

Ao ligar na terça-feira, Ramon soltou a bomba de que Asia, sua ex-mulher, tinha ressurgido lá em Charleston e estava curiosa em relação ao processo. Mark tinha poucas dúvidas de que Ramon, provavelmente bêbado, tentara impressioná-la se gabando de ter contratado advogados para abrir uma causa por erro médico. Mas teve certeza de que ela não iria influenciar a ação.

Mark estava errado. Na quarta-feira, recebeu o telefonema de um advogado de Charleston, um tal de Dr. Mossberg. Como a chamada vinha de um número desconhecido, ele como sempre hesitou antes de atender. Após cinco toques, aceitou-a.

Mossberg começou dizendo:

– Eu represento Asia Taper e fiquei sabendo que o senhor representa o ex-marido dela. É isso mesmo?

– Correto. Ramon Taper é nosso cliente.

– Bom, vocês não podem abrir o processo sem ela. Afinal de contas, ela era a mãe do bebê.

O tom de Mossberg era contundente a ponto de ser hostil. *Que maravilha, Ramon. Lá se vai um naco da nossa indenização. Era tudo o que precisávamos... mais um advogado para se meter.*

– Sim, eu sei disso – respondeu, ao mesmo tempo que pesquisava Mossberg rapidamente na internet.

– Minha cliente disse que o seu cliente está com todos os registros médicos. Correto?

– O prontuário está comigo – disse Mark.

Edwin Mossberg. Escritório com seis advogados especializado em responsabilidade civil, centro de Charleston. Quarenta e cinco anos. Ou seja, vinte anos no ramo e muito mais experiência do que qualquer um no UPL. Um cara grandalhão, de bochechas flácidas, terno e gravata caros, uma cabeça cheia de cabelos grisalhos. Sua maior vitória até então tinha sido um veredito de 11 milhões contra um hospital de Atlanta. E vários vereditos menores, embora ainda assim impressionantes.

– O senhor pode me mandar uma cópia? – Mossberg praticamente exigiu.

– Claro, sem problemas.

– Mas me diga, Dr. Upshaw, o que já foi feito no caso?

Pela milésima vez, Mark segurou o osso do nariz e se perguntou que diabo estava fazendo. Cerrou os dentes e disse:

– Bem, no momento os registros médicos estão sendo avaliados pelo nosso especialista. Devemos receber o parecer daqui a alguns dias.

– Quem é o especialista? – indagou Mossberg, como se conhecesse todos os profissionais do ramo.

– Falamos sobre ele depois – disse Mark, recuperando-se.

De um babaca para outro babaca.

– Eu gostaria de ver o parecer dele assim que o senhor receber. Está cheio de peritos ruins por aí, e eu por acaso conheço o melhor. O cara mora em Hilton Head. Já trabalhei com ele várias vezes, com grande sucesso, devo acrescentar.

Ah, por favor, acrescente; eu adoraria ouvir mais sobre os seus sucessos fenomenais.

– Que ótimo – disse Mark. – Me mande o seu contrato e vamos manter contato.

– Claro. E, Dr. Upshaw, não existe ação sem a minha cliente, entendeu? Asia sofreu muito por causa disso e estou decidido a conseguir cada centavo de indenização a que ela tenha direito.

Para cima deles, Super-homem!

– Eu também, Dr. Mossberg – disse Mark. – Tenha um bom dia.

Ele encerrou a ligação e quis jogar o telefone pela janela.

TODD E ZOLA receberam bem a notícia. Mark os encontrou para um almoço rápido num restaurante perto do Fórum Distrital, onde Todd acabara de conseguir a primeira vitória dupla do escritório ao assinar dois casos de embriaguez ao volante numa única sessão do tribunal. Com 700 dólares no bolso, ele insistiu em pagar o almoço e planejou tirar a tarde livre. Embora nenhum dos três quisesse admitir, a perspectiva de honorários tão gordos e fáceis no caso de Ramon era inebriante. E tornava a vida menos urgente. Por que se dar ao trabalho de percorrer as varas penais e os hospitais se o dinheiro de verdade chegaria em breve? Todos os três estavam trabalhando menos horas e passando menos tempo juntos. Não havia atritos, eles só precisavam de um pouco de espaço.

O movimento matinal no Fórum Distrital proporcionava as melhores oportunidades. Em geral, às nove da manhã Mark e Todd já estavam lá. Alguns dias, davam sorte; a maioria, não. Depois de algumas semanas nisso, ambos sabiam que não poderiam durar muito mais tempo. Era difícil entender como Darrell Cromley, Preston Kline e os verdadeiros advogados de porta de cadeia conseguiam passar a carreira inteira espreitando os corredores, prontos para atacar os desavisados. Talvez eles não tivessem outra escolha e esse fosse o único trabalho para o qual estavam adaptados. Talvez tudo ficasse mais fácil pelo fato de eles nunca temerem ser pegos sem licença para advogar.

Zola havia desistido de ir atrás de ambulâncias, embora ainda não tivesse avisado aos sócios. Tinha modificado, refinado e aperfeiçoado seu discurso de uma dezena de maneiras distintas, mas continuava sem fisgar um cliente decente. Era tudo uma farsa muito grande, e sempre que ela mirava algum pobre coitado machucado, sentia-se uma predadora. Longe dos rapazes, estava passando mais tempo nas varas federais, assistindo a julgamentos e argumentações de recursos. Achava aquilo fascinante, mas também um pouco deprimente. Não muitos anos antes, começara a estudar Direito com o sonho de se tornar uma verdadeira advogada. Agora só podia observá-los e se perguntar o que havia acontecido.

– Esse tal de Mossberg vai ficar com metade da indenização? – perguntou ela durante o almoço.

– Não sei – respondeu Mark. – Como a maioria das áreas da nossa prática, isso tudo é novidade. Imagino que a divisão vá ser decidida entre ele e o Jeffrey Corbett.

– Corbett ainda não entrou na jogada – assinalou Todd.

– Não. Nossa hora com ele é dia 19.

– Nossa? – estranhou Todd.

– É. Quero que você vá comigo para tomar notas.

– Quer dizer que você vai ser o advogado e eu o assistente jurídico?

– Associado júnior.

– Nossa, valeu mesmo. E se o Corbett disser não?

– Temos hora marcada dois dias depois com Sully Perlman, o segundo melhor advogado especialista em erro médico da capital. Se der errado com Corbett, a gente procura o Perlman. Se der certo, cancelamos com o outro.

– Você parece saber o que está fazendo – comentou Zola.

– Não tenho a menor ideia, mas estou ficando bem bom em fingir – respondeu Mark.

– Bom, como é que você vai fingir quando alguém no escritório do Corbett ou do Mossberg cavar só um ou dois centímetros abaixo da superfície e se der conta de que a gente não está exatamente habilitado para advogar aqui em Washington, nem em nenhum outro lugar, aliás? É disso que eu não estou gostando nessa história. Nas varas penais, a gente está razoavelmente seguro, porque ninguém parece mais reparar na nossa presença e nossos clientes com certeza não estão nem aí para o fato de estarmos ou não fingindo. Mas isso daí é outra história. É uma ação importante, na qual as pessoas vão estar prestando atenção.

– Eu concordo – disse Zola. – Tive uma ideia. Não sei se vai dar certo, porque, bom, a gente não tem a menor ideia de nada, né? A gente estudou na Foggy Bottom. Mas digamos que um dia o caso se encerre com uma indenização de 2 milhões, o valor máximo possível na Virgínia. Os advogados ficam com um terço.

Mark ergueu uma das mãos e disse:

– Desculpe interromper, mas provavelmente vão ser 40%. Eu li alguns casos em que a corte aprovou 40% porque havia muitos advogados envolvidos e o caso era complexo. Podem apostar que o Corbett e o Mossberg vão pedir 40%. Ramon não vai ter escolha.

– Ótimo, digamos 40% – retomou Zola. – Corbett e Mossberg vão repartir o dinheiro, então cada escritório vai ficar com 400 mil. A gente fica com metade da parte do Corbett, ou seja, 200 mil. Minha ideia maluca é: e se a gente sentasse com o Corbett e oferecesse vender nossa parte para ele agora, já de cara, e saísse de cena antes de alguém ficar curioso e começar a investigar?

– Por quanto? – perguntou Mark.

– Metade. Damos um desconto de 50% e saímos com 100 mil. – Ela estalou os dedos. – Simples assim. Ganhamos o dinheiro agora e não precisamos nos envolver com o caso nem nos preocupar em sermos pegos.

– Brilhante – falou Todd. – Gostei. Dá para vender parte de uma ação na justiça?

– Eu pesquisei bastante e não encontrei nenhuma proibição ética contra isso – afirmou Zola.

– Não é um plano ruim – disse Mark. – Podemos conversar com o Corbett.

MARK RECEBEU MAIS uma mensagem de Morgana Nash, da NowAssist:

Caro Mark Frazier,

Sou eu de novo, só para ter notícias. Como estão indo as aulas neste semestre? Algum plano para o feriado da primavera? Espero que você esteja a caminho da Flórida ou de alguma praia por aí. Da última vez em que conversamos, você estava deprimido e desanimado com a faculdade. Espero que as coisas tenham melhorado. Precisamos conversar sobre um plano de pagamentos num futuro bem próximo.

Por favor, me escreva assim que puder.

Última parcela: 13 de janeiro de 2014, US$32.500. Dívida total, principal e juros: US$266.000.

Atenciosamente,
Morgana Nash,
Representante do Setor Público

Mark não a deixou sem resposta.

Cara Sra. Nash,
No meu último e-mail, eu lhe pedi com toda a delicadeza para me deixar em paz, porque eu estou fazendo terapia e o meu terapeuta não gosta nem um pouco da senhora. Ele diz que meus empréstimos são tão gigantescos e minha dívida tão sufocante que eu poderia estar à beira de um grave colapso emocional. Segundo ele, estou frágil. Por favor deixe-me em paz ou não vou ter outra alternativa senão pedir para o meu terapeuta entrar em contato com o seu advogado.

Atenciosamente,
Mark Frazier

Todd teve notícias de Rex Wagner, da Scholar Support Partners:

Prezado Sr. Lucero,
Já tive o privilégio de ajudar centenas de universitários com seus empréstimos, de modo que já vi de tudo na vida. Não é infrequente uma pessoa como o senhor – desempregada – tentar me ignorar. Sinto muito, mas eu não vou sumir, nem eu nem a sua dívida. Precisamos conversar sobre um plano de pagamento, nem que seja para combinar de adiá-lo até o senhor arrumar um emprego.
Por favor, entre em contato quanto antes.

Última parcela: 13 de janeiro de 2014, US$32.500. Total principal e juros: US$195.000.

Atenciosamente,
Rex Wagner,
Consultor de Empréstimos Sênior

Ao que Todd respondeu prontamente:

Prezado Consultor de Empréstimos Sênior Wagner, da SS,
Quando você sente a armadilha se fechando, começa a pensar em maneiras de escapar. Medidas desesperadas, uma das quais é largar os estudos e se esconder. A outra é encarar a inadimplência de frente e acabar logo com isso. Quer dizer que eu estou na lista de inadimplência? E daí? Como tenho certeza de que o senhor sabe, mais de um milhão de universitários ficaram inadimplentes no ano passado. Foram todos processados, mas nenhuma sentença foi executada. Ou seja, o senhor pode me processar, mas não pode me matar, certo? Pode arruinar meu crédito pelo resto da vida, mas o lance é o seguinte: depois de lidar com a sua empresa e com a faculdade de Direito, para mim chega de dívidas.
Acabou, para sempre. Vou viver o resto da minha vida sem dívidas.

Seu amigo,
Todd Lucero

Zola também recebeu um e-mail de Tildy Carver, da LoanAid:

Oi, Zola.
Faltam só dois meses, e sei que você deve estar animada para se formar. Você merece! Seu trabalho árduo e sua perseverança a fizeram chegar até aqui e você vai ser recompensada. Meus parabéns! Sei que sua família está orgulhosa. Que tal uma atualização quanto ao quesito emprego? Precisamos conversar e dar início ao processo para esboçar em linhas gerais o seu plano de reembolso.

Estou à sua disposição.
Atenciosamente,
Tildy Carver,
Consultora de Empréstimos Sênior

Última parcela: 13 de janeiro de 2014, US$32.500. Dívida total: US$191.000.

Zola aguardou uns dois dias e finalmente respondeu:

Cara Sra. Carver,

Infelizmente não há nada a informar. Eu não posso comprar um emprego. Vou continuar comparecendo a entrevistas até a formatura – e depois a mais algumas. Se a minha falta de sorte continuar, provavelmente vou conseguir emprego num escritório de contabilidade.

Se isso acontecer, avisarei imediatamente.

Tudo de bom,

Zola Maal

26

O escritório de Jeffrey Corbett ocupava os dois últimos andares de um belo prédio envidraçado perto de Thomas Circle. No saguão elegante, um porteiro uniformizado acompanhou Todd e Mark até o "elevador do Dr. Corbett", um elevador exclusivo que só atendia o sétimo e o oitavo andar. Quando a porta se abriu, eles adentraram uma esplendorosa recepção cheia de móveis minimalistas e obras de arte contemporânea. Uma jovem bonitinha os cumprimentou com apertos de mão e perguntou se eles aceitavam café. Ambos a observaram se afastar. Quando ela voltou com os cafés, servidos em porcelana de boa qualidade, seguiram-na até virarem numa quina, onde ficava uma sala de reunião com uma ampla vista para o centro da cidade. Ela os deixou ali, e os dois a observaram afastar-se pela segunda vez.

A mesa era comprida, larga, forrada de couro bordô. À sua volta estavam dispostas dezesseis cadeiras de couro elegantes. As paredes exibiam mais obras de arte. Até ali, o escritório transmitia a sedutora sensação de sucesso e riqueza.

– É assim que se advoga – disse Todd, admirando a decoração.

– Bom, a gente jamais vai saber.

O Dr. Corbett tinha o seu próprio jeito de fazer as coisas. Às três da tarde, Mark e Todd se reuniriam com um advogado associado chamado Peter e uma estagiária chamada Aurelia. Os dois passariam mais ou menos uma hora revisando a pilha de documentos médicos de Ramon e o parecer do Dr.

Koonce. Os registros médicos e o parecer ainda estavam na pasta de Mark. Ele havia sugerido mandá-los antes, mas não era esse o protocolo do escritório.

Caso a reunião preliminar corresse bem, o Dr. Corbett então abriria espaço na sua atribulada agenda para fechar o negócio.

Peter entrou e se apresentou. Tinha uns 35 anos e, segundo o site, ainda era associado. O escritório tinha quinze advogados, mais ou menos a metade deles sócios, mas estava claro, mesmo na internet, que havia apenas um chefe. Peter estava vestido de modo casual, com um suéter de cashmere caro e uma calça de sarja bege. Aurelia, a estagiária, estava de calça jeans. Todos foram devidamente apresentados.

Peter ficou curioso em relação ao escritório deles, e em segundos Mark e Todd já estavam em território arriscado. Contaram a história habitual: três amigos que se cansaram dos escritórios maiores e decidiram se aventurar por conta própria. Assim que foi possível, Mark indagou:

– Quer dizer então que vocês pegam muitos casos de partos que deram errado?

– É só isso que nós fazemos – respondeu Peter, presunçoso, enquanto Todd lhes passava cópias do parecer do Dr. Koonce.

Aurelia ainda não tinha dito nada, e já estava claro que falaria o menos possível.

– Posso ver os registros? – pediu ele, encarando os documentos sobre a mesa diante de Mark.

– Claro.

– Vocês trouxeram quantas cópias?

– Uma só.

– Tá. Se importam se a gente tirar outra rapidinho? Aurelia e eu vamos passar os olhos e fazer anotações. Vai mais depressa se cada um tiver a sua cópia.

Mark e Todd deram de ombros. Tanto fazia.

Aurelia se retirou com os papéis. Peter saiu para cuidar de assuntos urgentes na sua sala. Mark e Todd checaram seus celulares e ficaram admirando a vista. Ramon já tinha deixado duas mensagens de voz.

Quinze minutos depois, Aurelia voltou com duas pilhas de papéis. Peter retornou e todos se acomodaram.

– Essa primeira leitura deve levar mais ou menos uma hora – disse. – Fiquem à vontade para permanecer aqui ou podem dar uma volta.

Todd quis perguntar se poderia ir se sentar com a secretária da recepção, mas deixou passar.

– Vamos ficar aqui – disse Mark.

Peter e Aurelia começaram a estudar os documentos e fazer dezenas de anotações. Todd saiu para o corredor e fez uma ligação. Mark mandou e-mails do celular. Os minutos foram passando devagar. Ficou claro para eles que Peter e Aurelia sabiam muito sobre registros médicos.

Meia hora depois, Peter saiu da sala de reunião. Voltou acompanhado por Jeffrey Corbett, um homem esbelto e grisalho na casa dos 50. Mark e Todd haviam lido tanto a seu respeito que tinham a sensação de já conhecê-lo. Ele falava com uma voz grave e aveludada, a qual os jurados supostamente achavam quase hipnótica. Tinha um sorriso caloroso e cheio de carisma. Aquele era um homem em quem se podia confiar.

Ele se sentou na cabeceira da mesa e parou de sorrir. Franziu o cenho para Mark e Todd e disse:

– Vocês pisaram na bola feio.

Mark e Todd também pararam de sorrir.

– Assinaram um contrato com o Sr. Ramon Taper no dia 10 de fevereiro. Contrataram o Dr. Koonce dois dias depois, e no dia 19 de fevereiro ele lhes entregou seu parecer, com data desse dia. Seis dias depois, em 25 de fevereiro, a causa prescreveu. Esse é um caso da Virgínia, e a Virgínia tem um prazo de prescrição de dois anos. Em Maryland são três, aqui no Distrito, cinco. Mas na Virgínia são só dois.

Mark conseguiu dizer:

– Desculpe, mas o parto foi no ano passado. Vinte e cinco de fevereiro de 2013. Está bem aqui, na primeira página do protocolo de internação.

Com uma expressão de desdém, Peter respondeu:

– Sim, mas essa data está errada. É a primeira que a pessoa vê quando olha o prontuário, evidentemente foi a única em que vocês repararam. Vocês e o Dr. Koonce, suponho. Alguém escreveu "2013" em vez de "2012" e pronto, lá foram vocês. O bebê nasceu no dia 25 de fevereiro de 2012.

Sem qualquer necessidade aparente, Corbett acrescentou:

– Koonce é um charlatão, aliás. Ele é testemunha profissional porque não conseguiu ganhar a vida como médico.

Bom, foi ele quem nos deu seu nome, Mark quase deixou escapar, mas estava estarrecido demais para dizer qualquer coisa. Com todo o assombro e ignorância de um aluno de primeiro ano de Direito, Todd olhou para Corbett e perguntou:

– Então o que o senhor está dizendo?

Corbett apontou um dedo na direção dele.

– Eu estou dizendo, filho, que você e o seu escritoriozinho de advocacia ficaram sentados em cima da causa enquanto ela prescrevia, e não tem como reviver essa ação. Vocês cometeram um erro jurídico, e podem apostar essas suas carinhas bonitas que vão ser processados pelo seu cliente. Vocês não têm defesa possível, não têm saída. Esse é o pior pesadelo de um advogado e é imperdoável. Simples assim. Sim, o seu cliente passou quase dois anos sentado em cima da causa, mas isso não é nem um pouco incomum. Vocês tiveram tempo de sobra para se preparar e dar entrada rapidamente num processo para fazer o relógio parar. Isso não aconteceu. – Corbett se levantou e continuou a apontar. – Agora quero que vocês dois peguem esses registros médicos e saiam do meu escritório. Não quero ter nenhuma participação nisso. Está claro no registro que vocês entraram em contato com o meu escritório no dia 27 de fevereiro, depois da data de prescrição. Quando forem processados, não pode haver qualquer dúvida de que o meu escritório só viu essa causa quando já era tarde demais.

Peter e Aurelia também ficaram de pé. Mark e Todd ergueram os olhos para eles, então se levantaram devagar. Mark ainda conseguiu balbuciar:

– Mas o protocolo de internação diz que foi em 2013, ano passado.

Corbett não se deixou comover.

– Se o senhor tivesse estudado o prontuário, Dr. Upshaw, teria percebido que foi em 2012, *mais* de dois anos atrás.

Com certa dramaticidade, Peter fez os documentos originais deslizarem pela mesa, como quem entrega um revólver fumegante. Atarantado, Mark olhou para os papéis e perguntou:

– Então o que nós fazemos agora?

– Não tenho conselho para dar, nunca estive nessa situação – respondeu Corbett. – Mas suponho que vocês devam notificar seus erros e omissões, para deixá-los de sobreaviso. De quanto é a sua cobertura?

Erros e o quê? Cobertura? Mark olhou para Todd, que já estava olhando para ele; estavam ambos inteiramente perplexos.

– Vou ter que verificar – respondeu Mark, ainda balbuciando.

– Faça isso – disse Corbett. – Agora, por favor, saiam e levem seus documentos com vocês.

Peter foi até a porta e a abriu. Mark pegou a pilha de papéis e saiu da sala atrás de Todd. Alguém bateu a porta atrás dele. A secretária bonitinha não estava na mesa quanto eles passaram. Na descida, o elevador com paredes revestidas de carvalho pareceu mais claustrofóbico. O porteiro não se mostrou tão simpático na saída. Os dois não trocaram nenhuma palavra até estarem seguros e trancados dentro do carro de Todd, com os registros médicos de Ramon jogados no banco de trás.

Todd segurou o volante e disse:

– Bom, é a última causa que a gente indica para esse babaca.

Em algum lugar, Mark conseguiu encontrar bom-humor e começou a rir. Para não chorar, Todd também riu, e eles conseguiram continuar rindo até estacionarem atrás do Rooster Bar.

ZOLA OS ENCONTROU no lugar de sempre, com canecas vazias sobre a mesa. Assim que viu os olhos deles, ela soube que eles já estavam ali havia algum tempo. Acomodou-se no assento ao lado de Mark e olhou para Todd na sua frente. Nenhum dos dois disse nada. Por fim, ela perguntou:

– Tá, como foi?

– Você já ouviu falar em seguro contra erros e omissões? – perguntou Todd. – Para advogados?

– Acho que não. Por quê?

– Bom, parece que todo advogado com registro tem um seguro contra erro profissional que as pessoas chamam corriqueiramente de "erros e omissões" – explicou Mark. – E esse seguro vem a calhar quando o advogado pisa na bola e faz alguma coisa realmente grave, tipo ficar sentado em cima de uma causa até ela prescrever e a ação evaporar para sempre. O cliente fica uma fera e processa o advogado, e a seguradora do advogado entra na jogada para defendê-lo. É um seguro bem inteligente.

– Uma pena a gente não ter – disse Todd.

– Com certeza viria a calhar. A gente deixou passar a data de prescrição na causa do Ramon, Zola. A causa prescreveu em 25 de fevereiro, dois anos depois de o bebê morrer. São dois anos na Virgínia. Você aprendeu isso na faculdade?

– Não.

– Somos três. Seis dias depois de eu encontrar Koonce e dois dias antes de eu dar o primeiro telefonema para o Corbett, a causa prescreveu. Não tem como contornar isso nem pôr a culpa em ninguém, a não ser em mim.

– Nós – disse Todd. – O escritório. Um por todos e todos por um, certo?

– Expliquem mais devagar – pediu ela.

– Na verdade, dois dos puxa-sacos dele perceberam quando estavam analisando o prontuário médico – acrescentou Mark. – Foram chamar o chefe; ele disse "fora daqui". Teve uma hora em que eu achei que ele poderia chamar a segurança para nos tirar do prédio.

– Que poço de charme, hein.

– Não posso culpar o cara – disse Todd. – Ele só estava se certificando de que seu escritório não tivesse nada a ver com isso. Não é todo dia que dois palhaços aparecem com uma causa gigante que prescreveu sem os burros terem notado.

Ela aquiesceu e tentou assimilar tudo aquilo. Mark acenou para um garçom e pediu outra rodada.

– E como o Ramon recebeu a notícia? – perguntou Zola.

Mark deu um grunhido e sorriu.

– Ainda não liguei para ele. Acho que você deveria ligar.

– Eu?! Por que eu?

– Porque eu sou um covarde. E você conseguiria se sair bem. Encontrar com ele para beber alguma coisa. Jogar um charme. Ele vai se impressionar e quem sabe desiste de meter na gente um processo de 5 milhões de dólares.

– Você só pode estar de brincadeira – disse ela.

– É, Zola – retrucou Mark. – Estou de brincadeira, sim. Quem vai segurar essa sou eu. Vou acabar encontrando com o Ramon e dando um jeito de contar para ele. Mas o problema de verdade é o Mossberg. Ele está sentado ao lado do telefone esperando para saber o que o nosso especialista vai dizer. Em algum momento, e não vai demorar muito, vou ter de contar a verdade para ele. A causa já era. Ele vai processar a gente em nome da Asia e o nosso disfarce vai cair por terra. Simples assim.

– Por que ele iria nos processar se a gente não tem nem seguro, nem bens? – indagou ela.

– Porque ele é advogado. Ele processa todo mundo.

– Esperem um pouco – disse Todd. – Essa é uma ótima pergunta. E se a gente simplesmente procurar o Mossberg e contar a verdade para o cara? Ele está lá em Charleston, pouco se lixando para o que a gente anda fazendo por aqui. A gente diz que largou a faculdade e está tentando ganhar uns trocados na rua sem ter sido oficialmente aceito na ordem. Estragamos a causa dele, com certeza, e sentimos muito por isso. Somos só um bando de idiotas, certo? Mas por que nos processar quando a gente não tem nada? Por que desperdiçar a papelada? Ele tem várias outras causas.

– Tá, vá você de carro até Charleston – falou Mark. – O meu Bronco não vai dar conta.

– O que vai dizer para o Ramon? – perguntou Zola.

O garçom colocou duas cervejas e um refrigerante na mesa. Mark tomou um grande gole e limpou a boca.

– Para o Ramon? Bom, imagino que contar a verdade a ele pode ser um desastre, então por enquanto vamos continuar com as mentiras. Vou dizer que o nosso especialista não gostou dos fatos, não conseguiu ver nenhuma responsabilidade civil, de modo que a gente está atrás de outro. A gente precisa de tempo, então vamos enrolar o cara. Deixar passar uns meses. Não esqueçam que ele passou dois anos sentado em cima da causa e que vive mudando de ideia.

– Ele não vai desistir agora – interpôs Todd. – Você conseguiu deixá-lo animado.

– Tem outra ideia melhor?

– Não, por enquanto não. Melhor continuar mentindo. Na nossa profissão, sempre que houver alguma dúvida... a ordem é continuar mentindo.

27

Na sexta-feira, 21 de março, dois dias após o início do fim do UPL, Edwin Mossberg ligou duas vezes antes do meio-dia. Mark ignorou ambas as ligações. Estava escondido no café do andar de cima de um sebo velho e abarrotado de livros perto de Farragut Square, matando tempo com a leitura dos jornais que o estabelecimento disponibilizava para os clientes. Todd estava supostamente espreitando os corredores do Fórum Distrital, enquanto estava Zola supostamente acampada numa capela de hospital onde as famílias se reuniam com pastores. Mas Mark duvidava muito que algum dos outros dois estivesse trabalhando muito duro. Seu sonho de uma bolada grande e fácil havia aliviado a pressão e provocado neles uma falsa sensação de segurança.

Agora que o sonho tinha desaparecido de maneira tão dramática, eles estavam sem saber o que fazer. Haviam concordado que era primordial dobrar as apostas e recolher o máximo de dinheiro vivo possível antes de o céu cair sobre a cabeça deles, mas o fracasso tinha acabado com a motivação.

O e-mail de Mossberg caiu feito uma bomba.

Dr. Upshaw,

Liguei duas vezes, mas ninguém atendeu. O senhor está a par do prazo de prescrição daqui?? Minha cliente não tem certeza quanto à data do parto, mas acha que foi por volta desta época do ano, final de fevereiro ou início de março de 2012. Mais uma vez, não estamos com os registros médicos.

Graças à reforma do Direito Civil, o prazo de prescrição na Virgínia é de dois anos, e tenho certeza de que o senhor sabe disso. Por favor, ligue-me assim que puder.

Somando o dinheiro para despesas pessoais tão generosamente emprestado pelo Departamento de Educação e os honorários que eles haviam conseguido amealhar em quase dois meses de exercício não autorizado da profissão, e descontados os investimentos num computador de mesa e numa impressora novos, além de roupas novas, móveis velhos e alimentação, o saldo do Upshaw, Parker & Lane era de quase 52 mil dólares líquidos. Os três sócios concordaram que a empresa podia se dar ao luxo de pagar uma passagem de avião de ida e volta até Charleston.

Mark comprou a passagem no aeroporto Reagan National, fez escala em Atlanta e chegou a Charleston. Pegou um táxi no aeroporto até um antigo armazém no centro da cidade que o Dr. Mossberg e seus sócios haviam transformado num esplêndido escritório com vista para o porto. O saguão era um museu dedicado às proezas dos advogados da casa no tribunal. As paredes estavam decoradas com artigos de jornal emoldurados que detalhavam vitórias e indenizações milionárias. Em um dos cantos estava exposto um aquecedor de água que um dia havia explodido e matado algumas pessoas. Perto de uma janela, uma carabina de caça era exibida sobre um suporte ao lado do raio X de um pino de disparo dentro do crânio de alguém. Uma serra elétrica aqui, um cortador de grama acolá. Após dez minutos no meio dessa carnificina, Mark se convenceu de que não existia produto seguro.

Assim como o escritório de Corbett, o de Mossberg recendia a milhões fáceis e sucesso fenomenal. Como alguns advogados tinham conseguido ficar tão ricos? Onde a carreira de Mark tinha feito a curva errada e saído dos trilhos?

Um assistente foi buscá-lo e o conduziu escada acima até uma sala imensa, onde Edwin Mossberg estava em pé diante de uma janela alta olhando para o porto e escutando ao telefone. Ele franziu a testa para Mark e indicou-lhe com um aceno que se acomodasse num sofá de couro aconchegante. A sala era maior do que todo o terceiro andar onde Mark e Todd estavam atualmente escondidos.

Mossberg finalmente guardou o telefone no bolso, estendeu uma das mãos e, sem sorrir, falou:

– Prazer em conhecê-lo. Onde está o prontuário?

Mark tinha ido sem nada, nem mesmo uma pasta.

– Eu não trouxe – falou. – Nós precisamos conversar.

– Vocês deixaram a causa prescrever, não foi?

– Foi.

Mossberg se sentou do outro lado de uma mesa de centro e o fulminou com o olhar.

– Eu já imaginava. O que o perito falou?

– Que eles estavam no papo. Negligência grave, o pacote completo. Ele também deixou passar a data. Corbett disse que ele era um charlatão... e a causa prescreveu seis dias depois, dois antes de eu fazer a primeira ligação para o escritório do Corbett.

– Jeffrey Corbett?

– É. Conhece?

– Ah, sim. Ele é um bom advogado de tribunal. Quer dizer que vocês simplesmente deixaram 2 milhões em cima da mesa.

– Suponho que sim.

– Qual é o teto da sua cobertura?

– Eu não tenho seguro.

– Está advogando sem seguro contra erros e omissões?

– Sim. Estou também advogando sem licença.

Mossberg inspirou fundo e soltou o ar com um ruído rascante, quase um rosnado. Abanou as mãos e disse:

– Me conte a história toda.

Em dez minutos, Mark contou tudo. Três bons amigos numa faculdade de Direito ruim. Dívidas altas, mercado de trabalho saturado, Gordy e a ponte; o terror da prova da ordem; a insanidade do empréstimo estudantil; a ideia maluca de arrumar clientes nas varas penais; uma bela trepada com uma linda promotora assistente o qual levara a um ótimo acordo para Benson, o qual levara à indicação de Ramon. E aqui estamos.

– E vocês pensaram que não seriam pegos?

– Nós não fomos pegos. O senhor é o único que sabe. E por que iria ligar para isso? Tem causas suficientes com que se manter ocupado. Tem mais dinheiro do que consegue gastar. Está muito longe de Washington, e nós não estamos exatamente tirando honorários do seu bolso.

– Fora essa pequena causa de erro médico.

– Verdade. Nós pisamos na bola. Mas não vamos esquecer o fato de que a sua cliente e o meu cliente ficaram sentados em cima da causa até o final.

– O que vai dizer ao seu cliente?

– Que não houve responsabilidade civil, e não há mesmo. Talvez ele suma, talvez cause problemas. Vamos esperar para ver. Parece que o senhor está com o mesmo problema.

– Não exatamente. Eu não tenho um contrato assinado com a Asia. Em casos de erro médico, filho, nunca assine um contrato de representação antes de ter verificado o prontuário. Ponha isso na lista de coisas que você não aprendeu.

– Obrigado. O que vai dizer para ela?

– Não sei. Ainda não pensei. Ela não é a mulher mais estável do mundo.

– Poderia lhe dizer a verdade e me processar em nome dela, mas por que se dar a esse trabalho? Eu não tenho um tostão furado e simplesmente vou arruinar qualquer sentença. Sinceramente, o senhor não conseguiria nem me localizar em Washington se quisesse. Tem mais gente procurando.

– Mark Upshaw é seu nome verdadeiro?

– Não.

– E Parker e Lane?

– Falsos.

– Nenhuma surpresa. Nós não conseguimos encontrar nenhum registro de vocês nem do seu escritório na lista da ordem dos advogados do Distrito de Columbia. Vocês estão deixando um rastro gigante, filho.

– O senhor ligou para alguém na ordem?

– Acho que não. Um dos meus assistentes investigou um pouco.

– Ficaria grato se vocês parassem de investigar. Eu contei a verdade.

– Então me permita resumir. Vocês largaram a faculdade, adotaram outro nome e estão advogando sem licença, o que constitui crime, e recebendo honorários em dinheiro vivo e sem declarar ao fisco, imagino eu, o que também é crime, e agora estragaram uma linda causa de erro médico que custou ao seu cliente e à minha cliente mais dinheiro do que eles jamais vão ver na vida. Sem falar no calote dos seus empréstimos universitários. Esqueci alguma coisa?

– Um detalhe ou dois, talvez.

– Claro. Mas e aí, o que espera que eu faça?

– Nada. Deixe passar. Me ignore. O que tem a ganhar me denunciando para a ordem do Distrito de Columbia?

– Bom, para começar, seria um bom passo no sentido de sanear nossa profissão. Já temos problemas de sobra sem malandros como vocês fraudando o sistema.

– Eu poderia argumentar que nós fornecemos serviços valiosos aos nossos clientes.

– A Ramon Taper, você quer dizer?

– Não, a ele não. Aos outros. Ramon foi nossa primeira incursão no campo minado do Direito de Responsabilidade Civil, e francamente eu acho que para nós já chega. Vamos nos ater às multas por embriaguez ao volante e deixar os acidentes cabeludos para os caras dos outdoors.

– Bom ouvir isso.

– Estou lhe implorando um favor, Dr. Mossberg. Deixe a gente em paz e pronto. As coisas já estão difíceis o suficiente.

– Saia da minha sala – ordenou Mossberg, levantando-se.

Mark revirou os olhos ao mesmo tempo que seus ombros desabaram.

– Eu acho que já ouvi isso antes – resmungou ele entre dentes.

Mossberg foi até a porta e a abriu com um gesto brusco.

– Fora daqui!

Mark atravessou a recepção, evitou cruzar olhares com quem quer que fosse, e encontrou a escada.

SEU VOO DE volta atrasou em Atlanta, e já era quase meia-noite quando ele chegou ao apartamento. O atraso possivelmente evitou que ele levasse um tiro ou algo próximo disso.

Por volta das nove horas dessa mesma noite, Ramon achou o Rooster Bar e se aboletou no balcão. Todd estava trabalhando como barman. Os clientes do happy hour já tinham ido embora, e uns dez ou doze fregueses assíduos assistiam a uma partida de basquete universitário.

Ramon pediu uma vodca com água tônica e Todd colocou o drinque na sua frente junto com uma tigelinha de amendoim.

– Conhece este cara aqui? – perguntou Ramon, mostrando a Todd o cartão de visitas de um certo Mark Upshaw, do escritório de advocacia Upshaw, Parker & Lane. O endereço era aquele, bem ali onde ele estava sentado: Florida Avenue, 1.504.

Todd espiou o cartão e fez que não com a cabeça. Ele e Mark tinham convencido os outros funcionários do bar a se fingirem totalmente de bobos caso alguém aparecesse com perguntas a respeito deles, de seu escritório ou de sua sede. Até ali, a conspiração tinha dado certo.

– O cara é meu advogado e o cartão diz que o escritório dele é bem aqui, mas isto é um bar, certo?

Sua fala estava um pouco arrastada, e algumas das palavras que ele dizia não estavam totalmente claras.

Todd de repente se interessou pelo cliente e quis saber mais.

– Pode ser que ele esteja lá em cima. Não sei o que funciona neste edifício, mas o senhor não vai encontrar um advogado trabalhando a esta hora da noite.

– O cara está fugindo de mim, sabe? Faz três dias que estou ligando e ele nunca atende.

– Deve estar ocupado. O seu caso é de que tipo?

– Um caso grande.

Ele fechou os olhos e aquiesceu, e Todd se deu conta de que estava mais bêbado do que ele inicialmente pensara.

– Bom, eu digo o que se esbarrar com o cara? Quem está procurando por ele?

– Meu nome é Ramon – disse ele, mal levantando a cabeça.

Ainda não havia tocado na bebida.

Todd respirou fundo e se afastou. Foi até a cozinha e mandou uma mensagem de texto para Mark. *Nosso cliente Ramon está aqui, mamado. Não dê as caras. Kd vc?*

Aeroporto de Atlanta, voo atrasado.

Ligue para ele e diga alguma coisa. Qualquer coisa.

Tá, vou ligar.

Todd voltou para o bar e ficou a alguns metros de Ramon, que não fez qualquer esforço para pegar o celular. Se Mark estava ligando, Ramon não iria atender. Ainda com o cartão de visitas na mão, ele chamou Todd com um aceno e perguntou:

– Aqui está escrito Florida Avenue, certo? Então onde fica o escritório de advocacia?

– Senhor, eu não sei.

– Eu acho que você está mentindo – disse Ramon, mais alto.

– Não estou, não. O senhor tem razão, aqui é a Florida Avenue, mas eu não conheço nenhum escritório de advocacia.

– Bom, eu estou com uma arma no carro, sabe? E se não conseguir justiça de um jeito, posso conseguir de outro. Entende o que estou dizendo? – falou Ramon, mais alto ainda.

Todd meneou a cabeça para outro barman ao mesmo tempo que chegava mais perto de Ramon.

– Olhe aqui, se o senhor vai ameaçar as pessoas, não vamos ter outra escolha senão chamar a polícia.

– Eu preciso encontrar esse cara, tá? Dr. Upshaw, advogado. Ele está com o meu caso e acho que está fugindo de mim. E não chame polícia nenhuma, tá bom?

– Por que não termina seu drinque e eu chamo um táxi para o senhor?

– Eu não preciso de táxi. Estou com meu carro ali fora com uma arma debaixo do banco.

– Essa é a segunda vez que o senhor fala em arma. Isso nos deixa muito nervosos por aqui.

– Só não chame a polícia.

– Já chamamos, senhor.

As costas de Ramon se retesaram e ele arregalou bem os olhos.

– O quê? Por que fizeram isso? Eu não machuquei ninguém.

– Senhor, nesta cidade nós levamos a sério qualquer papo sobre armas.

– Quanto é a bebida?

– É por conta da casa se o senhor quiser sumir daqui.

Ramon desceu da banqueta e falou, a caminho da porta:

– Não sei por que vocês chamaram a polícia.

Todd o acompanhou até lá fora e ficou observando enquanto ele dobrava a esquina e desaparecia. Se ele tinha um carro, Todd não conseguiu ver.

28

No final da manhã de um sábado, Todd acordou na cama de Hadley Caviness pela segunda vez consecutiva e percebeu que ela havia sumido. Esfregou os olhos, tentou se lembrar do quanto havia bebido e chegou à conclusão de que não fora muito. Estava se sentindo ótimo e aproveitou a hora a mais de sono. Ela voltou usando apenas uma camiseta grande e trazendo duas xícaras de café. Eles empilharam os travesseiros e ficaram sentados no escuro.

Havia movimento no cômodo ao lado, um chacoalhar, como se uma cama estivesse tremendo. Seguiram-se gemidos abafados de prazer.

– Quem é? – sussurrou ele.

– Minha colega de quarto. Ela chegou tarde ontem.

– E o amigo dela?

– Não sei. Deve ser um cara aleatório.

– Quer dizer que ela também está nesse lance de caras aleatórios?

– Ah, sim. A gente está numa competição. Quem marcar mais pontos ganha.

– Gostei. Eu conto como um ou dois pontos?

Hadley tomou um gole de café e eles ficaram escutando os barulhos se intensificarem.

– Eu ganho um ponto por você, outro pelo seu sócio.

– Ah, quer dizer que o Mark esteve aqui?

– Até parece. Eu vi vocês dois conversando no tribunal outro dia enquanto você me dava um confere. Quase deu para ler os lábios de vocês. Dito e feito: no dia seguinte você apareceu todo sorrisos.

– Eu confesso. Mark disse que você é ótima de cama.

– Só isso?

– Corpaço, muito agressiva. Agora eu sei por quê. Você e a sua coleguinha estão competindo.

– Nós duas temos 26 anos, estamos solteiras sem vontade nenhuma de tentar o lance da monogamia, estamos livres, leves e soltas numa cidade com cerca de um milhão jovens profissionais do sexo masculino. A coisa virou um esporte.

O parceiro da amiga chegou ao clímax e o chão tremeu, então a cama parou de chacoalhar.

– Essa foi rápida demais – comentou Hadley.

Todd sorriu e perguntou:

– Quer dizer que vocês comparam anotações?

– Claro. A gente faz uma reunião de balanço, principalmente se ela passou a semana inteira fora, dormindo com todo tipo de homem.

– Nem quero saber qual foi o relatório a meu respeito.

– Tive uma ideia. Tem uma casa de bagels aqui na esquina. Vamos lá comer alguma coisa. Eu tenho um gosto bem melhor em matéria de homens do que a minha colega e realmente não quero conhecer o último peguete dela.

– Obrigado, eu acho.

– Vamos lá.

Eles se vestiram depressa e saíram do apartamento sem falar com o outro casal. A casa de bagels estava lotada com a clientela do fim de semana. Eles encontraram uma mesa perto da porta e se espremeram para se sentar. Enquanto mastigavam, Todd falou:

– Você é bonita demais para ir para a cama com metade da cidade, sabia?

Ela olhou em volta.

– Não fale tão alto, tá?

– Estou quase cochichando.

– Por quê, você quer casar, algo assim?

– Ainda não estou pronto para tanto. É que parece estranho uma gata como você estar tão focada nesse esquema aleatório.

– Que comentário machista. Para vocês é tranquilo pegar uma por noite, mas se uma menina bonita faz a mesma coisa ela não passa de uma vadia.

– Eu não chamei você de vadia.

Um rapaz da mesa ao lado relanceou os olhos para eles. Hadley tomou um gole de café e disse:

– Vamos falar de outra coisa. Estou intrigada com o seu escritoriozinho de advocacia. Já conheci você e o Mark Upshaw. Quem é Zola Parker?

– Uma amiga.

– Tá. Ela fica à espreita nas varas criminais feito você e o Mark?

– Ah, não. Ela trabalha com responsabilidade civil.

Todd manteve as respostas curtas e queria mudar de assunto.

– Ela tem licença para advogar?

Todd mastigou seu bagel e estudou os lindos olhos de Hadley.

– Claro.

– Bom, eu fiquei curiosa e fui verificar na ordem. Parece que eles nunca ouviram falar de você, do Mark ou da Dra. Parker. Vocês ainda precisam se inscrever. E os números de registro que estão usando não constam no banco de dados deles.

– Os registros deles são famosos pela confusão.

– Ah, é? Nunca tinha ouvido falar nisso.

– Por que você está tão curiosa?

– Eu sou assim. Você comentou que estudou Direito em Cincinnati. Mark estudou em Delaware. Eu chequei as duas faculdades, e eles nunca ouviram falar de vocês. Já essa Zola alega ter um diploma da Rutgers, mas deu um jeito de passar despercebida pela associação de ex-alunos de lá – falou Hadley com um sorriso irritante de quem sabe tudo.

Todd conseguiu continuar comendo com um ar despreocupado.

– Você gosta mesmo de fuçar a vida alheia, hein?

– Na verdade, não. Nada disso é da minha conta. É que parece estranho, só isso.

Todd sorriu, mas queria arrancar o sorriso da cara dela com um tapa.

– Bom, a gente está contratando, se você algum dia cansar da rotina da promotoria.

– Não tenho certeza de que a gente conseguiria fazer muito trabalho no escritório. Vocês têm um escritório, né? Sei que têm um endereço, mas qualquer um pode afirmar que trabalha num determinado lugar.

– Aonde você está querendo chegar?

– A lugar nenhum. Simples curiosidade.

– Já dividiu essa curiosidade com alguém?

– Não. Duvido que mais alguém tenha reparado. Vocês escolheram o lugar perfeito para advogar, com ou sem registro. Aquilo lá é um zoológico, e ninguém dá a mínima. Mas só um conselho: eu manteria distância do velho Witherspoon, da 7ª Vara. Ele é mais enxerido do que a maioria dos juízes.

– Obrigado. Mais alguém a evitar?

– Na verdade, não. Só não evitem a mim. Agora que estou sabendo do esquemazinho de vocês, vou ajudar quando puder.

– Você é uma fofa.

– É o que todos dizem.

MARK ESTAVA SERVINDO drinques no Rooster Bar quando Todd chegou ao meio-dia. Todd bateu o ponto, vestiu seu avental vermelho oficial e encheu algumas canecas. Na primeira oportunidade, puxou o sócio de lado e disse:

– Houston, temos um problema.

– Só um?

– Eu passei a noite com a Srta. Hadley de novo.

– Seu cachorro. Eu estava procurando ela.

– Eu encontrei primeiro. Nós tivemos uma conversinha hoje de manhã na hora do café. Ela sacou o nosso esquema, sabe que a gente não tem registro, já verificou na ordem. Ela sabe que a gente não estudou Direito.

– Droga.

– Foi minha primeira reação também. Mas pode ser que esteja tudo bem, ela não contou para ninguém e gosta de guardar segredos. Se ofereceu até para ajudar quando possível.

– O que ela quer?

– Mais do mesmo, eu acho. Ela e a colega de quarto estão superfocadas no jogo da pegação aleatória. Quanto mais pontos, melhor.

Mark conseguiu dar uma risada, mas não porque aquilo tivesse graça.

– Será que elas estão ocupadas hoje à noite?

– Aposto que sim. Com outra pessoa.

– Merda! – exclamou Mark, e afastou-se para pegar um pedido. Todd estava secando canecas de cerveja quando o amigo passou rente a ele e completou. – Isso está parecendo o início do fim.

NO FINAL DA noite de domingo, Ramon Taper foi preso por embriaguez ao volante. Foi levado para a Cadeia Central, onde passou a noite na cela dos bêbados. Na segunda de manhã, a namorada apareceu para ver como ele estava. Enquanto esperava, conheceu um certo Darrell Cromley, um advogado simpático que parecia inteiramente à vontade na sala de espera da cadeia. Cromley organizou rapidamente a soltura de Ramon sob fiança. Em frente à cadeia, enquanto ele executava sua rotina padrão de explicar o que vinha a seguir, Ramon falou:

– Escute, cara, eu tenho um advogado, mas ele está me evitando.

– Um advogado para quê? – indagou Darrell, farejando uma oportunidade.

– Eu tenho um caso grande lá na Virgínia, um caso de erro médico. Meu bebezinho morreu no hospital faz uns dois anos, e eu contratei um canalha chamado Mark Upshaw. Já ouviu falar?

– Não, mas tem muitos advogados safados por aí. Não dá para confiar.

– Ele não é grande coisa, eu garanto. Preciso me livrar dele, mas não consigo encontrá-lo. O senhor trabalha com erros médicos?

– É uma das minhas especialidades. Me fale sobre o caso.

29

Dois dias depois, Mark estava sentado na sessão de Sua Excelência Fiona Dalrymple, à espera de uma cliente que iria se declarar culpada de ter roubado numa loja. Como sempre, fingia estar revisando um documento importante enquanto observava os advogados irem e virem conforme seus casos eram anunciados. Aquilo era mesmo um zoológico, e os macacos controlavam tudo. Alguns rostos eram conhecidos, outros ele nunca vira antes, e mais uma vez ele ficou assombrado com a quantidade de advogados necessária para manter as engrenagens da justiça girando. Um fantasma do passado surgiu trajando um terno horrendo e correu os olhos pelo recinto do mesmo jeito que faziam todos os advogados quando queriam ser notados. Foi até a frente do tribunal e conversou com um dos procuradores assistentes, que olhou em volta, viu Mark e meneou a cabeça na direção dele.

Darrell Cromley se aproximou e sentou-se ao lado de Mark. Entregou-lhe um cartão de visitas e disse baixinho:

– Meu nome é Darrell Cromley. E o senhor é Mark Upshaw, certo?

Já nos encontramos antes, pensou Mark, *e isso não pode ser boa coisa.*

– Isso.

– Eu fui contratado por Ramon Taper. Vamos dar um pulinho lá fora e conversar.

Mark olhou de relance para o cartão de visitas. Darrell Cromley, Responsabilidade Civil. Lembrava-se especificamente que o outro cartão era de

Darrell Cromley, Especialista em Embriaguez ao Volante. Ele devia ser um homem de muitos talentos.

No corredor, Darrell foi direto ao assunto ao dar a temida notícia.

– Meu escritório foi contratado pelo Sr. Taper, que teve o infortúnio de ser detido dirigindo embriagado.

Então essa é a conexão. Cromley estacou e observou Mark com atenção.

– Nós já nos encontramos antes? O senhor com certeza parece conhecido.

– Não tive esse prazer. Há muitos advogados por aqui.

– Imagino que sim – respondeu Darrell, ainda não convencido. Tirou uns papéis da pasta surrada e os entregou a Mark.– Aqui está uma cópia do nosso contrato com o Sr. Taper, bem como uma carta dele rescindindo a sua representação. Nós passamos os últimos dois dias investigando o caso de erro médico dele lá na Virgínia, e parece que a causa prescreveu. O senhor sabe disso, não sabe?

– Claro. Nós avaliamos o caso e mandamos um médico revisar o prontuário. Ele disse que não houve negligência. É um beco sem saída.

Mark sentiu uma leve fraqueza nos joelhos e o coração se acelerando.

– Bom, com certeza está morta agora que prescreveu. Vocês deram entrada num processo rápido para contornar a prescrição?

– É claro que não. Não havia responsabilidade civil. Um processo seria perda de tempo.

Darrell balançou a cabeça, frustrado, como se estivesse tratando com um idiota. Mark quis bater nele, mas reconsiderou. Um veterano como Cromley devia brigar muito bem.

– Veremos quanto a isso – disse ele, como um verdadeiro cara durão. – Primeiro eu quero ver o prontuário. Vou mandar um perito de verdade revisar, e se houver qualquer indício de responsabilidade civil você já era, amigo.

– O caso é um beco sem saída, Darrell.

– Se eu fosse o senhor, já iria logo avisando a seguradora de erros e omissões.

– Quer dizer que o senhor processaria um colega?

– Mas é claro, se houver motivo. Já fiz isso antes e farei outra vez.

– Tenho certeza de que sim.

– Me mande os registros médicos, sim?

Nessa hora, uma moça assustada os abordou e perguntou:

– Vocês por acaso são advogados?

Mark estava paralisado demais para falar. Darrell, porém, reagiu depressa. Com a testa franzida, respondeu:

– Claro. Qual é o problema?

Mark se afastou e deixou os dois cuidarem de seus assuntos.

NO ROOSTER BAR, os sócios se reuniram numa mesa o mais afastada possível da clientela de fim de tarde. Mark acabara de concluir sua história sobre Cromley, e os três estavam desanimados.

– E agora, o que vai acontecer? – perguntou Zola.

– Vamos imaginar o pior – sugeriu Mark. – O cenário mais provável é Cromley verificar o prontuário médico e depois mandar outro perito avaliar. Posso protelar por mais alguns dias, mas ele não vai desistir. Se a responsabilidade civil estiver tão clara quanto Koonce afirma, Cromley não vai demorar muito para saber que Ramon e a ex-mulher tinham uma causa muito boa. Como não pode processar os médicos e o hospital, ele não vai ter ninguém para atacar a não ser a gente. Aí vai abrir um processo de 10 milhões de dólares contra o nosso pequeno escritório, e já era. Em algum momento, e não temos como prever exatamente quando, vamos ser desmascarados. Ele vai checar com a ordem dos advogados e descobrir a verdade. A ordem então vai notificar os tribunais e abrir uma investigação. Nossos nomes estão em dezenas de despachos, de modo que não vai ser preciso muito tempo para juntar as peças.

– E vai ser uma investigação penal? – perguntou Zola.

– Sim. Quando começamos, nós sabíamos que advogar sem licença é crime. Não muito grave, mas mesmo assim um crime.

– Mas é um crime, não uma infração.

– É um crime.

– E tem mais uma coisa, Zola – disse Todd. – A gente ia contar para você, mas simplesmente não houve oportunidade.

– Mal posso esperar – falou ela. – Podem falar.

Mark e Todd se entreolharam, e Todd começou:

– Bom, na 10ª Vara tem uma procuradora gatinha chamada Hadley Caviness. Mark a conheceu num bar algumas semanas atrás, e eles ficaram.

Pelo visto ela pega vários caras e gosta de variar. Eu a conheci no tribunal, as coisas foram rolando, e a gente se divertiu um pouco. Duas vezes. Na manhã seguinte, enquanto comíamos um bagel, ela me avisou que já sacou qual é a do nosso escritoriozinho. Disse que tudo bem, que achou engraçado, gosta de guardar segredos e tal, mas nesse ramo não se pode confiar em ninguém.

– Principalmente em advogados fajutos – acrescentou Zola. – Pensei que a gente tivesse combinado de limitar nosso contato com os outros.

– Eu tentei – justificou-se Mark.

– Ela é muito gatinha – emendou Todd.

– Por que não me contaram antes?

– Foi no fim de semana passado – disse Mark. – A gente acha que ela é inofensiva.

– Inofensiva? – repetiu Zola, e revirou os olhos. – Quer dizer que a gente tem a gatinha da Hadley para ficar de olho e Darrell Cromley para se preocupar de verdade.

– Sem esquecer Mossberg lá em Charleston – alertou Mark. – Ele é um babaca e adoraria ferrar com a gente.

– Incrível – disse ela. – Três meses funcionando, e a Upshaw, Parker & Lane vai afundar. – Ela tomou um gole do refrigerante e olhou em volta para o bar. Ninguém disse nada durante algum tempo enquanto cada um lambia as próprias feridas e refletia sobre os passos seguintes. Por fim, Zola falou: – Aceitar essa causa de erro médico foi uma decisão ruim, né? A gente não tinha a menor ideia do que fazer com ela e pisou na bola de verdade. É uma tragédia para a gente, mas pensem no Ramon e na ex-mulher. Por nossa causa, eles não vão ganhar nada.

– Eles passaram dois anos sentados em cima da causa, Zola – rebateu Mark.

– A gente pode ficar para sempre repassando essa história e não vai chegar a lugar nenhum – disse Todd. – Precisamos nos concentrar em amanhã.

Houve outra longa pausa na conversa. Todd foi até o bar, pegou mais duas cervejas e as levou de volta para a mesa.

– Pensem no seguinte – retomou ele. – Quando o Cromley processar a gente por negligência profissional, os réus citados vão ser Todd Lane, Lark Upshaw e Zola Parker. Três pessoas que não existem. Como ele vai conseguir descobrir nossas verdadeiras identidades?

– E estamos supondo que a gatinha da Hadley também não sabe nossos verdadeiros nomes, certo? – indagou Zola.

– É claro que não – respondeu Mark.

– E Mossberg?

– Ele não sabe nada.

– Então ou a gente se esconde, ou a gente foge – propôs ela.

– A gente já está escondido – falou Todd. – Mas vão nos encontrar. Se o Ramon conseguiu chegar tão perto, tenho certeza que investigadores profissionais vão conseguir nos achar. Nosso endereço está em pelo menos um milhão desses cartões de visitas que temos empurrado para as pessoas.

– Nada vai acontecer depressa – disse Mark. – Cromley vai levar um mês ou dois para abrir um processo. A gente vai saber quando isso acontecer porque vai ficar de olho no rol de processos. Aí ele vai se dar conta de que processou pessoas que não existem, e isso vai ferrar ele mais ainda. A ordem dos advogados vai ficar girando em círculos atrás de três advogados fantasmas.

– Imagino que a gente precise ficar longe das varas penais – sugeriu Todd.

– Ah, sim. Esse tempo acabou. Chega de se aproveitar dos pobres e oprimidos.

– E os nossos casos em aberto? A gente não pode simplesmente largar essas pessoas.

– É exatamente isso que a gente vai fazer – disse Mark. – Não podemos fechar esses casos porque não podemos correr o risco de voltar ao tribunal. Esse tempo acabou, repito. A partir de agora não atendemos nenhum telefonema de clientes, nem de qualquer outra pessoa, aliás. Vamos usar celulares pré-pagos para manter contato entre nós e ignorar qualquer outra chamada.

– Eu já estou andando com dois telefones – reclamou Zola. – Agora um terceiro?

– Sim, e precisamos monitorar todos eles para ver quem está à nossa procura – falou Mark.

– E os meus dias de abutre no hospital acabaram? – perguntou ela, e conseguiu dar um sorriso.

– Infelizmente, sim.

– Você não era muito boa mesmo – disse Todd.

– Obrigada. Detestei cada minuto.

Um gerente apareceu e disse:

– Ei, Todd, sobrou para você hoje. A gente está com pouca gente e precisa de você.

– Já estou indo, um segundo – pediu Todd, e acenou para o outro se afastar. Quando ele se foi, retomou. – E aí, pessoal, e agora?

– Agora a gente vai atrás do Banco Swift – respondeu Mark.

– E cava um buraco mais fundo ainda – completou Zola.

E não era uma pergunta.

MORGANA NASH, DA NowAssist, mandou o seguinte e-mail para Mark:

Caro Mark,
Acabo de ser informada pela administração da Faculdade de Direito Foggy Bottom que você foi incluído na lista de desistências. Liguei para lá e soube que não foi a nenhuma aula neste semestre. Isso é muito preocupante.
Por favor, entre em contato imediatamente.

Última parcela 13 de janeiro de 2014: US$32.500; dívida total principal/juros: US$266.000.

Atenciosamente,
Morgana Nash,
Representante do Setor Público

No mesmo dia, à noite, após várias outras cervejas, Mark respondeu:

Cara Sra. Nash,
Semana passada meu terapeuta me internou num hospital psiquiátrico na parte rural de Maryland. Teoricamente eu não posso usar a internet, mas esses palhaços daqui não são muito espertos. Por favor, pode parar de me perseguir. Segundo um dos psiquiatras daqui, eu sou um suicida limítrofe.
Se a senhora me importunar mais um pouco talvez seja a gota d'água.
Por favor, por favor, me deixe em paz!

Um beijo,
Mark Frazier

Rex Wagner, da Scholar Support Partners, escreveu para Todd:

Prezado Sr. Lucero,
Fui informado pela sua faculdade que o senhor agora está sendo considerado oficialmente um "desistente". Liguei para lá e me disseram que o senhor não compareceu a uma aula sequer neste semestre, seu último antes de se formar. Por que um aluno em sã consciência largaria a faculdade de Direito no último semestre? Se o senhor não está na faculdade, posso apenas supor que esteja trabalhando em algum lugar, provavelmente num bar. Um emprego de qualquer natureza sem estar matriculado na faculdade acarreta ou a necessidade de um plano de reembolso ou, na falta deste, um calote. O calote, como estou certo de que o senhor sabe, significa um processo aberto contra o senhor pelo Departamento de Educação.
Queira por favor me contatar imediatamente.

Última parcela: US$32.500, 13 de janeiro de 2014; total devido: US$195.000.

Atenciosamente,
Rex Wagner,
Consultor de Empréstimos Sênior

Enquanto Mark digitava sua resposta para Morgana Nash, Todd disparou uma para o seu consultor de empréstimo.

Prezado Consultor de Empréstimos Sênior Wagner, da SS,
O senhor acertou em cheio com essa pergunta sobre sanidade. O meu mundo ultimamente não tem nada de são, a começar pelas minhas dívidas impagáveis. Tá bom, já era. Acabou a brincadeira. Eu larguei porque odeio a faculdade, odeio o Direito etc. Atualmente estou ganhando cerca de 200 dólares por semana, em dinheiro vivo, como barman. Então, digamos 800 por mês, livre de impostos porque eu ainda não preenchi os formulários. Para manter meu estilo de vida empobrecido, preciso de uns 500 por mês para comida, aluguel, essas coisas. E o senhor deveria ver onde estou morando e o que ando comendo. Analisando esses números, suponho que eu possa concordar com um plano de pagamento da ordem de uns

200 dólares por mês, a começar daqui a seis meses. Sei que o senhor vai apertar imediatamente o botão de "juros" e incluir os cinco por cento ao ano. Cinco por cento de 195 mil são cerca de 9.750 por ano. Vamos arredondar para 10 mil de juros. Com o esquema de reembolso que estou propondo, posso pagar mais ou menos um quarto disso por ano. Os seus cobradores então irão acrescentar ao principal os juros acumulados, e sobre isso aplicar mais cinco por cento ao ano. As contas ficam um pouco mais assustadoras, mas a minha planilha diz que daqui a dois anos eu estarei devendo quase 400 mil dólares. Isso sem incluir todas as tarifazinhas secretas, acréscimos e outras ilegalidades que a SSP foi flagrada acrescentando aos empréstimos estudantis que administra. (Eu li os processos e, caramba, adoraria abrir um também. O senhor e sua empresa deviam ter vergonha... Incluir tarifas ocultas nas costas de universitários já soterrados por dívidas.)

Então, o senhor está disposto a aceitar minha proposta de 200 dólares por mês? Começando daqui a seis meses, claro.

Seu amigo,
Todd Lucero

Pelo visto, o Sr. Wagner estava trabalhando até mais tarde ou, como Todd imaginava, sentado no sofá só de cueca, vendo vídeos pornôs e monitorando os e-mails. Minutos depois, ele respondeu:

Prezado Todd,
A resposta é não. Sua proposta é ridícula. Acho difícil acreditar que uma pessoa inteligente como você vá passar os próximos dez anos preparando drinques. Está cheio de bons empregos por aí, relacionados ao Direito ou não, e se você levantar essa bunda consegue arrumar um. Aí poderemos ter uma conversa séria sobre reembolso.

Atenciosamente,
Rex Wagner,
Consultor de Empréstimos Sênior

Ao que Todd respondeu na mesma hora:

Caro SS,

Ótimo. Retiro minha proposta.

T.L.

A correspondência de Zola foi ligeiramente mais profissional. Tildy Carver, da LoanAid, escreveu:

Cara Zola Maal,

Fui informada de que a senhora desistiu da faculdade de Direito. Um ato dramático desses envolve diversas questões que precisamos discutir. Por favor, ligue ou escreva para mim quanto antes.

Tildy Carver,

Consultora de Empréstimos Sênior

Última parcela, 13 de janeiro de 2014: US$32.500; total principal e juros: US$191.000.

Zola já estava quase dormindo, mas respondeu:

Cara Sra. Carver,

Depois do suicídio do meu amigo, em janeiro, achei impossível continuar a faculdade. Então resolvi tirar um semestre de folga, com o plano de possivelmente retomar os estudos de Direito daqui a mais ou menos um ano. Entrarei em contato com a senhora mais adiante.

Atenciosamente,

Zola Maal

30

Num dia quente de primavera, no final de abril, com as cerejeiras no auge da floração e o ar limpo após uma boa chuva, os sócios se reuniram na sede do escritório para lançar sua última tentativa à prática do Direito. A sede do escritório servia também de sala de estar para Zola, e ao longo dos três meses anteriores ela conseguira acrescentar alguma vida e alguma cor ao seu esconderijo. Tinha pintado os dois cômodos num tom de bege suave e pendurado algumas obras de arte contemporânea. Num dos cantos havia uma pequena geladeira, único sinal de uma cozinha. Sobre uma velha mesa de metal estava pousado um computador de mesa novo, com monitor de 30 polegadas, e ao seu lado uma impressora a laser de alta velocidade. Em duas das paredes estavam penduradas prateleiras vergadas repletas de pilhas de papéis, os frutos de sua diligente pesquisa sobre todos os assuntos relacionados ao Banco Swift.

Cada um dos três tinha entrado como requerente numa ação coletiva distinta contra o banco. Eram agora seis espalhadas pelo país, todas capitaneadas por advogados especializados em processos jurídicos dessa magnitude.

Enquanto isso, o Banco Swift estava na lona, ferido e ensanguentado, e só a duras penas conseguia sobreviver à surra diária que vinha levando. Novas alegações de irregularidades não paravam de surgir. Delatores acusavam a plenos pulmões. Gerentes importantes apontavam dedos. Havia a promessa de indiciamentos. Os acionistas estavam constrangidos, mas também furiosos, pois o valor das ações tinha despencado de 60 para 13 dólares em menos de quatro meses. Rumores circulavam na internet e no noticiário da TV a cabo. O de maior destaque era um boato recorrente de que o Swift não teria outra alternativa senão gastar bilhões para tentar resolver seus problemas.

Essa perspectiva só fez incitar a indústria das ações coletivas.

Quando eles compararam as respostas dos três escritórios que haviam contratado, ficou claro que o estabelecimento de Miami chamado Cohen-Cutler era alguns passos mais rápido do que os outros dois, um localizado em Nova York, o outro em Washington. O Cohen-Cutler tinha uma boa reputação no atribulado universo do contencioso de massa. Era um escritório imenso, com centenas de advogados e bastante mão de obra. Sua papelada era mais eficaz.

Assim, o declinante escritório Upshaw, Parker & Lane tomou a decisão de unir forças com o poderoso Cohen-Cutler.

Sentada diante da mesa com uma xícara de chá na mão, Zola observava o desktop. Todd estava sentado com seu laptop. Mark estava esparramado no chão. Os óculos falsos e as barbas haviam desaparecido, bem como os ternos. Os dias de fórum tinham ficado para trás, não havia mais por que se esconder atrás de disfarces. Eles passariam as semanas seguintes escondidos em cima do Rooster Bar. Não tinham nenhum outro plano além desse.

– Tem uma agência do Swift na Wisconsin Avenue em Bethesda. Vamos começar por lá. Dê uma olhada na lista telefônica de Bethesda. Estamos procurando sobrenomes genéricos que sejam fáceis de escrever errado.

– Achei um – disse Todd. – Sr. Joseph Hall. Manning Drive, 662, Bethesda. Basta trocar o último *l* por um *e*, e ele agora é Joe Hale. Nosso primeiro cliente falso.

Zola abriu um documento copiado dos materiais do Cohen-Cutler. Era conhecido internamente como uma FIR, Folha de Informação do Requerente.

– Data de nascimento? – indagou ela.

– Vamos dar a ele 40 anos de idade – sugeriu Mark. – Nascido em 3 de março de 1974. Casado, três filhos. Cliente do Banco Swift desde 2001. Contas corrente e poupança. Cartão de débito.

Ela foi digitando e preenchendo as lacunas.

– Tá. Número das contas?

– Vamos deixar isso de fora por enquanto. Mais tarde inventamos se for preciso.

– Próximo cliente?

– Ethel Berry, residente à Rugby Avenue, 1.210 – disse Todd. – Troque o *e* de Berry por um *a*, e continuamos com a mesma Ethel Barry.

– É isso aí – confirmou Mark. – Ethel é um nome um pouco antiquado, então vamos dar uns aninhos para ela. Nascida em 5 de dezembro de 1941, dois dias antes de Pearl Harbor. Viúva. Sem filhos em casa. Conta corrente, conta poupança, velha demais para um cartão de débito. Não gosta de crédito.

Zola preencheu as lacunas, e Ethel Barry se tornou uma requerente da ação coletiva.

– O seguinte?

– Ted Radford, Drummond Avenue, 798, Apartamento 4F – respondeu Todd. – Troque o *a* por um *e* e ele é agora Ted Redford, como Robert, o ator.

– E quando foi que Robert Redford nasceu? – perguntou Mark. – Peraí. – Ele apertou algumas teclas, mexeu no mouse e concluiu. – Dezoito de agosto de 1936. Vamos dar ao Ted o mesmo aniversário.

– Robert Redford tem mesmo 77 anos? – perguntou Todd.

– Continuo achando ele um gato – comentou Zola enquanto digitava.

– *Golpe de Mestre* e *Butch Cassidy* são dois dos meus filmes preferidos – disse Mark. – Não podemos ter um Redford sem um Newman.

Todd caçou e digitou.

– Achei um. Mike Newman, mora na Arlington Road, 418, Bethesda. Trocamos o *w* por um *u* e ele é agora Mike Neuman.

Zola digitou enquanto resmungava:

– Ah, que divertido.

Após varrer Bethesda e reunir cinquenta requerentes, o escritório voltou sua atenção para os subúrbios do norte da Virgínia. Havia uma agência do Swift na Broad Street, em Falls Church. A área em volta se revelou profícua, e dezenas de novos clientes falsos foram incorporados à sua ação.

Quando deu meio-dia, eles já estavam entediados e decidiram sair um pouco e ir almoçar. Pegaram um táxi até o Waterfront de Georgetown, onde acharam uma mesinha com vista para o Potomac. Ninguém mencionou Gordy, mas todos os três relembraram sua última visita àquele local. Eles estavam ali perto naquela noite horrível quando viram as luzes piscando ao longe na Arlington Memorial Bridge.

Pediram sanduíches e chá gelado, e todos os três abriram seus laptops. A busca por clientes lesados do Swift continuou.

BEM DEPOIS DE eles já terem terminado de comer, o garçom lhes pediu educadamente que fossem embora, pois precisava da mesa. Eles fecharam os computadores, dobraram a esquina até um café, acharam outra mesa ao ar livre e recomeçaram a operação. Quando incluíram seu centésimo cliente novo, Mark fez a ligação para Miami. Pediu para falar com um litigante sênior do Cohen-Cutler, mas é claro que o figurão estava fora a trabalho. Mark continuou a insistir e acabou sendo transferido para um advogado chamado Martinez, que, segundo o site, operava na linha de frente da causa contra o Swift. Após se apresentar e dizer o nome de seu pequeno escritório, falou:

– Então, nós temos uns cem clientes do Swift, e gostaríamos de entrar na sua ação coletiva.

– Cem? – repetiu Martinez. – O senhor está de brincadeira, não é?

– Não, estou falando muito sério.

– Escute, Dr. Upshaw, o nosso escritório tem hoje quase 200 mil requerentes no caso Swift. Não estamos aceitando indicação abaixo de mil. Arrumem mil clientes, aí podemos conversar.

– Mil? – repetiu Mark, e encarou os sócios com os olhos arregalados. – Tá, vamos trabalhar nisso. Só por curiosidade, qual é a situação geral?

Martinez tossiu e respondeu:

– Não posso dizer grande coisa. O Switft está sofrendo uma pressão gigantesca para fazer um acordo, mas não tenho certeza se os advogados do banco estão entendendo isso. Tem havido muitas informações contraditórias. Mas nós achamos que vai haver acordo.

– Quando?

– Nosso palpite é no começo do verão. O banco quer deixar essa confusão para trás, e tem o dinheiro necessário para fazer a coisa toda desaparecer. O juiz federal encarregado da ação em Nova York está fazendo muita pressão nesse litígio. O senhor deve ter visto as manchetes.

– Claro. Obrigado. Tornaremos a entrar em contato.

Mark pousou o celular junto ao laptop e disse:

– A gente só está começando.

31

A Ordem dos Advogados do Distrito de Columbia tinha quase cem mil inscritos, dos quais mais ou menos a metade trabalhava na cidade. A outra metade estava espalhada pelos cinquenta estados da federação. Como a inscrição e o pagamento da taxa eram obrigatórios, a administração das atividades da ordem era um desafio. Uma equipe de quarenta pessoas trabalhava diligentemente na sede, com endereço na Wisconsin Avenue, para manter atualizados os nomes e endereços dos membros, planejar cursos e seminários de especialização, promulgar diretrizes de ética profissional, publicar uma revista mensal e lidar com questões disciplinares. Reclamações contra juízes e advogados eram direcionadas ao Escritório do Conselho Disciplinar, onde uma certa Margaret Sanchez chefiava uma equipe de cinco advogados, três investigadores e meia dúzia de secretárias e assistentes. Para ser realmente investigada, a reclamação primeiro precisava ser registrada por escrito. No entanto, muitas vezes o primeiro indício de problemas vinha por telefone, em geral trazido por outro advogado, que não queria se envolver demais.

Após várias tentativas, Edwin Mossberg, de Charleston, conseguiu falar com a Dra. Sanchez. Contou-lhe sobre o encontro que tivera com um certo Mark Upshaw, um rapaz que dizia ser advogado, mas que aparentemente estava usando um nome falso. Mossberg havia checado e não conseguira encontrar nenhum registro de tal pessoa na lista da ordem. Nem no catálogo telefônico, nem na internet, nem em nenhum outro lugar, aliás. Ele relatou em linhas gerais a negligência de Upshaw ao deixar prescrever uma causa importante, e sua subsequente ida a Charleston para implorar pelo seu silêncio.

A Dra. Sanchez ficou fascinada pela história. Reclamações de exercício não autorizado da profissão eram raras, e quase todas envolviam assistentes que, de modo proposital ou involuntário, extrapolavam os limites e faziam coisas que apenas seus chefes podiam fazer. Um puxão de orelha rápido em geral os fazia voltar à linha sem qualquer dano significativo para os clientes.

Mossberg relutou em registrar uma reclamação oficial, disse que não tinha tempo para lidar com aquilo, mas que só queria alertar a ordem e avisar que havia um problema. Mandou por e-mail uma cópia do cartão de visitas de Upshaw, com o nome de seu escritório, o endereço na Florida Avenue e um número de telefone. A Dra. Sanchez lhe agradeceu por ter ligado.

A história ficava ainda mais interessante pelo fato de aquele ser o segundo telefonema relacionado ao escritório Upshaw, Parker & Lane. Na semana anterior, um advogado de porta de hospital chamado Frank Jepperson tinha lhe dado a informação extraoficial de que uma certa Zola Parker tentara abordar um de seus clientes numa cafeteria de hospital. A Dra. Sanchez já conhecia Jepperson de duas queixas anteriores relacionadas à sua própria falta de ética. Ele lhe mandara uma cópia do cartão de visitas de Zola Parker.

Sentada diante de sua mesa, a Dra. Sanchez comparou as cópias dos dois cartões de visitas. Mesmo escritório, mesmo endereço, telefones distintos. Uma verificação rápida dos registros da ordem confirmou que nem Mark Upshaw nem Zola Parker tinham inscrição. Ela chamou um membro da sua equipe, Chap Gronski, um assistente do conselho disciplinar, e lhe entregou duas cópias dos cartões de visitas do escritório. Uma hora mais tarde, Gronski voltou após ter feito algumas pesquisas.

– Chequei os róis de casos penais e encontrei catorze nos quais o advogado registrado é Mark Upshaw. Nada sobre Zola Parker. Tem um cara chamado Todd Lane que anda ativo nos últimos três meses, achei o nome dele em dezessete registros. Deve haver mais. O esquisito é que não há nada anterior a janeiro deste ano.

– Está parecendo uma start-up, um escritório recém-aberto na cidade – disse ela. – Era só o que nos faltava.

– Quer que eu abra um dossiê? – perguntou Gronski.

– Ainda não. Não houve reclamação oficial. Quando é a próxima audiência deles no tribunal?

Gronski folheou algumas páginas impressas.

– Parece que Upshaw tem uma audiência de sentença de um cliente acusado de embriaguez ao volante na 16ª Vara às dez da manhã.

– Vá até lá dar uma olhada. Bata um papo com Upshaw e veja o que ele tem a dizer em sua própria defesa.

ÀS DEZ HORAS da manhã seguinte, Chap Gronski estava sentado na sessão do juiz Cantu observando o cortejo. Após o terceiro réu se declarar culpado e receber sua sentença, o oficial de justiça chamou Jeremy Plankmore. Um rapaz sentado na fila de trás se levantou, nervoso, olhou em volta à procura de ajuda e desceu por entre os bancos com um passo hesitante. Quando ele se aproximou sozinho da tribuna do juiz, Cantu perguntou:

– Sr. Plankmore?

– Sim, Meritíssimo.

– Está escrito aqui que o seu advogado é Mark Upshaw. Não o estou vendo aqui no tribunal.

– Não, Meritíssimo, nem eu. Estou ligando para ele há três dias, e ele não atende o celular.

O juiz Cantu baixou os olhos para uma oficial de justiça, que deu de ombros como se não soubesse de nada. Então ergueu os olhos para o procurador assistente, que também deu de ombros.

– Muito bem, queira aguardar, Sr. Plankmore, e eu cuido disso mais tarde. Vamos ver se conseguimos falar com o Dr. Upshaw. Ele deve ter confundido as datas.

Plankmore sentou-se na primeira fila, assustado e sem entender. Outro advogado se aproximou para o ataque.

Gronski atualizou a Dra. Sanchez. Eles decidiram aguardar dois dias, até a audiência seguinte do Dr. Lane no tribunal.

JEREMY PLANKMORE DECIDIU cavar um pouco mais fundo. Com um amigo para garantir, esperou até o meio da tarde e foi ao endereço que constava no cartão de visitas de seu advogado. Upshaw havia lhe cobrado mil pratas, das quais 800 dólares ele tinha pagado em espécie. O restante estava no seu bolso, mas ele não tinha planos de pagar. Na verdade, sua ideia era confrontar o Dr. Upshaw e lhe pedir o dinheiro de volta. No endereço da Florida Avenue, não conseguiu encontrar o escritório de advocacia. No Rooster Bar, ele e o amigo compraram cervejas e conversaram com a bartender, uma moça toda tatuada chamada Pammie. Ela tinha pouco a dizer, principalmente quando Jeremy começou a fazer perguntas sobre Mark Upshaw e um escritório de advocacia naquele endereço. Alegou não saber nada e pareceu se irritar com as perguntas. Jeremy teve a impressão de que ela estava desconversando, e anotou nas costas de um guardanapo de papel seu nome e telefone. Entregou-o para Pammie e disse:

– Se esbarrar com Mark Upshaw, diga a ele para me ligar. Senão eu o denuncio para a ordem dos advogados.

– Como eu já falei, não conheço esse cara – retrucou Pammie.

– Tá, tá bom, se vocês por acaso se conhecerem.

Jeremy e o amigo foram embora.

SENTINDO UM CHEIRO de sorte grande, Darrell Cromley agiu com extraordinária rapidez. Pagou 3.500 dólares para um médico aposentado por um "parecer urgente" sobre os registros médicos de Ramon. Na conclusão, o perito escreveu, numa linguagem mais direta do que a do Dr. Koonce, que "as atitudes tomadas pelos funcionários do hospital e pelos médicos responsáveis ficaram muito abaixo dos padrões aceitáveis de cuidados médicos e constituem uma negligência grave".

Darrell pegou o resumo, grampeou-o ao seu processo de duas páginas e deu entrada em nome de seu cliente Ramon R. Taper contra o advogado Mark Upshaw e seu escritório no Tribunal Regional do Distrito de Columbia. O teor da ação era óbvio: o Dr. Upshaw ficara sentado em cima de uma causa de clara negligência médica e permitira que ela prescrevesse, acabando assim com qualquer chance de indenização do hospital e de seus médicos. Ramon estava pedindo danos reais e punitivos que alcançavam um total de 25 milhões de dólares.

Darrell mandou uma cópia da ação pelo correio para o endereço do Rooster Bar e pagou a um oficial de justiça 100 dólares para entregá-la pessoalmente ao Dr. Upshaw, como mandava a lei. No bar, contudo, o oficial de justiça teve dificuldades para achar o escritório. Imaginou que ficasse em algum dos andares superiores do prédio, onde contou três pisos, mas a única porta visível, na lateral, estava trancada. Dentro do bar, ele se informou, e o gerente lhe disse que aquele escritório de advocacia não existia. Ninguém parecia saber nada sobre Mark Upshaw. O oficial ainda tentou deixar a ação com o gerente, mas ele se recusou terminantemente a aceitá-la.

O oficial passou os três dias seguintes tentando encontrar o escritório ou Mark Upshaw, mas não teve sorte.

Em nenhum momento ocorreu a Darrell Cromley verificar com a ordem dos advogados para ver se Mark Upshaw tinha registro.

O ESCRITÓRIO HAVIA adotado a estratégia da mobilidade. Todo dia de manhã, saía do prédio e percorria a cidade, de cafés em bibliotecas, livrarias e cafés ao ar livre, qualquer lugar em que os sócios pudessem abrir seus laptops e vasculhar a lista telefônica à cata de mais clientes. Um observador poderia ter ficado curioso para saber em que os três estavam trabalhando com tamanho zelo, resmungando baixinho uns com os outros, cantando nomes e endereços enquanto sua coleção de celulares vibrava num coro mudo de ligações ignoradas. A demanda pelos três com certeza era alta, mas apesar disso eles raramente atendiam uma ligação. Esse observador – e não havia nenhum – não teria entendido nada.

CERTA NOITE, JÁ tarde, Todd estava trabalhando no bar, arrumando tudo, enquanto os últimos clientes pagavam suas contas e iam embora. Maynard, que raramente aparecia no Rooster Bar, surgiu da cozinha e perguntou:

– Cadê o Mark?

– Lá em cima – respondeu Todd.

– Mande ele descer aqui. A gente precisa conversar.

Todd sabia que aquilo significava problemas. Ligou para Mark, que estava dois andares acima dele, na sede do escritório, trabalhando na lista telefônica com Zola e acrescentando nomes à sua ação coletiva. Minutos depois, Mark entrou no bar. Os dois seguiram Maynard até uma mesa vazia. O patrão estava com o cenho franzido e de mau humor. Queria respostas.

Maynard jogou um cartão de visitas sobre a mesa e perguntou:

– Já ouviram falar num cara chamado Chapman Gronski? Apelido Chap?

Mark pegou o cartão e sentiu vontade de vomitar.

– Quem é ele? – quis saber Todd.

– Um investigador da ordem dos advogados aqui do distrito – respondeu Maynard. – Já veio aqui duas vezes atrás de vocês dois. Dr. Mark Upshaw, Dr. Todd Lane. Eu não conheço esses caras. Conheço Mark Frazier e Todd Lucero. Então que porcaria está acontecendo?

Como nenhum dos dois soube o que dizer, Maynard jogou um guardanapo sobre a mesa e continuou:

– Um cara chamado Jeremy Plankmore deixou isto aqui ontem, disse que era um cliente e estava procurando seu advogado, um tal de Dr. Mark Upshaw. – Ele jogou outro cartão em cima da mesa. – E este passou aqui três vezes, um baixinho chamado Jerry Coleman. Ele é oficial de justiça a mando de um advogado que quer processar vocês e o seu escritório. – Ele lançou outro cartão em cima da mesa e concluiu. – E este é de um pai que disse que o filho contratou você, Todd, para cuidar de um caso de agressão simples. Disse que você não apareceu no tribunal.

Maynard os encarou e ficou aguardando. Por fim, Mark disse:

– Bom, é uma longa história, mas a gente está meio enrolado.

– Não podemos mais trabalhar aqui, Maynard – concluiu Todd. – Precisamos sumir.

– Você tem toda razão, e eu vou ajudar. Estão demitidos. Não posso ter essa gente aqui importunando os outros funcionários do bar. De toda forma, eles estão cansados de limpar a barra de vocês. Daqui a pouco a polícia vai baixar aqui com todo tipo de pergunta, e nem preciso dizer que a polícia me deixa nervoso. Não sei o que estão aprontando, mas a festa acabou. Fora daqui.

– Eu entendo – disse Todd.

– Será que a gente pode ficar lá em cima por mais um mês? – pediu Mark. – Precisamos de um tempo para finalizar umas coisas.

– Finalizar o quê? Vocês estão tocando um escritório de advocacia falso e agora metade da cidade está atrás de vocês. O que estão pensando?

– Não se preocupe com a polícia – disse Todd. – A polícia não está metida nisso. Digamos apenas que a gente está com alguns clientes insatisfeitos.

– Clientes? Mas vocês não são advogados. Que eu saiba, vocês estão na faculdade se preparando para se formar.

– A gente largou a faculdade – explicou Todd. – E tem fisgado clientes nas varas penais em troca de honorários em dinheiro vivo.

– Isso é bem idiota, se quiserem saber o que eu acho.

Ninguém quer saber o que você acha, pensou Mark, mas deixou passar. E, sim, no momento aquilo parecia bem idiota.

– Nós lhe pagamos mil pratas em espécie por mais trinta dias e você nem vai nos ver – disse ele.

Maynard tomou um gole de água gelada e os fulminou com o olhar.

Abalado, Todd disse:

– Olhe, Maynard, eu trabalho para você faz o quê, uns três anos? Você não pode simplesmente me mandar embora desse jeito.

– Todd, você está demitido. Entendeu? Vocês dois estão. Não tem como eu ficar com isto aqui cheio de investigadores e clientes furiosos. Vocês têm sorte de ninguém ter entrado no bar e reconhecido a sua cara.

– Só trinta dias – pediu Mark. – E você nem vai saber que a gente está aqui.

– Duvido. – Ele tomou outro gole e continuou a fulminá-los com o olhar. Por fim, tornou a falar. – Por que querem ficar aqui se todo mundo sabe o endereço de vocês?

– A gente precisa de um lugar para dormir e terminar nosso trabalho – respondeu Mark. – E ninguém vai conseguir chegar até a gente. A porta que leva lá para cima vive trancada.

– Eu sei. É por isso que essa gente fica aqui no bar importunando os outros funcionários.

– Maynard, por favor – pediu Todd. – No dia primeiro de junho a gente sai.

– Dois mil dólares em dinheiro vivo – disse Maynard.

– Tá, e você continua a nos dar cobertura? – perguntou Mark.

– Vou tentar, mas não estou gostando nem um pouco dessa atenção toda.

32

No Centro de Detenção Federal de Bardtown, os pais e o irmão de Zola foram acordados à meia-noite e instruídos a juntar suas coisas. Cada um recebeu dois sacos de lona para encher com seus pertences; tinham meia hora para se preparar para a viagem. Junto com mais ou menos cinquenta outros africanos, alguns dos quais eles haviam conhecido no centro e sabiam ser principalmente senegaleses, foram postos num ônibus branco sem identificação destinado ao transporte de detentos federais. Foram algemados e assim permaneceram dentro do ônibus. Quatro agentes do ICE fortemente armados, dois deles com metralhadoras, os escoltaram até seus lugares e os instruíram a ficarem sentados em silêncio, sem fazer perguntas. Dois dos agentes se posicionaram na frente do ônibus, outros dois atrás. As janelas de vidro estavam trancadas e protegidos por grossas telas de metal.

Fanta, a mãe de Zola, contou cinco outras mulheres no grupo. O restante eram homens, quase todos com menos de 40 anos. Ela permaneceu estoica e decidida a manter o controle. Apesar das emoções à flor da pele, eles já haviam aceitado tempos antes a realidade da deportação.

Após quatro meses detidos, estavam aliviados por saírem do centro. É claro que prefeririam permanecer no país, mas se viver nos Estados Unidos significava viver numa gaiola, as coisas não poderiam ser muito piores no Senegal.

Passaram quase duas horas viajando em silêncio. Os agentes de vez em quando falavam e riam, mas os passageiros não produziram ruído algum. Placas na rodovia informaram que eles estavam entrando em Pittsburgh, e o ônibus pegou o caminho do aeroporto. A passagem pelos portões de segurança foi liberada e o veículo estacionou dentro de um grande hangar. Um jato de passageiros não identificado aguardava ali perto. Do outro lado do aeroporto, bem longe, podiam-se ver as fortes luzes do terminal. Os passageiros saltaram do ônibus e foram reunidos num canto onde aguardavam outros agentes do ICE. Um a um, os detidos foram interrogados e seus documentos, inspecionados novamente. Uma vez liberados, as algemas foram retiradas e eles puderam pegar suas duas bolsas, cujo conteúdo foi examinado outra vez. O processo avançava devagar. Ninguém estava com pressa, principalmente quem estava a caminho de casa.

Outro ônibus chegou. Uns vinte africanos saltaram, todos com o mesmo ar atordoado e revoltado de quem tinha vindo no primeiro ônibus. A documentação de alguém não estava em ordem, então os outros esperaram. E seguiram esperando. Eram quase cinco da manhã quando um oficial conduziu o primeiro grupo de passageiros até a aeronave. Uma fila se formou atrás deles. Lentamente, eles embarcaram com suas sacolas e foram direcionados para seus lugares. O embarque demorou mais uma hora. Os passageiros ficaram aliviados ao ver que não passariam o voo algemados. Outro oficial leu as regras relacionadas à movimentação durante o voo, ao uso dos sanitários e assim por diante. Sim, eles podiam conversar, mas em voz baixa. Ao menor sinal de problemas, todos seriam algemados. Qualquer perturbação acarretaria a prisão imediata na chegada. Meia dúzia de agentes armados iriam acompanhá-los. O voo duraria onze horas, sem escalas, e alimentação seria fornecida.

Eram quase sete da manhã quando as turbinas do avião começaram a fazer barulho. As portas foram fechadas e trancadas, e um oficial os instruiu a apertarem os cintos. Ele então demonstrou os procedimentos de segurança e emergência. Sacos de papel pardo foram distribuídos a todos os passageiros. Um sanduíche de queijo, uma maçã e um suco de caixinha pequeno. Às 7h20, o avião estremeceu e começou a se mover em direção a uma pista.

Vinte e seis anos após chegarem em Miami como passageiros clandestinos de um cargueiro da Libéria, Abdou e Fanta Maal estavam deixando sua terra de adoção como criminosos rumo a um futuro incerto.

Seu filho Bo, sentado atrás deles, estava deixando o único país que de fato conhecera. Quando o avião decolou, eles se deram as mãos e seguraram o choro.

UMA HORA MAIS tarde, uma assistente social de Bardtown ligou para Zola e deu a notícia de que a sua família estava a caminho de Dacar, no Senegal. Foi uma ligação de rotina, feita para a pessoa de contato indicada por cada detento. Embora Zola soubesse que aquilo iria acontecer, ficou abalada. Subiu até o andar de cima e contou para Mark e Todd, e os dois passaram uma hora tentando consolá-la. Eles resolveram dar uma longa caminhada e achar algo para comer de café da manhã.

Foi uma refeição triste. Zola estava preocupada e apreensiva demais para tocar seu waffle. Todd e Mark estavam genuinamente preocupados com a família dela, mas haviam passado a maior parte da noite em claro, aflitos com a própria situação. Darrell Cromley tinha aberto uma ação bem mais depressa do que eles imaginavam. O Conselho da Ordem estava no seu encalço, sem dúvida alertado por Cromley ou por aquele babaca do Mossberg, de Charleston. Não que isso importasse muito; sua pequena farsa havia chegado ao fim. Eles se sentiam mal por muitas coisas, mas o que mais os incomodava eram os clientes que estavam deixando na mão. Aquelas pessoas tinham confiado neles, tinham pagado, agora estavam sendo enganadas e seriam sugadas outra vez pelo sistema.

Enquanto eles comiam e observavam Zola, ela pegou seu telefone e ligou pela segunda vez para Diallo Niang. O fuso horário de Dacar, no Senegal, ficava quatro horas à frente, e o dia de trabalho estava no auge. Mais uma vez, Diallo Niang não atendeu o celular, e ninguém atendeu a linha fixa do escritório. Em troca do sinal de 5 mil pago por Zola semanas antes, Niang concordara em receber seus parentes no aeroporto, organizar um lugar temporário para ficarem e, o mais importante, manter as autoridades satisfeitas. Ele alegara ser especialista em questões de imigração e saber exatamente o que fazer. Quando não conseguiu falar com ele ao telefone, Zola ficou histérica.

Com tantas pessoas à sua procura, voltar para seu endereço não era uma boa ideia. Eles andaram alguns quarteirões, encontraram um Starbucks, compraram cafés, abriram seus laptops e voltaram à lista telefônica.

A busca por mais clientes falsos lhes dava algo para fazer, alguma outra coisa em que pensar.

À MEDIDA QUE a monotonia do voo se prolongava, os passageiros foram ficando menos discretos e mais falantes. Quase todos afirmavam ter algum amigo ou parente à sua espera na chegada, embora a incerteza fosse palpável. Ninguém sequer fingia otimismo. Eles haviam passado anos em outro país e não tinham nenhum documento de identidade válido, pelo menos não no Senegal. Aqueles que possuíam carteiras de habilitação americanas falsas tinham sido forçados a entregá-las. A polícia de Dacar era famosa pela dureza com que tratava os retornados. Sua atitude era simples: se você não quer estar aqui, quem precisa de você? Os Estados Unidos o estão expulsando, então na verdade ninguém o quer. Os recém-chegados muitas vezes eram tratados como párias. Moradia e empregos eram difíceis de conseguir. Muitos de seus conterrâneos, embora sonhassem em emigrar para os Estados Unidos e para a Europa, zombavam daqueles que haviam tentado e fracassado.

Abdou e Fanta tinham parentes espalhados por todo o país, mas não podiam confiar neles. Ao longo dos anos, tinham sido contatados por diversos irmãos e primos querendo ajuda para entrar ilegalmente nos Estados Unidos. Não tiveram meios ou vontade de se envolver. Já era perigoso o suficiente viver sem documentação. Por que arriscar ser detido ajudando os outros?

Agora que eles precisavam de ajuda, não havia ninguém em quem pudessem confiar. Zola lhes garantira que Diallo Niang havia recebido um adiantamento e cuidaria deles. Os três estavam rezando fervorosamente pela intervenção e ajuda dele.

Eles voaram em direção ao sol e entraram de novo na noite. Após onze horas e mais duas rodadas de sacos de papel pardo com comida, o avião começou a descer rumo a Dacar, e mais uma vez a atmosfera a bordo se tornou sombria. Seu voo de volta se encerrava à meia-noite, uma aventura de 24 horas que nenhum deles queria. A aeronave taxiou até o terminal principal e parou no último portão de um terminal comprido. As turbinas foram desligadas, mas as portas permaneceram fechadas. Um oficial do ICE explicou que, uma vez dentro do terminal, eles seriam entregues a oficiais senegaleses, fora da jurisdição americana. Boa sorte.

Quando as portas enfim se abriram, eles pegaram suas sacolas e desceram do avião pela rampa num passo arrastado. Dentro do terminal, foram conduzidos até uma grande área aberta separada por uma fila de policiais uniformizados. Havia policiais por toda parte, e nenhum se mostrou sequer remotamente simpático. Um oficial de terno começou a ladrar instruções em francês, idioma oficial do Senegal.

Quatro meses antes, quando haviam sido presos e a expulsão parecia provável, Abdou e Fanta tinham voltado a falar seu francês natal. Após 26 anos tentando evitar a língua e dando duro para aprender inglês, no início tiveram dificuldade. Mas o francês acabou voltando, e talvez o único aspecto positivo de sua detenção tivesse sido a redescoberta de um idioma que eles amavam. Bo, por sua vez, não chegara a aprender francês em casa, e tampouco fora incentivado a aprender na escola. No início não falava uma palavra sequer, mas em Bardtown acabara ficando muito motivado. Após quatro meses falando francês sem parar com os pais, estava razoavelmente proficiente.

O oficial, porém, falava depressa e com um vocabulário completo. A maioria dos refugiados estava um tanto enferrujada, e achou difícil entender. O processamento começou com a polícia revisando a papelada americana. Um oficial chamou os Maals com um aceno e fez perguntas. De que região do Senegal eles vinham? Quando tinham ido embora? Por que tinham ido embora? Onde Abdou trabalhava antes de sair do Senegal? Quanto tempo eles haviam passado nos Estados Unidos? Haviam deixado algum parente lá? Tinham parentes em Dacar, em alguma outra cidade, na zona rural? Onde planejavam morar? As perguntas eram incisivas; as respostas, recebidas com desdém. Em vários momentos, o oficial avisou a Abdou que era melhor ele dizer a verdade. Abdou lhe assegurou que estava dizendo.

Bo reparou que outros deportados estavam sendo escoltados para longe daquela zona até um lugar mais adiante no terminal, onde pessoas aguardavam. Obviamente os mais sortudos estavam sendo liberados para encontrar seus amigos e familiares.

O oficial indagou se eles tinham algum contato em Dacar. Quando Abdou disse o nome de Diallo Niang, seu advogado, o oficial quis saber por que eles precisavam de um. Abdou tentou explicar que sua filha nos Estados Unidos lhes providenciara um advogado porque eles não tinham família com quem contar. O oficial examinou uma folha de papel e disse que o Dr. Niang não havia entrado em contato com a polícia. Ele não estava à sua espera. O oficial apontou para uma fileira de cadeiras, disse-lhes para esperar ali e andou até um homem de terno.

Uma hora transcorreu, durante a qual a polícia escoltou outros passageiros como eles para fora daquela área. Quando restavam apenas uns dez ou doze, o homem de terno foi até os Maals e falou:

– O Dr. Niang não está aqui. Quanto dinheiro vocês têm?

Abdou se levantou e respondeu:

– Uns quinhentos dólares americanos.

– Ótimo. Podem pagar um quarto de hotel. Sigam aquele agente. Ele vai levá-los.

O mesmo policial meneou a cabeça, e os três pegaram suas bolsas. Ele os conduziu pela saída do terminal até um estacionamento, onde uma van da polícia aguardava. Sentou-se com eles no banco de trás, passou vinte minutos sem dizer nada enquanto eles andavam pelas ruas vazias, e lhes disse para saltarem em frente a um hotel sujo de cinco andares. Diante da porta principal, falou:

– Vocês vão ficar aqui porque a cadeia está lotada. Não saiam sob hipótese alguma. Voltaremos para buscá-los daqui a poucas horas. Alguma pergunta?

Seu tom deixava poucas dúvidas de que perguntas não eram bem-vindas. Nessa hora, eles se sentiram gratos por estarem onde estavam, e não na cadeia.

O policial os encarou como se algo mais precisasse ser dito. Acendeu um cigarro, soprou a fumaça e disse:

– E eu gostaria de ser pago pelos meus serviços.

Bo olhou para o outro lado e não falou nada. Abdou pousou suas bolsas no chão e respondeu:

– Claro. Quanto?

– Cem dólares americanos.

Abdou levou a mão ao bolso.

O FUNCIONÁRIO DA recepção estava dormindo na cadeira, e pareceu irritado ao ser incomodado àquela hora. No início disse que não havia nenhum quarto disponível; o hotel estava lotado. Abdou supôs que o hotel e a polícia estivessem mancomunados e que a história de que não havia quartos vagos fizesse parte da encenação. Explicou que sua mulher estava doente e que eles precisavam dormir em algum lugar. O recepcionista examinou a tela de seu computador e conseguiu encontrar um quarto pequeno, a preço cheio, naturalmente. Abdou pareceu não se abalar e seguiu conversando com todo seu charme. Disse que só tinha dinheiro americano, o que não era aceito, claro. Apenas francos CFA. Fanta deu um jeito de parecer que poderia desmaiar a qualquer momento. Bo estava com dificuldade para acompanhar o diálogo em francês, mas sua vontade era pular por cima do balcão e esganar o sujeito. Abdou se recusou a aceitar um não como resposta e praticamente implorou por um quarto. O funcionário cedeu um pouco e disse que havia um banco na mesma rua. Eles poderiam ir para o quarto, mas pela manhã bem cedo ele queria seu dinheiro em moeda local. Abdou prometeu e lhe agradeceu profusamente. O recepcionista, relutante, entregou-lhe uma chave.

Abdou perguntou se eles poderiam usar o telefone e ligar para os Estados Unidos. De jeito nenhum. Quando o quarto estivesse pago, o telefonema seria autorizado, mas só se fosse pago antecipadamente. Eram quase três da manhã no horário local quando eles entraram no quarto pequeno e abafado no terceiro andar, onze da noite nos Estados Unidos. Encostada na parede dos fundos havia uma cama de solteiro estreita. Pai e filho insistiram para Fanta ficar com ela. Ambos dormiram no chão.

ZOLA ESTAVA ACORDADA às três da manhã, pois dormir era impossível. Tinha passado a noite inteira trabalhando e telefonando, mandando mensagens de texto e e-mails para Diallo Niang, mas não conseguira nenhuma resposta. Quando seu telefone bipou com a ligação de um número desconhecido, ela pulou para agarrá-lo. Era Bo, e por alguns segundos ouvir a voz do irmão foi um alívio. Ele lhe contou uma versão rápida do que acontecera, disse que não havia sinal do advogado e que a polícia acabara de sair do hotel com Abdou.

– Você e mamãe estão seguros?

– Bem, ainda não estamos presos. Eles disseram duas vezes que só podemos ficar neste hotel porque a cadeia está lotada. Devem ter encontrado um lugar para o papai. Não podemos sair do hotel.

– Já liguei para o advogado cem vezes – disse ela. – Tentou ligar para ele daí?

– Não. Estou usando o telefone da recepção, e o recepcionista está me encarando e prestando atenção em cada palavra. Ele não gosta que usem o telefone dele, mas eu implorei para fazer só essa ligação.

– Me dê o número e vou pensar em alguma coisa.

Bo devolveu o telefone ao recepcionista, em seguida encontrou um café perto do saguão. Comprou dois croissants e cafés e levou até o quarto, onde ficou sentado com Fanta na penumbra. Sua mãe sentiu-se aliviada por ele ter falado com Zola.

Eles comeram e tomaram o café, e mais uma vez ficaram esperando a batida na porta.

33

Às dez da manhã, Zola tinha tomado a decisão de ir para o Senegal. Os três estavam sentados no café da livraria Kramer Books em Dupont Circle, com os laptops abertos e papéis espalhados pela mesa como se trabalhassem ali todos os dias, só que não estavam trabalhando, pelo menos não como falsos advogados.

Passaram a manhã discutindo alternativas. Mark e Todd entendiam totalmente sua necessidade de ir, mas o temor evidente era ela ser detida e não a deixarem voltar. Seu pai já estava preso. Fanta e Bo talvez fossem se juntar a ele em breve. Se Zola aparecesse lá e causasse problemas, qualquer coisa poderia acontecer. Ela argumentou que era cidadã americana, tinha um passaporte válido, e como não era mais preciso visto para estadias inferiores a noventa dias, podia partir sem demora. Disse que iria notificar a embaixada senegalesa em Washington sobre seus planos e, se qualquer pessoa em Dacar tentasse impedi-la de voltar para casa, entraria em contato com a embaixada americana de lá. Via pouco risco de ser detida, mas, nas atuais circunstâncias, estava disposta a aceitá-lo.

Mark lhe sugeriu esperar um ou dois dias e tentar achar outro advogado em Dacar. Eles encontraram vários na internet, muitos em escritórios que pareciam antigos e com boa reputação. De fato, alguns pareciam tão promissores que Todd brincou sobre montar um escritório lá quando eles fossem obrigados a fugir dos Estados Unidos.

– Tem muitos brancos no Senegal? – perguntou ele.

– Claro – respondeu Zola. – Dois ou três.

– Gostei – disse Mark, esforçando-se para fazer um pouco de humor. – Uma filial estrangeira do Upshaw, Parker & Lane.

– Para mim chega desse escritório – falou ela, conseguindo dar um sorriso.

No entanto, não lhe agradava a ideia de mandar dinheiro outra vez para alguém que não conhecia. Os dois lhe garantiram que dinheiro não era um problema. A conta do escritório tinha 50 mil dólares e estava toda disponível. Zola ficou tocada com a sua generosidade e prontidão em ajudar e pela primeira vez revelou a existência do pequeno pé de meia que vinha juntando exatamente para uma situação como aquela. Os dois ficaram impressionados por ela ter conseguido poupar mais de 16 mil dólares durante a faculdade. Nunca tinham ouvido falar numa coisa dessas.

Na verdade, não podiam culpá-la por querer sair da cidade. Eles estavam sendo processados por seus senhorios por terem largado os apartamentos em janeiro. Darrell Cromley acabara de atacá-los com uma ação de 25 milhões por erro jurídico grave. O governo federal em breve se juntaria à dança cobrando-lhes uma soma próxima a 600 mil dólares. Dezenas de clientes irados estavam à sua procura. Oficiais de justiça dos tribunais não paravam de ligar. Maynard os tinha demitido, de modo que eles estavam genuinamente desempregados. E o problema mais urgente era a investigação do Conselho da Ordem. Era apenas uma questão de tempo para suas verdadeiras identidades serem reveladas e eles também terem de sair da cidade.

Os três pegaram o carro e foram até o Rooster Bar, onde os rapazes ficaram vigiando a porta enquanto Zola subia correndo e fazia a mala. Passaram no seu banco, onde ela sacou 10 mil dólares da conta poupança. Como o banco não podia fazer a conversão para francos CFA, eles descobriram uma casa de câmbio perto da Union Station. Numa loja de telefones, pagaram 390 dólares por quatro celulares GSM internacionais desbloqueados com chips, câmeras fotográficas, Bluetooth, teclado completo e plenamente otimizados para redes sociais. Ficariam com três e deixariam o quarto com Bo, se possível. Às 16h30, foram de carro até Dulles e chegaram ao balcão da Brussels Airlines. Usando um cartão de crédito antigo, Zola pagou 1.500 dólares por uma passagem de ida e volta para Dacar, com escala de quatro horas em Bruxelas. Se não houvesse atrasos, chegaria em Dacar por volta das quatro da tarde do dia seguinte, após 18 horas de viagem.

No controle de segurança do embarque, os três se abraçaram forte e choraram. Todd e Mark ficaram olhando até Zola desaparecer no meio de uma multidão de outros viajantes.

Voltaram para a cidade e, num impulso, foram assistir a uma partida do Nationals.

ÀS NOVE HORAS da manhã seguinte, quando Zola estava em algum lugar entre a Bélgica e o Senegal, Mark e Todd foram até o grêmio estudantil no campus da American University e encontraram uma mesa numa cafeteria meio vazia. De jeans e mochila, pareciam-se com todos ali. Compraram cafés e ficaram à vontade, como se estivessem se acomodando para estudar seriamente. Mark pegou um de seus telefones e foi até uma parede de janelas com vista para o campus. Ligou para o escritório Cohen-Cutler em Miami e pediu para falar com um advogado chamado Rudy Stassen. Segundo o site do escritório, Stassen era um dos vários sócios do Cohen-Cutler no comando da ação envolvendo o Banco Swift. Uma secretária informou que o Dr. Stassen estava em reunião. Mark falou que era importante e iria aguardar. Dez minutos depois, Stassen disse alô.

Mark se apresentou como um advogado de Washington e disse ter 1.100 clientes do Swift que já haviam assinado e estavam prontos para entrar numa das seis ações coletivas.

– Bem, o senhor veio ao lugar certo – disse Stassen, rindo. – Estamos processando feito loucos. Na última contagem eram 200 mil litigantes. Seus clientes são de onde?

– Todos da região de Washington – respondeu Mark enquanto pousava o celular na mesa e sentava-se de frente para Todd. Pôs a chamada no viva-voz e abaixou o volume. – Estou pesquisando por aí em busca do melhor acordo. Quanto vocês estão cobrando de honorários?

– Não temos certeza. Nós achamos que os honorários advocatícios vão ser negociados separadamente. Até agora, temos contratos de 25% com nossos clientes, e vamos ficar com mais 8% do valor bruto da indenização. Tudo dependendo da aprovação do juiz, claro. Como o senhor se chama mesmo, Upshaw? Não estou encontrando nenhum site.

– Eu não tenho site – disse Mark. – Consegui os clientes por mala direta.

– Certo. Isso é estranho.

– Funciona. O que pode me dizer sobre as negociações?

– Estão paradas, por enquanto. O Swift está alegando, na mídia é claro, que deseja fazer um acordo e deixar tudo isso para trás, mas os advogados do banco estão fazendo corpo mole. Estão inchando loucamente a causa e cobrando milhões de honorários, o de sempre. Mas nós ainda achamos que o banco vai capitular e fechar um acordo. O senhor quer entrar? Disse que está pesquisando por aí.

– Oito por cento parece bom. Estou dentro. Mande a papelada para mim.

– Boa decisão. Vou passar você para uma advogada associada chamada Jenny Valdez e ela lhe dirá como proceder.

– Tenho uma pergunta – disse Mark.

– Pode falar.

– Como é que o seu escritório consegue administrar 200 mil clientes?

Stassen riu e respondeu:

– Com muita mão de obra. No momento dez associados estão supervisionando trinta assistentes. Está dando uma trabalheira, sim. É a maior ação coletiva que já montamos, mas estamos dando conta. É a sua primeira coletiva?

– É. Parece um trabalho insano.

– Insano é um bom adjetivo, mas acredite, vale a pena. Estamos nos virando bem, Dr. Upshaw.

– Pode me chamar de Mark.

– Obrigado pela preferência, Mark. Vamos incluir seu nome, e pode avisar aos seus clientes que dentro de 24 horas eles estarão na causa. Depois é só esperar. Vou lhe passar o telefone de Jenny Valdez. Tem uma caneta?

– Tenho.

Mark anotou o número e encerrou a ligação. Começou a catar milho no laptop enquanto Todd saía atrás de algo para comer. Eles pouco disseram enquanto mastigavam bolinhos e tomavam café. Estavam pensando em Zola, que lhes mandara uma mensagem de texto avisando ter pousado após um voo sem incidentes.

Por fim, Mark respirou fundo e ligou para Jenny Valdez. Conversou com ela por quinze minutos, rascunhou algumas anotações e lhe garantiu que a sua documentação estava em ordem. Ele estava pronto para mandar num arquivo zipado as declarações de participação de todos os seus 1.100 correntistas do Swift. Ao desligar, olhou para Todd e disse:

– Quando eu clicar em "Enviar", vamos estar cometendo 1.100 novos crimes. Estamos preparados para isso?

– Achei que a gente já tivesse tomado essa decisão.

– Está pensando em mudar de ideia?

– Sempre estou pensando isso. Não uma, várias vezes. Mas é a nossa única chance de escapar. Vamos lá.

Com toda delicadeza, Mark clicou em "Enviar".

O TÁXI DE Zola foi avançando em câmera lenta pelo trânsito mais caótico que ela já vira na vida. O motorista falou que o ar-condicionado estava com defeito, mas ela desconfiava que ele não funcionasse havia anos. Todos os vidros estavam abaixados, e o ar era denso e rançoso. Ela enxugou o suor da testa e percebeu que estava com a blusa encharcada, colando na pele. Do lado de fora, carros pequenos, caminhões e vans iam com os parachoques colados, buzinavam, os motoristas gritando uns com os outros. Motocas e motos, a maioria com dois passageiros, algumas até com três, se espremiam e costuravam pelo engarrafamento, tirando finas uns dos outros. Ambulantes corriam de carro em carro vendendo água mineral, enquanto outros pediam esmola.

Duas horas após sair do aeroporto, o táxi parou em frente ao hotel e Zola pagou pela corrida o equivalente a 65 dólares em francos CFA. Quando entrou no saguão, ficou aliviada ao se deparar com um ar mais fresco. Apesar de falar mal inglês, o recepcionista conseguiu entender seu pedido. Ligou para o quarto e, minutos depois, Bo saiu do elevador e abraçou a irmã. Eles não tinham notícia alguma de Abdou, tampouco haviam visto a polícia durante todo o dia. Ainda tinham ordens para permanecer no hotel e estavam com medo de sair. Bo havia percebido que o hotel era usado pela polícia para acompanhar os movimentos de outros deportados recém-chegados.

Naturalmente, não havia nem sinal de Diallo Niang. Zola lhe telefonara no trânsito, mas nada.

Com Bo fazendo a tradução simultânea, Zola pagou em dinheiro vivo por dois quartos maiores interligados e subiu para falar com a mãe. Após trocarem de quarto, começou a ligar para advogados. Durante o voo, havia passado horas on-line à procura do profissional certo. Não tinha certeza se havia encontrado, mas tinha um plano.

34

No Conselho da Ordem, Margaret Sanchez desenvolvera uma obsessão pelo caso da Upshaw, Parker & Lane. À medida que Chap Gronski foi montando o quebra-cabeça daquela fraude e que o nível da ousadia dos três se tornou evidente, a Dra. Sanchez foi ficando mais decidida a pegá-los. Só que primeiro precisava encontrá-los. Com um sinal verde do seu superior, entrou em contato com a polícia do Distrito de Columbia e, com certa dificuldade, convenceu um inspetor a dar uma olhada. No contexto das atividades criminosas do distrito, o departamento de polícia tinha pouco interesse no caso de alguns estudantes de Direito que estavam burlando o sistema sem machucar ninguém.

O inspetor Stu Hobart foi selecionado para cuidar do caso, e revisou-o junto com a Dra. Sanchez. Chap havia localizado o dono do Rooster Bar, e ele e Hobart foram falar com ele juntos. Encontraram Maynard em seu escritório no andar de cima do Old Red Cat, em Foggy Bottom.

Maynard estava farto de Mark, Todd e suas confusões, e não estava com paciência para nada que pudesse incitar a polícia a ir xeretar a vida dele. Como sabia pouco sobre o que realmente estava acontecendo no andar de cima do número 1.504 da Florida Avenue, não contou muita coisa. No entanto, ele possuía a informação crucial.

– Os nomes verdadeiros deles são Todd Lucero e Mark Frazier – falou. – O da garota negra eu não sei. Lucero trabalhou aqui por uns três anos, excelente barman, o preferido de todos. Em janeiro, ele e Frazier se mudaram para o outro prédio e montaram seu quartel-general lá. Trocavam o aluguel por trabalho no bar.

– Em dinheiro vivo, claro – disse Hobart.

– Dinheiro vivo ainda não é contra a lei – respondeu Maynard.

Estava tratando com um policial da cidade, não com o fisco, e sabia que Hobart na verdade não estava nem aí para o modo como ele pagava seus empregados.

– Eles ainda estão morando lá? – indagou Hobart.

– Até onde eu sei. Estão no terceiro andar e a menina no segundo, pelo menos foi isso que me disseram. Demiti Mark e Todd na semana passada, mas eles estão alugando o lugar até 1º de junho.

– Demitiu os dois por quê?

– Isso, meu senhor, não é da sua conta. Mas eu os mandei embora porque eles estavam atraindo atenção demais. Eu posso contratar e mandar embora quem bem entender, como o senhor sabe.

– Claro. Nós verificamos a porta que dá lá para cima e parece que ela vive trancada. Imagino que possamos conseguir um mandado para arrombar.

– Imagino que sim – disse Maynard. Ele abriu uma gaveta, pegou um molho de chaves, encontrou a que queria, tirou-a do chaveiro e a jogou por cima da mesa. – Isso resolve a questão, mas por favor não envolva o bar. É um dos meus melhores.

Hobart pegou a chave e falou:

– Pode deixar. Obrigado.

– Não há de quê.

QUANDO ESCURECEU, o táxi de Zola saiu do hotel e partiu ziguezagueando pelo trânsito de Dacar, que ia diminuindo. Vinte minutos depois, parou num cruzamento movimentado e saltou. Foi até um prédio moderno e alto cuja porta estava protegida por dois seguranças. Eles não falavam inglês, mas ficaram impressionados com a sua aparência. Ela lhes passou um pedaço de papel com o nome de Idina Sanga, *Avocat*, e eles rapidamente abriram a porta e a escoltaram pelo saguão até um elevador.

Segundo seu perfil, Madame Sanga era sócia de um escritório com dez advogados, metade dos quais mulheres, e não só falava francês e inglês como também árabe. Era especializada em assuntos relacionados a imigração e, ao menos ao telefone, parecia confiante de que conseguiria manejar a situação. Ela encontrou Zola na saída do elevador no quinto andar e juntas elas foram até uma pequena sala de reunião sem janelas. Zola lhe agradeceu por ter ficado até depois do expediente.

A julgar pela foto no site do escritório, Madame Sanga tinha cerca de 40 anos, mas pessoalmente parecia bem mais jovem. Havia estudado em Lyon e Manchester, e falava um inglês perfeito com um belo sotaque britânico. Sorria muito, era acessível, e Zola lhe abriu o coração.

Por um adiantamento modesto, Madame Sanga iria assumir a situação. O caso não era incomum. Nenhuma lei fora transgredida e a intimidação inicial era típica. Ela dispunha dos contatos certos com a polícia e as autoridades de imigração, estava confiante de que em breve Abdou Maal seria solto. Fanta e Bo não seriam presos. A família ficaria livre para ir e vir, e Madame Sanga passaria à tarefa de obter documentação adequada para todos.

MARK E TODD estavam dormindo profundamente em suas camas de solteiro baratas no terceiro andar do número 1.504 da Florida Avenue quando alguém bateu na porta. Mark foi até a bagunçada sala de estar, acendeu uma luz e perguntou:

– Quem é?

– Polícia. Abra.

– Está com um mandado?

– Estou com dois. Um para Frazier, outro para Lucero.

– Merda!

O inspetor Stu Hobart entrou acompanhado por dois agentes uniformizados. Entregou a Mark uma folha de papel e disse:

– O senhor está preso.

Todd saiu cambaleando do quarto usando apenas uma samba-canção vermelha. Hobart lhe entregou seu mandado.

– Por que estamos sendo presos? – perguntou Mark.

– Prática do Direito sem autorização – respondeu Hobart com orgulho, e Mark riu na sua cara.

– Está de brincadeira comigo? O senhor não tem nada melhor para fazer?

– Cale a boca – ordenou Hobart. – Vista-se e vamos.

– Para onde? – quis saber Todd, esfregando os olhos.

– Para a cadeia, otário. Vamos logo.

– Que absurdo – disse Todd.

Eles foram até o quarto, vestiram-se e voltaram para a área de trabalho. Um policial sacou um par de algemas e falou:

– Vire-se.

– Isso deve ser brincadeira – disse Mark. – Não precisamos de algemas.

– Cale a boca e se vire – rosnou o policial, louco por um confronto.

Mark se virou, e ele puxou suas mãos para trás com um tranco e fechou as algemas. O outro prendeu Todd, e os dois foram empurrados porta afora. Outro agente de uniforme aguardava junto ao meio-fio, fumando um cigarro e vigiando duas viaturas com os motores ligados. Mark foi empurrado para o banco traseiro de uma delas, e Todd foi colocado na outra. Hobart sentou-se no carona e, quando eles estavam saindo, Mark falou:

– No momento, esta cidade está sofrendo com guerras de gangues, tráfico de drogas, estupros e assassinatos, mas vocês perdem tempo prendendo dois estudantes de Direito incapazes de fazer mal a ninguém.

– Cale essa boca, tá? – rosnou Hobart por cima do ombro.

– Eu não sou obrigado a calar a boca. Não existe nenhuma lei dizendo que eu precise calar a boca, principalmente quando estou sendo preso por uma infração ridícula como essa.

– Não é infração. Se você soubesse alguma coisa de Direito, saberia que é crime.

– Bom, pois deveria ser infração, e o senhor deveria ser preso por detenção indevida.

– Que medo. Ainda mais vindo de você. Agora cale a boca.

No banco traseiro do carro atrás deles, Todd perguntou casualmente:

– Vocês curtem isso de bater em portas no meio da noite e algemar as pessoas?

– Cale essa boca, tá? – rosnou o policial ao volante.

– Foi mal, amigo, mas eu não sou obrigado a calar a boca. Posso falar o quanto eu quiser. Esta cidade tem a maior taxa de homicídios do país, e vocês aí perdendo tempo importunando a gente.

– Só estamos fazendo o nosso trabalho – disse o que estava dirigindo.

– O seu trabalho é uma droga, sabia? Acho que temos sorte de não terem mandado uma equipe da SWAT derrubar a porta e atirar para todo o lado. É disso que vocês gostam, né? Se vestir que nem a tropa de elite e atacar as pessoas.

– Eu vou parar o carro e encher você de porrada – ameaçou o motorista.

– Faça isso, e eu meto um processo nessa sua bunda gorda às nove horas da manhã da segunda-feira. Um processo grande, numa vara federal.

– Vai fazer isso você mesmo ou contratar um advogado de verdade? – perguntou o motorista, e o outro uivou de tanto rir.

No carro da frente, Mark estava dizendo:

– Como encontrou a gente, Hobart? Alguém do Conselho da Ordem achou nosso rastro e chamou a polícia? Imaginei. O seu cargo deve ser mesmo bem fuleiro para você ter que lidar com um crime insignificante como este.

– Eu não chamaria dois anos na cadeia de insignificante – retrucou Hobart.

– Cadeia? Eu não vou para a cadeia, Hobart. Simplesmente vou contratar outro advogado de porta de cadeia, provavelmente um sem licença, e ele vai estar dez passos à sua frente. Não existe a menor hipótese de a gente ir preso. Vamos pagar uma pequena multa, levar o bom e velho puxão de orelha, prometer nunca mais fazer isso e sair andando do tribunal. A gente já vai estar de volta à ativa enquanto você ainda vai estar correndo atrás de pedestres atravessando fora da faixa.

– Cale essa boca.

– Não vou calar não, Hobart.

Na Cadeia Central, Mark e Todd foram tirados dos bancos de trás e empurrados com truculência por uma entrada que conduzia ao subsolo. Uma vez lá dentro, as algemas foram retiradas e os dois foram separados. Ao longo da hora seguinte, cada qual preencheu dois formulários de admissão, teve suas digitais tiradas e em seguida foi posto em frente a uma câmera para a clássica fotografia da ficha policial. Foram reunidos numa cela de espera onde aguardaram por mais uma hora, certos de que estavam prestes a ser jogados numa cela comum junto com alguns criminosos de verdade. Às 5h30, porém, foram soltos sob fiança e informados de que não poderiam deixar o Distrito de Columbia. As intimações os instruíam a se apresentarem na 6ª Vara dali a uma semana para as primeiras audiências. Eles conheciam bem o local.

Os dois passaram a manhã inteira monitorando a edição on-line do *Post* e não viram nada sobre suas prisões. Com certeza não eram uma notícia que despertasse muito interesse. Decidiram esperar antes de avisar Zola sobre o que havia acontecido. De todo modo, ela já tinha preocupações suficientes, e estava segura e fora de alcance.

No apartamento, eles passaram duas horas preenchendo cheques da conta do escritório. Eram reembolsos para os atuais clientes que os haviam pagado em dinheiro vivo e agora estavam ficando na mão porque seus advogados tinham saído de cena. Por mais que precisassem do dinheiro, simplesmente não podiam virar as costas para os clientes. O total chegava a quase 11 mil dólares e foi doloroso se separar dessa quantia, mas eles se sentiram melhor depois de postarem os envelopes. Mark conseguiu vender seu Bronco por 600 dólares numa concessionária de carros usados. Pegou o dinheiro em espécie, assinou a transferência de propriedade e resistiu ao impulso de olhar por cima do ombro para o lata velha que passara os últimos nove anos dirigindo. Quando escureceu, eles puseram o desktop, a impressora colorida e três caixas de pastas na traseira do carro de Todd. Jogaram algumas roupas no banco de trás, tomaram uma última cerveja no Rooster Bar e foram para Baltimore.

Enquanto Mark matava tempo no bar de um hotel, Todd finalmente contou para os pais que não iria se formar dali a uma semana. Admitiu que não tinha sido sincero, que na verdade não fora às aulas durante toda a primavera, não tinha emprego de qualquer espécie, devia 200 mil dólares e estava agora sem rumo, tentando dar um jeito na própria vida. Sua mãe chorou e seu pai gritou, e a cena foi ainda pior do que ele previra. Na saída, ele disse que iria fazer uma longa viagem e precisava deixar o carro na garagem. O pai gritou que não, mas ele foi embora mesmo assim e percorreu a pé a distância de quase um quilômetro até o hotel.

Na manhã seguinte, Mark e Todd pegaram um trem para Nova York. Quando a composição estava saindo da Penn Station, Todd passou para Mark um exemplar do *The Washington Post*. No pé da primeira página do caderno Cidade, um título em fonte pequena dizia: "Dois presos por advogar sem registro". Eles eram descritos como dois estudantes de Direito que haviam largado o curso na Foggy Bottom, onde ninguém da administração tinha nada a dizer. Margaret Sanchez, da Ordem dos Advogados do Distrito de Columbia, tampouco tinha algo a declarar. Ao que parecia, os dois vinham andando sob nomes falsos pelos tribunais da cidade, convencendo clientes a contratarem seus serviços e se apresentando corriqueiramente diante de juízes. Uma fonte não identificada os descrevia como "advogados bastante competentes". Um ex-cliente afirmou que o Dr. Upshaw havia trabalhado duro no seu caso. Um cliente atual disse que queria apenas seu dinheiro de volta. Não houve qualquer menção a Zola Maal, embora a matéria afirmasse haver "um terceiro suspeito envolvido". Se fossem considerados culpados, eles poderiam encarar até dois anos de prisão e uma multa de mil dólares.

Seus telefones enlouqueceram com tantas chamadas de antigos amigos da Foggy Bottom.

– Meu pai vai adorar isso – disse Todd. – Eu, um criminoso.

– Coitada da minha mãe – lamentou Mark. – Os dois filhos a caminho do xadrez.

35

Zola ficou horrorizada com a notícia de que seus sócios tinham sido presos. Pior ainda, a polícia estava à sua procura também, embora ela não estivesse muito preocupada que fossem encontrá-la no Senegal. Mark e Todd estavam no Brooklyn e alegavam ter tudo sob controle, mas Zola tinha sérias dúvidas em relação a isso. Aqueles dois erraram em quase tudo desde janeiro, e ela achava difícil acreditar na autoconfiança deles naquele momento. Encontrou a notícia on-line e passou a monitorá-la. Seu nome não fora mencionado, e ela não achou nada sobre si mesma no rol de processos dos tribunais. Sua página do Facebook estava inundada de comentários e perguntas de amigos, mas ela havia parado de responder fazia semanas.

Idina Sanga não conseguira autorização para visitar Abdou na prisão, e após dois dias de espera Zola estava ainda mais preocupada. A polícia estivera no hotel duas vezes para checar sua mãe e seu irmão, mas não trouxera nenhuma notícia. Estar com a família era reconfortante, e sua presença e suas palavras tranquilizadoras lhes davam esperanças. Bo e Fanta perguntaram várias vezes sobre os estudos, a formatura, a prova da ordem, e assim por diante, mas ela conseguiu se esquivar das perguntas e manter a conversa longe da confusão em que havia se metido nos Estados Unidos. Se eles soubessem... Mas é claro que não saberiam. Eles nunca mais iriam pisar lá, e Zola também não tinha certeza se queria voltar.

Durante o voo até o Senegal, tinha lido uma dezena de artigos sobre as terríveis condições e a superlotação das cadeias e dos presídios de Dacar. A cidade que se estendia pela península de Cap Vert era um amontoado de vilarejos e antigas cidades coloniais francesas. As ruas eram quentes, poeirentas e mal-conservadas, mas ganhavam vida a cada manhã com um tráfego pesado e hordas de pessoas. Muitas das mulheres usavam longos vestidos folgados feitos com tecidos coloridos. Muitos dos homens trajavam ternos elegantes e pareciam tão atarefados com seus celulares e pastas quanto os de Washington. Cavalos puxando carroças carregadas de frutas e outros produtos frescos disputavam os cruzamentos congestionados com utilitários novos e lustrosos. Por mais caótica que parecesse à primeira vista, a cidade tinha uma atmosfera descontraída. Todo mundo parecia conhecer todo mundo e pouca gente parecia ter pressa. O ar era tomado por conversas e risos. Havia música por toda parte, rugindo dos aparelhos de som dos carros e das portas das lojas ou nas batidas das bandas de rua que faziam apresentações improvisadas.

Durante seu segundo dia na cidade, Zola encontrou a embaixada americana e se cadastrou como turista. Uma hora mais tarde, quando estava chegando no hotel, dois policiais a pararam e pediram documentos. Ela sabia que a polícia tinha amplos poderes para interrogá-la e até mesmo para prendê-la. Qualquer um poderia passar 48 horas na prisão por praticamente qualquer motivo.

Um dos agentes falava um pouco de inglês. Ela disse que era americana e não falava francês. Eles ficaram surpresos ao ver seu passaporte americano e sua carteira de habilitação (verdadeira) de Nova Jersey. Sabiamente, ela havia deixado os documentos falsos no hotel.

Após quinze longos minutos, os dois lhe devolveram seus documentos e a liberaram. O incidente foi muito assustador, e ela resolveu deixar as atividades de turismo para outro dia.

SEUS DOIS SÓCIOS estavam instalados em pequenas acomodações num hotel barato da Schermerhorn Street, no centro do Brooklyn. Um quarto, um sofá-cama, uma cozinha americana, 300 dólares por noite. Numa loja de material de escritório, pagaram 90 dólares pelo aluguel por um mês de uma impressora multifuncional que era também copiadora, scanner e fax.

De terno e gravata, entraram numa agência do Citibank na Fulton Street e pediram para falar com o gerente de contas. Usando seus nomes, carteiras de motorista e números de registro na previdência social verdadeiros, abriram uma conta corrente para o Escritório Modelo de Lucero & Frazier. Contaram uma história manjada de que eram amigos da faculdade de Direito e tinham se cansado de trabalhar nos grandes escritórios de Manhattan. Seu pequeno escritório modelo iria ajudar pessoas de verdade, com problemas de verdade. Pegaram emprestado o endereço de um prédio de escritórios a seis quarteirões dali, embora um endereço só fosse necessário para ser impresso nos seus novos talões de cheque, que eles de todo modo jamais veriam. Mark fez um cheque pessoal de mil dólares para abrir a conta, e assim que eles voltaram ao hotel mandaram por fax uma autorização de transferência para o seu banco de Washington. O saldo, pouco abaixo de 39 mil dólares, foi transferido para sua nova conta, e a antiga foi fechada. Eles mandaram um e-mail para a Dra. Jenny Valdez, do Cohen-Cutler em Miami, avisando que o escritório Upshaw, Parker & Lane tinha se fundido com um escritório do Brooklyn chamado Lucero & Frazier. Ela lhes mandou por e-mail um monte de formulários com as mudanças necessárias, e eles passaram uma hora cuidando da papelada. Ela novamente lhes pediu os números da previdência social e os números das contas dos 1.100 clientes que eles haviam indicado para a ação coletiva, e eles mais uma vez remancharam, respondendo apenas que ainda não tinham terminado de reunir essas informações.

Como conseguir falar com Hinds Rackley ao telefone seria impossível, eles decidiram começar com um de seus escritórios de advocacia. O site do Ratcliff & Cosgrove era bastante útil e conseguia dar conta de disfarçar razoavelmente o fato de ser pouco mais do que um estabelecimento com quatrocentos advogados dedicado a arrestos de hipotecas, recuperações, contas devedoras, falências, cobrança de dívidas e inadimplência de empréstimos estudantis. Gordy havia descrito isso como "a parte suja" dos serviços financeiros. O escritório tinha cerca de cem advogados em sua sede no Brooklyn e seu sócio administrador era Marvin Jockety, um sessentão de rosto flácido e com um currículo que não chegava a ser brilhante.

Mark lhe mandou um e-mail:

> Prezado Dr. Jockety,
> Meu nome é Mark Finley e sou jornalista investigativo freelancer. Estou

trabalhando numa reportagem sobre o Sr. Hinds Rackley, com quem acredito que o senhor tenha negócios em comum. Após semanas de investigação, descobri que o Sr. Rackley, por meio das empresas Shiloh Square Financial, Varanda Capital, Baytrium Group e Lacker Street Trust, todas de sua propriedade, é dono de um total de oito faculdades de Direito privadas espalhadas pelo país. A julgar pelos resultados na prova da ordem, essas instituições acolhem um segmento da população que não deveria estar estudando Direito nem prestando a prova. Apesar disso, parece que as faculdades são muito lucrativas.

Gostaria de combinar um encontro com o Sr. Rackley assim que possível. Já comentei sobre a reportagem com o *The New York Times* e com o *The Wall Street Journal*, sem dar muitos detalhes, e ambos estão interessados. Há alguma urgência.

Meu telefone é 838-774-9090. Estou na cidade, ansioso para conversar com o Sr. Rackley ou um representante dele.

Grato,
Mark Finley

Era segunda-feira, 12 de maio, 13h30. Eles anotaram o horário e se perguntaram quanto tempo o Dr. Jockety levaria para responder. Enquanto esperavam matando tempo no quarto, lançaram um ataque aos inocentes moradores dos subúrbios de Wilmington, Delaware. Usando listas telefônicas on-line, voltaram às suas atividades clandestinas e começaram a acrescentar mais nomes à sua ação coletiva. Depois que você já cometeu 1.100 crimes, o que são uns duzentos a mais?

Às três da tarde, Mark reenviou o e-mail para Jockety e o fez outra vez às quatro. Às seis, eles pegaram o metrô até o Yankee Stadium, onde os Mets iriam jogar e ainda restavam ingressos. Compraram duas entradas para lugares baratos no meio do campo e pagaram dez dólares por 350 ml de cerveja. Subiram até a última fileira, lá em cima, de modo a se afastarem dos outros fãs espalhados pelas arquibancadas.

Sua audiência no tribunal estava marcada para a sexta-feira, e eles tinham decidido que seria sensato não deixar a data passar. Graças à sua vasta experiência, sabiam que o juiz emitiria mandados para sua prisão. Todd ligou para Hadley Caviness, que atendeu depois do segundo toque.

– Ora, ora – disse ela. – Parece que vocês acabaram arrumando encrenca afinal, rapazes.

– Sim, querida, estamos encrencados. Você está sozinha? É uma pergunta justa.

– Sim, vou sair mais tarde.

– Boa caçada. Escute, a gente precisa de um favor. Era para sermos citados no tribunal nesta sexta-feira, mas saímos da cidade e não temos planos de voltar tão cedo.

– Não os culpo. A dupla de vocês causou um rebuliço e tanto no tribunal. Todo mundo tem uma história.

– Deixe eles falarem. Voltando ao favor.

– Eu alguma vez neguei alguma coisa para você?

– Não, nunca, e eu te amo por isso.

– É o que todos dizem.

– Então, é o seguinte. Você acha possível dar um pulo na 6ª Vara e pedir ao oficial de justiça para adiar nossa audiência umas duas semanas? Deve ser uma simples questão de burocracia, e você é fera nisso.

– Não sei. Pode ser que tenha alguém olhando. Se perguntarem, qual é o motivo?

– Diga que estamos tentando contratar um advogado, mas não temos dinheiro. São só duas semanas.

– Vou dar uma olhada e ver o que consigo fazer.

– Você é uma fofa.

– Sei, sei.

Na segunda metade do terceiro *inning*, o telefone de Mark vibrou com uma chamada de um número desconhecido.

– Isso pode ser coisa boa – disse ele.

Era Marvin Jockety, que abriu a conversa dizendo:

– O Sr. Rackley não deseja encontrar o senhor e vai processá-lo sem dó nem piedade se o senhor der alguma informação errada.

Mark sorriu, deu uma piscadela para Todd, pôs a ligação no viva-voz e respondeu:

– E boa noite para o senhor também. Por que essa ânsia toda do Sr. Rackley em nos atacar com um processo? Ele tem algo a esconder?

– Não, não tem. Ele preza muito a sua privacidade e mantém uns advogados bem desagradáveis de prontidão.

– Posso imaginar. Ele está envolvido com pelo menos quatro escritórios de advocacia, inclusive o seu. Diga a ele para ficar à vontade com o processo. Eu não tenho um tostão.

– Isso não vai detê-lo. Ele vai processar o senhor e arruinar a sua reputação de jornalista. E para quem o senhor trabalha, aliás?

– Apenas para mim mesmo. Sou tipo freelancer. Pensando bem, Dr. Jockety, um processo talvez seja justo aquilo de que eu preciso, porque eu posso processar de volta e pedir um dinheiro de verdade. Posso conseguir uma fortuna em multas por uma ação sem motivo.

– O senhor está se metendo onde não deve, amigo.

– Veremos. Diga ao Sr. Rackley que, quando ele me processar, estará processando também o *The New York Times*, porque eu tenho uma reunião lá amanhã à tarde. Eles querem publicar a matéria no domingo, na primeira página.

Jockety riu e disse:

– O Sr. Rackley tem mais contatos no *Times* e no *Journal* do que o senhor sequer imagina. Eles não vão chegar nem perto de uma reportagem dessas.

– Bom, acho que esse é um risco que ele vai ter que correr. Eu sei a verdade, e ela vai dar uma chamada e tanto na primeira página.

– O senhor vai se arrepender – falou Jockety, e encerrou a ligação.

Mark ficou encarando o aparelho, então o guardou no bolso da calça jeans. Inspirou fundo e disse:

– Ele é osso duro de roer. Isso não vai ser fácil.

– Todos eles são assim. Acha que ele vai ligar de novo?

– Quem sabe? Imagino que ele tenha falado com o Rackley e que eles estejam com medo. A última coisa que o Rackley quer é publicidade. Não há nada de ilegal no seu esquema de faculdades de Direito, mas a coisa toda fede mesmo assim.

– Eles vão ligar. Por que não ligariam? Se você fosse o Rackley, não ficaria curioso sobre o quanto a gente sabe?

– Pode ser.

– Eles vão ligar.

36

Mark estava dormindo no sofá-cama quando seu telefone começou a vibrar às 6h50 de terça-feira.

– O Sr. Rackley pode encontrá-lo às dez horas da manhã de hoje na nossa sede – disse Jockety. – Fica no centro do Brooklyn, na Dean Street.

– Eu sei onde fica – respondeu Mark.

Ele não sabia, mas o escritório seria fácil de encontrar.

– Encontro o senhor às 9h50 no saguão do edifício. Seja pontual, por favor. O Sr. Rackley é um homem muito ocupado.

– Eu também sou. E um amigo vai comigo, outro jornalista. O nome dele é Todd McCain.

– Está bem. Mais alguém?

– Não, só nós dois.

Enquanto tomavam café, os dois especularam que Rackley não os queria perto de seus domínios na Water Street, no centro financeiro de Manhattan. Aquilo lá sem dúvida devia ser uma luxuosa toca condizente com um homem do seu status, algo que dois jornalistas se esbaldariam descrevendo. Melhor encontrá-los num lugar repleto de seus próprios advogados. Já houvera ameaça de litígio. Eles estavam se intrometendo no mundo dele, e sua privacidade seria protegida a qualquer custo. A intimidação sempre foi uma ferramenta útil.

Eles não fizeram a barba e vestiram jeans e jaquetas velhas, adotando o visual desleixado de jornalistas que não se deixavam impressionar pelo entorno. Mark levou uma pasta gasta de náilon que eles haviam encontrado numa loja de segunda mão do Brooklyn e, quando eles saíram do hotel a pé, com certeza tinham o aspecto de dois caras que não valia a pena processar.

O prédio era alto e moderno, um dos muitos apinhados bem no centro do Brooklyn. Mataram tempo num café na esquina e entraram na recepção às 9h45. Marvin Jockety, aparentando no mínimo dez anos a mais do que a foto do site, estava de pé, conversando com um funcionário junto ao balcão da segurança. Mark e Todd o reconheceram e se apresentaram. Jockety apertou suas mãos com relutância. Meneou a cabeça para o funcionário da segurança e disse:

– Ele precisa ver um documento. – Mark e Todd tiraram a carteira do bolso e entregaram suas carteiras de habilitação falsas do Distrito de Columbia. O segurança as examinou, olhou para ambos de modo a comparar os rostos com as fotografias e lhes devolveu os documentos.

Os dois seguiram Jockety até uma sequência de elevadores onde aguardaram sem conversar. Quando entraram no elevador vazio, o advogado virou as costas, ficou de cara para a porta e não disse nada.

Que simpático, pensou Mark. "Que babaca", resmungou Todd consigo mesmo.

O elevador parou no décimo sétimo andar e eles adentraram o saguão um tanto modesto do escritório Ratcliff & Cosgrove. Durante sua breve carreira de advogados, tinham visitado vários escritórios bacanas. As esplêndidas instalações de Jeffrey Corbett em Washington tinham sido de longe as mais impressionantes, embora Mark ainda preferisse o singular museu de troféus de Edwin Mossberg, em Charleston. O escritório do Rusty era de longe o pior, com sua atmosfera de consultório médico e seus clientes estropiados. Aquele lugar ali era só um pouco melhor. Pouco importava. Eles não estavam ali pela decoração.

Jockety ignorou a recepcionista, que por sua vez os ignorou também. Eles dobraram uma quina, entraram por uma porta sem bater e se viram dentro de uma sala de reunião comprida e larga. Dois homens de ternos escuros e caros tomavam café em xícaras de porcelana em pé junto a um aparador. Nenhum dos dois se adiantou.

– O Sr. Finley e o Sr. McCain – disse Jockety.

Mark e Todd tinham três imagens de Hinds Rackley, todas de matérias de revista. Uma era a da pesquisa de Gordy, a foto de rosto ampliada que ele havia pregado em sua inesquecível parede. As duas outras eles tinham achado na internet. Rackley tinha 43 anos, cabelos escuros e já um pouco ralos, bem penteados para trás com gel, e olhos estreitos por trás de óculos parcialmente sem armação. Ele meneou a cabeça para Jockety, que se retirou sem dizer nada e fechou a porta.

– Eu sou Hinds Rackley, e este é meu principal advogado, Barry Strayhan.

Strayhan os olhou com uma cara de poucos amigos, meneou a cabeça e não fez qualquer esforço para prolongar a apresentação. Assim como seu cliente, segurava a xícara numa das mãos e o pires na outra, de modo que nenhum dos dois pôde oferecer um aperto de mão decente. Mark e Todd mantiveram distância, que era de no mínimo três metros. Alguns segundos constrangedores transcorreram, tempo suficiente para os dois intrusos entenderem que regras de boa educação já tinham voado pela janela. Por fim, Rackley tornou a falar.

– Sentem-se – disse Rackley, indicando com um meneio de cabeça uma fileira de cadeiras.

Os dois se sentaram. Rackley e Strayhan se acomodaram diante deles.

Todd pôs o celular em cima da mesa e perguntou:

– Vocês se importam se eu gravar esta conversa?

– Por quê? – questionou Strayhan como um genuíno babaca.

Ele tinha pelo menos dez anos a mais do que o seu cliente e dava a impressão de que tudo em sua vida era uma briga.

– É só um hábito antigo que a maioria dos jornalistas têm – respondeu Todd.

– Pretende transcrever a gravação? – quis saber Strayhan.

– Provavelmente – disse Todd.

– Então nós vamos querer uma cópia.

– Sem problemas.

– E eu também vou gravar – disse Strayhan, pousando seu aparelho na mesa.

Um duelo de celulares.

Durante todo o diálogo, Rackley fulminou Mark com um olhar arrogante e seguro, como quem diz: "Eu tenho bilhões e você não. Sou superior em todos os aspectos, aceite e pronto."

Uma das vantagens de ser um advogado de porta de cadeia sem registro era que isso havia removido qualquer vestígio de hesitação. Enquanto cuidavam descaradamente de seus casos nos tribunais de Washington, Mark e Todd tinham se acostumado a fingir ser quem não eram. Se eram capazes de se apresentar diante de juízes usando nomes falsos e desempenhar o papel de advogados, certamente podiam se sentar em frente a Hinds Rackley e agir como jornalistas.

Mark retribuiu o olhar sem piscar. Rackley por fim disse:

– O senhor queria falar comigo.

– Sim, bem, estamos trabalhando numa reportagem e pensamos que o senhor talvez quisesse comentar a respeito – falou Mark.

– Que reportagem?

– Bem, para começo de conversa, o título vai ser "A grande fraude das faculdades de Direito". O senhor é dono, controla ou tem algum envolvimento com várias empresas que possuem oito faculdades de Direito particulares. Faculdades de Direito muito lucrativas.

– O senhor achou um estatuto em algum lugar que proíba alguém de ter uma faculdade de Direito particular? – perguntou Strayhan.

– Eu não disse que era contra a lei, disse? – Mark olhou para Todd, à sua direita, e repetiu. – Eu falei isso?

– Eu não escutei – respondeu Todd.

– Não é contra a lei e não estamos alegando nada criminoso – afirmou Mark. – Mas é que essas faculdades não passam de escolas de fundo de quintal que aceitam a inscrição de vários alunos, independentemente dos resultados na prova de admissão, e depois os estimula a se endividarem para poder pagar caras anuidades. O valor das anuidades é transferido para o senhor, é claro, e os alunos se formam soterrados em dívidas. Mais ou menos a metade deles consegue passar na prova de alguma ordem de advogados. A maioria não consegue arrumar um emprego.

– Isso é problema deles – retrucou Rackley.

– É claro que é. E ninguém os obriga a pegar o dinheiro emprestado.

– O senhor admite que tem ou controla oito faculdades de Direito? – perguntou Todd.

– Eu não admito nem nego nada, principalmente para o senhor – disparou Rackley. – Quem o senhor pensa que é?

Ora, mas que boa pergunta, pensou Todd. Com tantos nomes falsos, ele muitas vezes se pegava tentando lembrar qual estava usando.

Strayhan deu uma risada sarcástica e perguntou:

– Os senhores por acaso têm alguma prova?

Mark pôs a mão dentro de sua pasta vagabunda e pegou uma folha de papel grosso com trinta por trinta centímetros. Desdobrou-a, em seguida a desdobrou outra vez e a fez deslizar por cima da mesa. Era uma versão condensada do mural de Gordy, a grande conspiração, com o nome de Hinds Rackley sozinho na caixa superior e o labirinto de seu império disposto abaixo dele.

Por um instante, Rackley olhou para aquilo com pouca curiosidade, então pegou o papel e começou a examiná-lo casualmente. Strayhan se inclinou para olhar mais de perto. A primeira reação dos dois seria reveladora. Se Gordy estivesse certo, e eles estavam convencidos de que estava, Rackley poderia se dar conta de que eles estavam no seu encalço e tinham provas. Ele poderia apontar pequenas falhas aqui e ali ou então confessar que possuía ou controlava aquela profusão de entidades. Poderia também negar tudo e ameaçar processá-los.

Bem devagar, ele colocou o fluxograma de volta na mesa e disse:

– Interessante, mas não exato.

– Está bem – disse Mark. – Quer falar sobre o que não está exato?

– Eu não preciso falar. Se os senhores publicarem uma reportagem com base nesse pequeno fluxograma, vão estar seriamente encrencados.

– Nós vamos processá-los por difamação e persegui-los pelos próximos dez anos – acrescentou Strayhan.

– Escute, o senhor já tentou essa tática de nos ameaçar com um litígio, tá? E é óbvio que não está funcionando – disparou Mark em resposta. – Não estamos com medo desse seu discurso todo sobre nos processar. Nós não temos nada. Podem processar à vontade.

– É verdade, mas nós com certeza gostaríamos de evitar esse processo – disse Todd. – O que exatamente está errado na nossa pesquisa?

– Eu não vou responder às suas perguntas – decretou Rackley. – Mas qualquer jornalista de meia-tigela deveria saber que é ilegal eu ou qualquer outra pessoa possuir um escritório de advocacia do qual não faz parte. Um advogado não pode ser sócio de mais de um escritório.

– Nós não estamos alegando que o senhor é dono dos quatro escritórios, somente que os controla – retrucou Mark. – Este daqui, por exemplo, o Ratliff & Cosgrove, é gerenciado pelo seu amigo Marvin Jockety, que por acaso é sócio limitado do Varanda Capital. Os outros três escritórios têm relações semelhantes. A conexão é essa, o controle. E o senhor usa esses quatro escritórios para contratar formandos das suas faculdades a salários atraentes. As suas faculdades então fazem propaganda desses empregos maravilhosos para levar ainda mais jovens inocentes a se matricularem e pagarem as suas anuidades abusivas. É essa a fraude, Sr. Rackley, e é genial. Não é ilegal. É apenas errado.

– Os senhores estão completamente equivocados – disse Strayhan com outra risada e um leve indício de nervosismo.

O celular de Rackley tocou, e ele atendeu a ligação

– Está bem, entre, por favor.

A porta se abriu na mesma hora e um homem entrou. Fechou a porta e ficou parado na cabeceira da mesa com uns papéis na mão.

– Esse é Doug Broome, o chefe da minha segurança – apresentou Rackley.

Mark e Todd olharam para Broome, que não tomou conhecimento deles. Broome ajeitou os óculos de leitura e disse:

– Não encontrei nada sobre Mark Finley e Todd McCain. Passamos a noite e a manhã inteira procurando, e nada. Nenhum artigo, blog, livro nem reportagem em qualquer site da internet. Existe um Mark Finley que escreve sobre jardinagem para um jornal de Houston, mas ele tem 50 anos. Tem outro que escreve um blog sobre a Guerra Civil, mas tem 60. Tem outro ainda que já escreveu para um jornal universitário da Califórnia, mas se formou e virou dentista. Fora isso, nada. Quanto a Todd McCain, tudo que conseguimos achar foi um cara na Flórida que escreve para uma revista de lá. Sendo assim, se esses dois afirmam ser jornalistas, a carreira deles deve estar indo bem devagar. Com relação aos nomes, existem 431 Mark Finleys e 142 Todd McCains neste país. Nós verificamos cada um deles, e nada confere. E o mais interessante de tudo é que as duas carteiras de habilitação apresentadas na segurança lá em baixo são do Distrito de Columbia. E surpresa: as duas são falsas.

– Obrigado, Doug – disse Rackley. – Era só isso.

Doug se retirou e fechou a porta. Tanto Rackley quanto Strayhan estavam sorrindo. Mark e Todd mantiveram o sangue-frio. A partir dali, não tinham como voltar atrás. Mark conseguiu dominar os próprios nervos mantendo-se no ataque.

– Muito impressionante! Um trabalho notável.

– Impressionante mesmo – emendou Todd, mas ambos estavam pensando em correr em direção à porta.

– Está bem, meninos, agora que toda a sua credibilidade foi por água abaixo, por que não nos dizem quem são vocês e o que querem? – perguntou Rackley.

– Se os senhores não vão responder às nossas perguntas, nós não vamos responder às suas – retrucou Mark. – Quem nós somos não é tão importante assim. O importante é que o nosso pequeno fluxograma está próximo o suficiente da verdade para expor a sua fraude e causar um grande constrangimento ao senhor.

– Vocês querem dinheiro? – indagou Strayhan. – Isso se trata de uma extorsão?

– Não, de jeito nenhum. Nossos planos não mudaram. Nós vamos nos sentar com o jornalista certo e entregar a história. Tem muito mais coisa no dossiê. Por exemplo, nós temos depoimentos de ex-colaboradores dos seus escritórios de advocacia que acreditam terem sido usados para fins de marketing. Temos depoimentos de antigos professores de Direito. Temos todos os dados relacionados aos péssimos índices de aprovação dos seus alunos na prova da ordem. Temos dados que mostram claramente que os senhores aumentaram muito o número de matrículas na mesma época que o governo federal escancarou o tesouro nacional para milhares de alunos sem qualificação. Temos dezenas de depoimentos desses alunos, que se formaram soterrados em dívidas e não conseguiram arrumar emprego. O dossiê é bem fornido, e vai dar uma chamada e tanto na primeira página.

– Onde está esse dossiê? – perguntou Strayhan.

Todd enfiou a mão num dos bolsos da camisa, pegou um pendrive e o lançou casualmente por cima da mesa.

– Está tudo aqui. É só ler e chorar.

Rackley ignorou aquilo e disse:

– Eu tenho contatos no *Times* e no *Journal*. Eles me garantiram que não sabem nada sobre isso.

Com grande deleite, Mark sorriu para ele e falou:

– Isso é balela. Balela arrogante e fora de propósito. O senhor espera nos fazer acreditar não só que conhece todo mundo nesses jornais, mas também que confiam suficientemente no senhor para fornecer informações internas? Que piada! E isso vindo de um homem conhecido por se esquivar de jornalistas. Por favor, Sr. Rackley.

– Bom, eu com certeza conheço os advogados do *Times* e do *Journal*, e podem apostar essas carinhas bonitas que eles não vão querer chegar nem perto de um processo por difamação – argumentou Strayhan.

– Está de brincadeira? – perguntou Todd, rindo. – Eles vão amar, porque aí vão poder cobrar mil pratas por hora. Eles querem mais é que os clientes sejam processados todo dia.

– Você está por fora, filho – retrucou Strayhan, mas isso não significava nada.

O fluxograma obviamente os deixara abalados, aliado ao fato de Mark e Todd não serem quem diziam ser. Rackley empurrou a cadeira para trás, levantou-se e foi com sua xícara até o bule de café. Nenhuma bebida fora oferecida aos impostores. Ele se serviu devagar do bule de prata, pôs dois torrões de açúcar na xícara, mexeu devagar, muito compenetrado, em seguida voltou para a mesa. Sentou-se, tomou um gole, e com toda calma falou:

– Tem razão. Isso dá uma bela chamada de capa, mas a matéria só vai durar 24 horas, porque é tudo permitido e dentro da lei. Eu não atuo fora dos limites da lei, e neste momento não sei muito bem por que estou gastando meu tempo explicando isso para os senhores.

– Ah, a matéria vai durar mais de 24 horas – falou Mark. – Quando eles fizerem as contas das faculdades e imprimirem os números que mostram que o senhor fatura anualmente cerca de 20 milhões de dólares limpos com cada uma das suas oito faculdades, a reportagem vai ganhar corpo. Se fizerem a ligação desse dinheiro com o tesouro federal, o senhor vai ter um pesadelo de relações públicas que não vai acabar nunca.

Rackley deu de ombros e disse:

– Pode ser que sim, pode ser que não.

– Vamos falar sobre o Banco Swift – disse Todd.

– Não, chega de conversa – interrompeu Rackley. – Principalmente com dois caras que usam nomes falsos e identidades fajutas.

Todd o ignorou e prosseguiu:

– Segundo as suas declarações à Comissão de Valores Mobiliários, a Shiloh Square Financial controla 4% do Swift, o que faz dela a segunda maior acionista. Nós achamos que o senhor controla bem mais do que isso.

Rackley piscou os olhos e se encolheu ligeiramente. Strayhan franziu o cenho, como se não estivesse entendendo. Mark pôs a mão dentro de sua pasta e pegou outra folha de papel. Desdobrou-a uma vez, mas não a deslizou até eles.

Do túmulo, Gordy desferiu o golpe final.

– Nós temos uma lista dos maiores acionistas do Swift, uns quarenta ao todo – prosseguiu Todd. – A maioria são fundos de investimento que controlam 1 ou 2% do banco. Alguns desses fundos são estrangeiros e parecem ser investimentos legítimos. Outros, contudo, são empresas de fachada com sede no exterior, fachadas para outras fachadas que controlam pedacinhos do Swift. Nomes suspeitos de empresas domiciliadas em lugares como Panamá, Ilhas Cayman, Bahamas. São quase impossíveis de examinar, principalmente para dois não jornalistas como nós. Não temos como emitir intimações e mandados, não temos como grampear telefones e efetuar prisões. Mas o FBI com certeza tem.

Mark fez a segunda folha de papel deslizar por cima da mesa. Rackley a pegou com calma e estudou o fluxograma. Era uma continuação do primeiro, com toda a atividade organizada abaixo do Banco Swift. Após alguns segundos, Rackley deu de ombros outra vez, chegou a sorrir e disse:

– Não estou reconhecendo nenhuma dessas empresas.

Strayhan conseguiu balbuciar:

– Isso não tem valor nenhum.

– Nós não estamos alegando que o senhor tem algum envolvimento com elas, entende? – explicou Mark. – Não temos como fuçar empresas com sede no exterior.

– Eu já tinha entendido da primeira vez – disse Rackley. – O que vocês querem?

– Vocês querem dinheiro? – perguntou Strayhan.

– Não, e o senhor já perguntou isso – respondeu Todd. – O que nós queremos é a verdade. Queremos o senhor e o seu grande golpe de faculdades de Direito denunciados na primeira página. Somos vítimas dele. Nós nos matriculamos em uma das suas escolas de fundo de quintal, acumulamos uma fortuna em dívidas com o governo federal, das quais não podemos pagar nem um centavo porque não conseguimos arrumar emprego, e agora somos uma dupla de desistentes com um futuro sombrio pela frente. E não estamos sozinhos. Existem milhares de pessoas como nós, Sr. Rackley, todas vitimizadas pelo senhor.

– O cara que montou esses fluxogramas era o nosso melhor amigo – revelou Mark. – Em janeiro, ele não aguentou a pressão e se matou. Houve vários motivos, muita gente tem culpa no cartório. E parte dessa culpa é do senhor. Ele estava devendo 250 mil dólares em empréstimos estudantis, um dinheiro que foi repassado para o senhor. Todos nós caímos no golpe da faculdade de Direito. Acho que ele devia ser um pouco mais frágil do que percebemos.

Nada nos semblantes de Rackley e Strayhan podia ser remotamente descrito como remorso.

Calmamente, Rackley falou:

– Vou perguntar de novo. O que vocês querem?

– Um acordo rápido em todas as ações coletivas contra o Banco Swift, a começar por aquela movida pelo escritório Cohen-Cutler de Miami.

Rackley ergueu as duas mãos, manteve-as suspensas no ar como se estivesse estarrecido, e por fim disse a Strayhan:

– Eu pensei que estivéssemos fechando acordos nessas ações.

– Nós estamos – respondeu Strayhan, com a testa franzida.

Prestativo, Mark explicou:

– Bem, segundo os relatórios que o banco não para de liberar para a imprensa, as indenizações estão em negociação, mas isso está sendo dito há três meses. A verdade é que os advogados de vocês estão protelando. Tem um milhão de clientes por aí que foram sacaneados pelo Swift, e eles merecem uma compensação.

– Nós sabemos! – explodiu Rackley, perdendo enfim a calma. – Podem acreditar, nós sabemos de tudo isso e estamos tentando chegar a um acordo, ou pelo menos eu achava que estivéssemos. – Ele se virou, fuzilou Strayhan com os olhos e tornou a falar. – Descubra o que está acontecendo. – Então se dirigiu a Mark: – Qual é o seu interesse nesse litígio?

– Isso é confidencial – respondeu Mark com um ar de superioridade.

– Não podemos falar sobre isso – acrescentou Todd. – Agora são quase 10h30 de terça-feira. Em quanto tempo o banco poderia anunciar um acordo para todas as ações coletivas?

– Esperem um pouco – interpôs Rackley. – E que fim vai levar a sua matéria sobre o grande golpe das faculdades de Direito? A sensação da primeira página?

– O negócio é o seguinte – disse Todd. – Amanhã, às quatro da tarde, nós vamos nos reunir com um jornalista do *Times*.

– Um jornalista de verdade? – indagou Rackley.

– Pode apostar. Um dos bons. E vamos contar a história para ele. Se ele publicar, e não temos motivo nenhum para pensar o contrário, o senhor vai virar o vilão do mês. Pior, a reportagem vai chamar a atenção do FBI, que, como tenho certeza que o senhor sabe, já está na cola do Swift. O detalhe sobre os acionistas com sede no exterior vai botar lenha na fogueira.

– Isso tudo eu já entendi – disse Rackley. – Vá direto ao ponto.

– Se o Swift anunciar um acordo em 24 horas, nós desmarcamos o encontro com o jornalista.

– E depois somem?

– Nós sumimos. Aumente a indenização. Certifique-se de que os litigantes de Miami sejam os primeiros a receber, e quando essa grana entrar, nós sumimos. Não dizemos nada. O golpe das faculdades fica para outra pessoa investigar.

Rackley passou um tempo a encará-los. Strayhan teve a sensatez de não abrir a boca. Um minuto transcorreu, embora tenha parecido meia hora. Por fim, Rackley se levantou e disse:

– O banco de toda forma não tem outra escolha senão indenizar. Farei o anúncio hoje à tarde. Depois disso, imagino que tenha que confiar na sua palavra.

Mark e Todd se levantaram, mais do que prontos para ir embora.

– O senhor tem a nossa palavra.

– Podem ir agora – disse Rackley.

37

Idina Sanga não fez nenhum progresso durante o fim de semana. A polícia recusou seu acesso a Abdou, embora tenha afirmado que ele estava em segurança e recebendo um tratamento adequado. Por volta do meio-dia de segunda-feira, ela ligou para Zola avisando que pouca coisa havia mudado. Idina estava pressionando seus contatos em diversos níveis da burocracia estatal e disse várias vezes que aquelas coisas levavam tempo.

Depois de quatro dias esperando no hotel, Zola estava subindo pelas paredes. Passava horas no quarto conversando com a mãe, coisa que as duas não faziam havia muitos anos. Ela e Bo ficavam relaxando no pequeno café do hotel e tomavam chá várias vezes ao dia. Ela ligava para os sócios para saber os últimos desdobramentos de suas desventuras.

Os dois quartos estavam lhe custando o equivalente a 100 dólares por dia. Somando as refeições no café, Zola estava começando a ficar preocupada com as finanças. Havia chegado com mais ou menos 10 mil dólares e pagara cerca de 3 mil de adiantamento ao escritório de Madame Sanga em troca de representação e influência. Supondo que Abdul fosse solto em breve, a família iria precisar de moradia, roupas, comida e tudo o mais, e o seu dinheiro logo acabaria. Ela ainda tinha 6 mil dólares na sua conta de Washington e sabia que os sócios a ajudariam em caso de aperto, mas de repente se viu aflita por causa de dinheiro. Quando a família fora detida pelo ICE, Abdou tinha 800 dólares em dinheiro vivo. Bo tinha duzentos. As economias da família tinham acabado depois que eles contrataram um advogado de imigração que nada fez. Fosse qual fosse o seu futuro no Senegal, tudo dependia das magras economias de Zola.

E ainda era preciso falar sobre a probabilidade de precisarem subornar alguém.

No final da tarde de segunda, sua frágil situação financeira piorou. Dois carros de polícia estacionaram junto ao meio-fio em frente ao hotel e quatro agentes uniformizados saltaram. Zola e Bo estavam tomando chá no saguão e reconheceram dois dos policiais. Foram instruídos a permanecerem onde estavam enquanto o recepcionista entregava à polícia a chave de seus quartos no terceiro andar. Um dos agentes ficou com eles enquanto os outros três subiam de elevador. Minutos depois, Fanta saiu do elevador escoltada e foi deixada no saguão junto com os filhos.

– Eles estão revistando nosso quarto – sussurrou ela para Zola.

Por mais aterrorizante que a situação fosse, Zola ficou aliviada por saber que seu dinheiro e seus objetos de valor estavam no cofre do hotel, atrás do balcão da recepção.

Eles aguardaram uma hora, certos de que os quartos estavam sendo destruídos. Quando os três policiais voltaram ao saguão, o líder, um sargento, entregou uma folha de papel ao recepcionista, que rapidamente obedeceu.

– Temos um mandado de busca para o cofre do hotel – disse o sargento em inglês.

– Esperem um instante – pediu Zola, avançando em direção ao balcão. – Vocês não podem revistar as minhas coisas. – Um policial a deteve.

Fanta começou a protestar em francês e Bo tentou ajudá-la, mas acabou sendo empurrado. O recepcionista desapareceu e voltou com uma pequena caixa de metal idêntica à que Zola havia alugado. Ela vira o recepcionista colocá-la dentro do cofre junto com uma dezena de outras. A caixa não tinha tranca.

O sargento olhou para Zola e disse:

– Venha cá.

Ela foi até o balcão e ficou olhando enquanto o policial abria a caixa. Ele abriu um envelope e pegou um bolo de dinheiro americano. Bem devagar, separou vinte notas de 100 dólares. Pegou um maço grosso de francos CFA e começou a contar. A uma taxa de câmbio de 600 francos por dólar, a contagem levou algum tempo. Zola ficou observando com atenção, furiosa com essa violação, mas totalmente impotente. O dinheiro somado chegava quase a 6 mil dólares. Satisfeito com a quantia até o momento, o sargento esvaziou a caixa de metal. Havia três cartões presos por um elástico: sua carteira de habilitação falsa do Distrito de Columbia, sua carteira de estudante da Foggy Bottom e um cartão de crédito vencido. Sua coleção de celulares estava escondida numa sacola enfiada debaixo do colchão.

Dentro da bolsa que ela segurava com força junto ao corpo estava seu passaporte, sua carteira de habilitação de Nova Jersey, uns 500 dólares em espécie e dois cartões de crédito. Se eles tentassem pegá-los, ela não iria entregar sem briga. Seus joelhos fraquejaram quando o sargento falou:

– Passaporte?

Ela abriu o zíper da bolsa, tateou lá dentro e sacou o documento. O policial o examinou com cuidado, encarou sua bolsa fixamente por longos instantes, então lhe devolveu o passaporte. Enquanto isso acontecia, outro policial listava o conteúdo da caixa de metal. Ficou óbvio que tudo seria levado embora.

Com a bolsa segura, Zola perguntou:

– Por que vocês estão levando minhas coisas?

– Nós temos um mandado – respondeu o sargento.

– Mas por quê? Eu não cometi nenhum crime.

– Nós temos um mandado – repetiu ele. – Assine aqui.

Ele apontou para a lista grosseira.

– Não vou assinar nada – disse ela, mas sabia que não tinha escolha.

Naquele momento, ela entendia qual era a realidade. Suspirou fundo e reconheceu que era inútil resistir.

O sargento pôs seu dinheiro e seus cartões dentro de um grande envelope do hotel e os entregou para outro policial. Então olhou para Bo e disse, em francês:

– O senhor vem conosco.

Bo só entendeu quando o policial mais próximo sacou um par de algemas e segurou seu pulso. Instintivamente, ele se esquivou com um tranco, o que fez outro agente o agarrar pelo braço.

– O que estão fazendo? – indagou Zola em inglês enquanto Fanta protestava em francês.

Bo suspirou fundo e relaxou enquanto suas mãos eram algemadas nas costas.

– Está tudo bem – disse ele para a mãe.

– O que estão fazendo? – perguntou Zola outra vez.

O sargento soltou seu par de algemas do cinto e as sacudiu na sua frente.

– Calada! Quer isto aqui?

– Vocês não podem levá-lo – disse ela.

– Calada! – rosnou o sargento. – Ou levamos sua mãe também.

– Está tudo bem, Zola – falou Bo. – Está tudo bem. Vou ver como o papai está.

Dois dos policiais empurraram Bo em direção à porta da frente e o grupo saiu, o sargento com o envelope na mão. Zola e Fanta ficaram olhando sem acreditar enquanto Bo era empurrado com truculência para dentro de um dos carros e jogado no banco de trás.

Quando os carros estavam se afastando, Zola ligou para Idina Sanga.

ÀS QUATRO DA tarde de terça-feira, 13 de maio, os advogados do Banco Swift anunciaram uma proposta de indenização para as seis ações coletivas espalhadas pelo país. Com todos os boatos e especulações dos três meses anteriores, a notícia foi quase um anticlímax. As previsões relacionadas a uma indenização milionária do Swift tinham perdido a graça.

Segundo os termos propostos, o Swift iria depositar num fundo de indenização a quantia inicial de 4,2 bilhões de dólares para cobrir os pedidos de indenização antecipados de cerca de 1,1 milhão de clientes em potencial. As seis ações coletivas incluíam 800 mil pessoas, o que deixava 300 mil de fora, a serem disputadas pelos escritórios especializados. Com 220 mil litigantes, a ação do Cohen-Cutler era a maior de todas, a primeira a ter sido movida, a mais bem organizada e estaria no começo da fila para receber seu dinheiro.

A indenização contemplava três níveis de litigantes. Os primeiros eram os mais prejudicados, os proprietários cujos imóveis hipotecados haviam sido confiscados devido ao mau comportamento do Swift. Esse era de longe o menor dos grupos, com um número previsto de cerca de 5 mil pessoas. O nível dois era formado por cerca de 80 mil clientes do Swift cujo crédito fora arruinado ou gravemente prejudicado pelo comportamento do banco. O nível três eram todos os outros: os clientes do Swift que tinham sido enganados por tarifas ocultas e taxas de juros reduzidas. Cada um deles receberia uma compensação de 3.800 dólares.

Os honorários advocatícios foram negociados separadamente, e seriam pagos em outro fundo. Para cada caso individual, o valor era de 800 dólares, independentemente da indenização em si. O Cohen-Cutler, assim como os outros principais escritórios de ações coletivas, receberia 8% adicionais sobre o valor bruto.

Os comentadores de negócios da mídia ficaram imediatamente em polvorosa com a notícia e todos acreditaram que o Swift estava fazendo exatamente o que se esperava que fizesse. Jogar uma pilha de dinheiro em cima do problema, fazê-lo desaparecer e seguir em frente. Com todo mundo ganhando, esperava-se que o acordo fosse aprovado nos tribunais em questão de dias.

Até às cinco da tarde, nenhum advogado das causas coletivas se opôs oficialmente ao acordo. Estavam todos ocupados demais convencendo os clientes do Swift que ainda não haviam entrado nos processos.

HADLEY LIGOU PARA Todd no final da tarde de terça com uma notícia terrível. Ela não conseguira adiar seu caso por uma ou duas semana. Pelo contrário: o procurador responsável pelas suas acusações fazia questão de vê-los na corte na sexta-feira. Hadley disse que o caso estava atraindo alguma atenção. Estavam todos tão cansados de drogados e motoristas bêbados que era revigorante ter algo tão diferente na agenda. Desculpem, rapazes.

– Precisamos contratar um advogado – afirmou Todd.

Os dois estavam sentados num banco de parque em Coney Island, fumando charutos pretos compridos e bebendo água mineral.

– Tenho outra opinião – disse Mark. – Sou a favor de não contratarmos advogado nenhum.

– Tá. Aí não aparecemos na corte na sexta. O que vai acontecer? O juiz provavelmente vai emitir mandados na tribuna mesmo e nossos nomes vão entrar no sistema.

– E daí? Grande coisa. A gente não é narcotraficante nem membro da Al-Qaeda. Não vendemos drogas nem fomentamos o terrorismo. Acha mesmo que alguém vai tentar se esforçar para nos encontrar?

– Não, mas vamos ser procurados. Vivos ou mortos.

– E daí, se ninguém estiver nos procurando? – retrucou Mark.

– E se a gente se meter em alguma confusão e precisar sair do país? Vamos apresentar nossos passaportes no aeroporto e um alarme vai disparar em algum lugar. Mandados em aberto no Distrito de Columbia. O cara da alfândega não vai estar nem aí para saber de que crimes estamos sendo acusados. Vamos tentar explicar que não somos nada além de dois palhaços que fingiram ser advogados, mas ele não vai se impressionar. Tudo que vai ver é um alerta vermelho, e de repente nós vamos ver as algemas outra vez. Vou lhe dizer, eu adoraria evitar as algemas.

– E o que um advogado vai fazer?

– Protelar, protelar, protelar. Conseguir um pouco de tempo para a gente, segurar os mandados. Negociar um acordo com a procuradoria, nos manter fora da cadeia.

– Eu não vou preso, Todd. Não estou nem aí para o que acontecer.

– A gente já teve essa conversa. Tempo, é disso que a gente precisa, e um advogado pode empurrar esse troço por meses.

Mark tragou o charuto, encheu a boca de fumaça e exalou uma nuvem grossa.

– Tem alguma ideia de alguém?

– Darrell Cromley.

– Aquele babaca. Espero que ele ainda esteja tentando encontrar a gente.

– Eu estava pensando no Phil Sarrano. Ele estava no terceiro ano da Foggy Bottom quando a gente entrou. Um cara legal, trabalha num pequeno escritório de Direito Penal perto de Capitol Hill.

– Eu lembro dele. Quanto ele vai cobrar?

– A gente só vai saber quando perguntar. De cinco a dez mil, você não acha?

– Vamos negociar, ok? Nosso orçamento ainda está apertado.

– Vou ligar para ele.

Phil Sarrano pediu um adiantamento de 10 mil dólares. Todd arquejou, engasgou, gaguejou, fingiu estar pasmo e explicou que ele e seu co-réu eram apenas dois estudantes de Direito que tinham largado a faculdade, desempregados, com uma dívida somada de quase meio milhão. Todd lhe garantiu que o caso não iria a julgamento nem consumiria muito do seu tempo. Aos poucos foi abaixando a quantia, até eles finalmente concordarem com o valor de 6 mil dólares. Todd disse que seria forçado a pedir o dinheiro emprestado para a avó.

Uma hora mais tarde, Sarrano ligou de volta com a má notícia de que o juiz responsável pelo caso, Sua Excelência Abe Abbott, queria que os dois réus comparecessem pessoalmente às dez horas da manhã de sexta-feita na 6ª Vara do Fórum Distrital. Pelo visto, o juiz Abbott estava intrigado com o caso e um tanto ansioso para esclarecer as coisas. Sendo assim, não iria adiar o comparecimento inicial.

– E ele quer saber por onde anda Zola Maal – falou Sarrano.

– Nós não somos responsáveis por Zola Maal – disse Todd. – Tentem na África. A família dela acabou de ser deportada, talvez ela tenha ido junto.

– África? Está bem, vou transmitir a informação.

Todd deu a Mark a notícia de que eles teriam de voltar para Washington bem antes do esperado. Ele já tinha se apresentado diante do juiz Abbott uma vez; Mark também. Nenhum dos dois estava ansioso por aquele reencontro.

38

A casa da família Frazier ficava na York Street, em Dover, Delaware. Os Luceros ainda moravam na Orange Street, no sul de Baltimore. Assim, o fundo York & Orange Traders ganhou vida graças às leis estarrecedoramente eficientes do estado natal de Mark para a abertura de novas empresas. Por 500 dólares pagos no cartão de crédito, o alvará foi emitido pela internet e a firma recém-nascida usou como endereço da sede um dos muitos serviços profissionais disponíveis em Delaware. Uma vez aberto nos Estados Unidos, o York & Orange Traders começou imediatamente a se expandir. Voltando-se para o sul, escolheu a nação caribenha de Barbados para abrigar sua primeira filial. Por uma taxa de 650 dólares, a empresa se cadastrou nas Pequenas Antilhas.

Abrir uma conta bancária lá, porém, não seria tão fácil quanto se cadastrar como empresa.

Após semanas de pesquisa on-line, Mark e Todd sabiam que não deveriam tentar a sorte com nenhum banco suíço. Ao menor indício de dinheiro ganho ilicitamente, os suíços se recusariam a fazer negócio com eles. De modo geral, os bancos da Suíça tinham cautela com os reguladores americanos, e muitos simplesmente se negavam a abrir novas contas para correntistas dos Estados Unidos. No Caribe as coisas pareciam ser mais relaxadas.

WALL STREET GOSTOU da notícia da indenização proposta. As ações do Banco Swift abriram em forte alta e continuaram a subir com negociações pesadas ao longo de toda a manhã. Na quarta-feira, ao meio-dia, o valor unitário já tinha dobrado e estava perto de 27 dólares por cota.

Os advogados do Swift corriam para obter aprovações dos seis juízes federais responsáveis pelas ações coletivas. Sem qualquer surpresa, pelo menos não para Mark e Todd, que monitoravam a situação minuto a minuto com vários aplicativos de acompanhamento dos tribunais, o juiz de Miami foi o primeiro a cruzar a linha de chegada, e aprovou o acordo antes das duas da tarde, menos de 24 horas após o Swift anunciar seus planos.

Pouco depois, Marvin Jockety ligou para Mark e, forçando-se a soar educado, falou:

– Por favor, ligue para Barry Strayhan.

– Claro. Qual é o telefone?

Jockety lhe passou o número e desligou. Mark ligou na mesma hora para Strayhan, que disse:

– Nós cumprimos a nossa parte do acordo. E vocês?

– Cancelamos nossa reunião no *Times*. Vamos ficar quietos até o dinheiro aparecer, depois vamos sumir. Conforme o prometido.

– Qual é o seu interesse na indenização?

– O senhor estudou Direito em Harvard, não foi? Turma de 1984?

– Isso.

– Eles não lhe ensinaram a evitar fazer perguntas que não vão ser respondidas?

A ligação ficou muda.

NA QUARTA-FEIRA DE manhã, Idina Sanga se apresentou na cadeia e anunciou aos carcereiros que não iria embora antes de se reunir com seus clientes. E tinha consigo, a postos, o nome e telefone de um alto oficial da Justiça. Fez o máximo de barulho que conseguiu durante uma hora, e finalmente foi conduzida até uma ala cheia de pequenos cômodos, a maioria dos quais já tinha visitado. Não havia janelas, ventiladores ou qualquer ar circulando, e ela passou mais uma hora esperando no calor denso e sufocante até Bo ser trazido, algemado. Seu olho esquerdo estava inchado e havia um corte acima da sobrancelha. Os guardas se retiraram, mas as algemas continuaram onde estavam.

– Eu estou bem – disse ele. – Por favor, não comente com Zola nem com minha mãe.

– O que houve? – perguntou ela.

– Os guardas estavam só se divertindo um pouco, sabe?

– Eu sinto muito. Devo fazer uma reclamação?

– Por favor, não. Só vai piorar as coisas, se é que isso é possível. Eu estou numa cela com cinco outros homens, todos mandados de volta dos Estados Unidos. As condições não são boas, mas estamos sobrevivendo. Reclamações complicam as coisas.

– E nenhum sinal de Abdou?

– Não. Não vi meu pai e estou preocupado com ele.

– Você foi interrogado? – perguntou Idina.

– Fui, hoje de manhã, por um oficial graduado. Só nós dois, sem mais ninguém presente. Eles acham que a minha irmã é uma rica advogada americana e querem dinheiro, claro. Tentei explicar que ela é só uma estudante de Direito pobre e desempregada, mas ele não está acreditando. Me chamou de mentiroso. Eles têm provas. Acharam o dinheiro na caixa de Zola no hotel. Ele falou que aquilo era um adiantamento e que queria mais.

– Quanto mais?

– Dez mil pelo meu pai, 8 mil pela minha mãe e mais 8 por mim.

– Que absurdo – disse Idina, pasma. – Subornos não são raros, mas não em quantias tão altas.

– Ele acha que a Zola é rica. Se ela veio para cá com muito dinheiro, com certeza deve ter mais nos Estados Unidos.

– E os 6 mil que eles já pegaram?

– Segundo ele, esse é o preço pela Zola. Eu argumentei que ela é uma cidadã americana que já se cadastrou na embaixada dos Estados Unidos nesta mesma rua. Ele não se impressionou. Disse que planejam prender ela e minha mãe se o dinheiro não for pago.

– Isso é ridículo. Eu tenho amigos importantes no governo e pretendo ligar para eles agora mesmo.

Bo balançou a cabeça e fez uma careta.

– Não faça isso, por favor. Eu soube que dois homens morreram aqui semana passada. As coisas podem piorar muito. Às vezes ouvimos gritos. Se a gente reclamar, ninguém sabe o que pode acontecer. – Com os pulsos presos um no outro, Bo limpou a boca de modo canhestro usando as costas da mão. – Eu tenho amigos nos Estados Unidos, mas são todos trabalhadores como a gente, com pouco dinheiro. Meu irmão Sory mora na Califórnia, mas nunca poupa dinheiro e vive liso. Não consigo pensar em ninguém para quem ligar. Meu chefe, ou melhor, meu ex-chefe, é um homem bom, mas não quer se envolver. Ninguém quer se envolver quando imigrantes ilegais são detidos e mandados de volta. A gente passou quatro meses no centro de detenção e perdeu contato com quase todo mundo lá fora. Quando os seus amigos descobrem que você vai ser deportado, eles deixam de ser seus amigos. É cada um por si. – Ele fechou os olhos e franziu a testa como quem sente dor. – Não sei de ninguém para quem ligar. A senhora vai ter que perguntar para a Zola.

O METS GANHOU as primeiras duas partidas no Yankee Stadium. A seguinte seria no Citi Field. Mais uma vez, Mark e Todd compraram os lugares mais baratos possíveis e foram parar na lateral esquerda bem no alto, muito acima do campo. Apesar de muito alardeada, a terceira partida não foi nem de longe um sucesso de bilheteria.

Eles beberam cerveja, assistiram ao jogo, não torceram por nenhum time – porque Todd era torcedor do Orioles e Mark torcia pelo Phillies – e planejaram discretamente os dias seguintes. Pela manhã, pegariam um trem até Washington e encontrariam Phil Sarrano, que iria conversar com o procurador e tentar ter uma ideia da sua disposição.

Todd estava comprando um saco de amendoim quando o telefone de Mark vibrou. Era Zola, ainda presa num hotel sujo onde nada era certo. Mark ou Todd tinham falado com ela todos os dias, embora as conversas fossem rápidas. Eles usavam e-mails para a atualização de informações, mas tomavam cuidado para não registrar tudo por escrito. Sobre o tema dos subornos, era melhor se comunicar por telefone.

– Problemas sérios – avisou Mark, guardando o telefone. Ele resumiu o que ela acabara de lhe dizer e concluiu. – Ela precisa de 26 mil dólares. Tem seis no banco lá em Washington. Restam vinte pela conta da empresa.

Todd pensou por um segundo e disse:

– A conta da empresa está levando uma surra esses dias. Muita saída e nenhuma entrada.

– O saldo é 31 mil, né?

– Um pouco mais. Como você se sente transferindo 20 mil para qualquer um no Senegal?

– Ela quer que a gente mande o dinheiro para a conta fiduciária da sua advogada. De lá, ninguém sabe, mas tenho certeza de que Zola vai dar um jeito.

– E se eles a prenderem por suborno?

– Não tenho certeza de que alguém seja preso por suborno lá. É um risco que vamos ter de correr.

– Então a gente vai mandar? Simples assim? Vai dizer adeus a 20 mil pratas ganhas com muito suor, aplicando golpes em bêbados nos tribunais da cidade?

– Bom, a maior parte veio dos contribuintes, não sei se você se lembra. Nós juntamos a parte dos nossos empréstimos destinadas aos gastos pessoais. Estamos nessa juntos, Todd, nada mudou. Zola está precisando. A gente tem o dinheiro. Fim de papo.

Todd quebrou uma casca e jogou alguns amendoins na boca.

– Tá. Mas eles não podem prender ela, podem? Ela se cadastrou na nossa embaixada.

– Você está me perguntando o que a polícia pode e não pode fazer em Dacar, no Senegal?

– Não, na verdade eu não estou perguntando.

– Que bom. Ela é uma garota americana, Todd, americana igual à gente, e nós estamos sentados aqui assistindo a um jogo de beisebol enquanto ela está suando lá na África, um lugar que nunca viu na vida. Estamos preocupados em comparecer diante de um juiz hostil na sexta-feira, enquanto ela está preocupada em ser jogada na prisão, onde qualquer coisa pode acontecer. Dá para imaginar os guardas quando eles virem a Zola?

– Você está me passando um sermão outra vez?

– Na verdade eu não sei o que estou fazendo, fora tomar cerveja. A gente deve muito a ela, Todd. Cinco meses atrás, a vida dela estava boa. Ela e o Gordy estavam se divertindo. Ela estava prestes a se formar em Direito e fazer seja lá que porcaria tinha planejado fazer. Aí a gente apareceu. E agora ela está no Senegal, morta de medo, sem um tostão, desempregada, recém-intimada, prestes a ser indiciada, a lista não tem fim. Coitada. Ela provavelmente amaldiçoa o dia em que conheceu a gente.

– Que nada, ela ama a gente.

– Vai nos amar bem mais depois que a gente transferir os 20 mil.

– Ela deve ser mais frágil do que a gente imaginou.

– Acho que você tem razão. Que bom que você e eu não somos frágeis. Loucos, talvez, mas frágeis não.

– Eu prefiro loucos. Uma dupla de lelés.

– Você alguma vezes pensa por que a gente fez o que fez?

– Não. Você gasta tempo demais olhando para trás, Mark, e eu talvez não passe tempo suficiente fazendo isso. Mas o que está feito está feito. A gente não pode voltar e mudar nada, então pare de pensar no assunto e tentar dar sentido ao que aconteceu. Aconteceu. A gente fez isso. Não dá para desfazer. Já temos coisa suficiente em que pensar no futuro próximo.

– Você não se arrepende?

– Eu não trabalho com arrependimento, você sabe disso.

– Eu gostaria de poder desligar esse botão assim. – Mark tomou um gole de cerveja e assistiu um pouco ao jogo. Depois de alguns instantes, tornou a falar: – Eu me arrependo do dia em que entrei na faculdade. Me arrependo de pegar toda aquela grana emprestada. Me arrependo do que aconteceu com o Gordy. E vou me arrepender de verdade se eles nos mandarem para a prisão por seis meses e nos ficharem como criminosos.

– Ótimo. Você tem arrependimentos. De que adianta ficar se lamuriando deles agora?

– Eu não estou me lamuriando.

– Para mim parece que está.

– Tá, estou me lamuriando. E se você for parar na cadeia, mesmo assim não vai ter nenhum arrependimento?

– Mark, tanto você quanto eu sabemos que a gente não vai ser preso. Ponto final. Algum juiz pode até assinar uma sentença condenando a gente, mas não vamos estar no tribunal quando isso acontecer. Não vamos estar na cidade e, provavelmente, nem no país. Combinado?

– Combinado.

39

Às nove da manhã de quinta-feira, Mark e Todd entraram no seu novo banco na Fulton Street assim que a agência abriu. Tinham hora marcada com uma gerente de contas e logo lhe contaram uma história complicada sobre a sua necessidade urgente de transferir 20 mil dólares para um escritório de Direito no Senegal. Zola tinha mandado por e-mail instruções precisas para a transferência. A gerente ainda não havia executado uma operação como aquela em sua curta carreira. Deu alguns telefonemas e descobriu, assim como Todd e Mark, que a taxa de câmbio entre o dólar americano e o franco CFA era importante. Primeiro os dólares foram convertidos em francos, e a transferência em seguida foi autorizada pelo Sr. Lucero, sócio sênior. A operação foi iniciada, e o valor chegaria ao Senegal em cerca de 24 horas se tudo corresse bem. A transação toda levou uma hora, tempo de sobra para Mark e Todd jogarem charme para a gerente de contas com seus comentários inteligentes e sua personalidade cativante.

Com o dinheiro encaminhado, Mark e Todd pegaram o trem para Manhattan e chegaram na Penn Station. Para matar o tempo, e sem pressa nenhuma de voltar para Washington, embarcaram ao meio-dia e dormiram durante toda a viagem para casa.

Casa? Embora tivessem passado apenas cinco dias fora, Washington parecia outro mundo. Durante anos, aquele havia sido o seu território escolhido, o lugar onde eles iriam iniciar e construir suas carreiras em meio a infindáveis oportunidades, uma cidade que transbordava de advogados, escritórios e jovens profissionais, todos em plena ascensão. Agora, aquele era o lugar onde haviam falhado miseravelmente, e o taxímetro de estragos ainda não tinha parado de rodar. Em breve deixariam Washington às pressas, com a reputação arruinada e pessoas à sua procura, de modo que tiveram dificuldade para olhar a cidade do banco de trás do táxi e experimentar qualquer sensação de nostalgia.

O escritório de Phil Sarrano ficava na Massachusetts Avenue, perto de Scott Circle. Ele era um dos quatro sócios de um escritório com dez profissionais especializado em casos de colarinho branco, trabalho que em geral significava belos honorários de ricos políticos, lobistas ou prestadores de serviço do governo. Por algum motivo, o escritório havia encontrado tempo para dois universitários desistentes que tinham feito uma incursão um tanto ousada no orgulhoso ofício jurídico da cidade e estavam duros demais para contratar um advogado mais experiente.

Phil era um ano mais velho do que Todd e Mark. Havia concluído o curso na Foggy Bottom em 2011, o ano em que os dois tinham começado. Ao correr os olhos por sua sala, contudo, eles não viram nenhum certificado da faculdade de fundo de quintal. Na parede atrás de sua mesa havia um belo diploma emoldurado da Universidade de Michigan que lhe conferia um título de bacharel em artes liberais, mas nada da Foggy Bottom. Era uma sala agradável num pequeno escritório agradável que dava toda a impressão de ser próspero e atraente. Phil certamente parecia gostar do seu trabalho.

Onde eles erraram tanto? Por que sua carreira tinha saído dos trilhos?

– Quem é o promotor? – indagou Todd.

– Promotora. Mills Reedy. Conhece?

– Não. Nunca fui para a cama com ela. Você já? – perguntou ele a Mark.

– Com essa daí não.

– Como é? – indagou Phil.

– Desculpe, piada interna – explicou Todd.

– Melhor continuar interna.

– Ela é difícil? – perguntou Mark.

– É, um verdadeiro pé no saco – respondeu Phil, estendendo a mão para pegar uma pasta. – Ela mandou o dossiê, e eu dei uma olhada. Eles têm cópias de todos os seus comparecimentos, com aqueles outros nomes, claro, então preciso fazer a pergunta que eu geral não faço: vocês têm alguma defesa a apresentar contra essas acusações?

– Não – respondeu Mark.

– Absolutamente nenhuma – reiterou Todd. – Somos totalmente culpados.

– Então por que fizeram isso? – quis saber Phil.

– Essa não é outra pergunta que nunca se deve fazer a um cliente? – perguntou Todd.

– Acho que sim. Estou só curioso.

– Falamos sobre isso depois, quem sabe tomando alguma coisa – disse Mark. – A minha pergunta tem a ver com a acusação. Eles estão falando sério mesmo em relação a essa porcaria toda? É um crimezinho tão sem importância. Na verdade, em metade dos estados da federação, advogar sem registro nem crime é. É uma infração sem gravidade.

– Aqui não é metade dos estados da federação – disse Phil. – Aqui é o Distrito de Columbia, e como vocês provavelmente saberiam se tivessem registro, o Conselho da Ordem daqui leva o seu trabalho muito a sério. E ele faz um bom trabalho. Eu tive uma conversa com a Dra. Reedy, e ela foi direto ao assunto. Me lembrou que o máximo são dois anos na cadeia e uma multa de mil dólares.

– Isso é ridículo – reclamou Todd.

– Phil, a gente não vai para a cadeia – retrucou Mark. – E demos nossos últimos 6 mil dólares para você, então estamos mais duros ainda.

– Tive que pedir emprestado para minha avó – falou Todd.

– Você quer o dinheiro de volta? – perguntou Phil, ofendido.

– Não, não, pode ficar – respondeu Mark. – A gente só quer que você saiba que estamos duros e não vamos presos, então anote isso em algum lugar.

– E também não temos como pagar fiança – emendou Todd.

Phil estava balançando a cabeça.

– Duvido que isso vá acontecer. Então, se vocês não têm defesa nem aceitam nenhuma das penalidades, o que exatamente querem que eu faça?

– Protele – respondeu Mark.

– Adie – emendou Todd. – Empurre com a barriga, deixe a poeira baixar. Se você pedisse uma data de julgamento, o que iria conseguir?

– No mínimo seis meses, talvez um ano – respondeu Phil.

– Maravilha – disse Mark. – Diga à Dra. Reedy que nós vamos a julgamento e teremos tempo de sobra para organizar um acordo.

– Vocês estão até parecendo uma dupla de advogados de verdade – comentou Phil.

– A gente estudou na Foggy Bottom – respondeu Todd.

DEPOIS DE ESCURECER, eles entraram sem serem vistos no apartamento acima do Rooster Bar para dar uma olhada nas coisas e quem sabe se acomodar para o pernoite. Mas o lugar estava ainda mais soturno do que eles se lembravam, e uma hora depois eles chamaram um carro e foram para um hotel barato. Cada um tinha 5 mil dólares em dinheiro vivo no bolso, o que significava que a conta corrente da empresa Lucero & Frazier estava em seus últimos 989,31 dólares. Eles encontraram um restaurante de carne caro e esbanjaram pedindo um filé cada um e duas garrafas de Cabernet da Califórnia.

Depois de um garçom tirar os pratos, com o vinho quase no fim, Todd perguntou:

– Lembra aquele filme *Corpos ardentes*? Com a Kathleen Turner e o William Hurt?

– Claro, um ótimo filme sobre um advogado incompetente.

– Entre outras coisas, o Mickey Rourke interpreta um cara que está preso, e ele tem uma fala famosa, alguma coisa como: "Quando você comete um assassinato, comete dez erros. Se conseguir pensar em oito deles, você é um gênio." Lembra disso?

– Talvez. Você matou alguém?

– Não, mas a gente cometeu alguns erros. Na verdade, tantos que não conseguimos sequer pensar na metade.

– O primeiro qual foi?

– A gente pisou na bola quando contou ao Rackley que o nosso amigo tinha se matado. Isso foi mesmo uma burrice. Aquele chefe da segurança dele, qual é mesmo o nome?

– Doug Broome, eu acho.

– Isso. Esse Broome apavorou a gente quando chegou e disse que eles tinham checado todos os Mark Finley e todos os Todd McCain do país, não foi?

– Foi.

– Então está claro que o Rackley é fanático por segurança e inteligência. Não seria preciso um grande esforço para pesquisar os suicídios recentes de estudantes de Direito. O nome do Gordy iria aparecer. Broome e os comparsas dele poderiam ir xeretar na Foggy Bottom e alguém poderia mencionar nossos nomes, que saíram no *Post* semana passada, aliás. Sem muito esforço, Broome poderia rastrear nossos nomes verdadeiros, e isso, é claro, levaria ao nosso novo escritório de Direito lá no Brooklyn.

– Peraí, não estou conseguindo acompanhar. Mesmo que ele saiba os nossos nomes e de onde a gente é, como vai conseguir encontrar a Lucero & Frazier no Brooklyn? Não estamos exatamente registrados lá. Não estamos na lista telefônica, não temos site na internet. Não estou entendendo.

– Erro número dois. Nós exageramos no lance da ação coletiva de Miami. Rackley e Strayhan devem ter ficado com a pulga atrás da orelha para saber por que estamos tão interessados no processo do Cohen-Cutler. Se foi essa a nossa exigência, a gente deve ter algum interesse no caso. Eu não tenho certeza em relação a isso, mas e se o Broome conseguir descobrir que o escritório Lucero & Frazier indicou 1.300 causas para o Cohen-Cutler?

– Pode parar por aí. A gente não está registrado como advogado nessas causas e o nome do nosso escritório não está escrito em lugar nenhum, assim como as dezenas de outros advogados que indicaram os seus casos. O Cohen-Cutler possui a informação, mas ela é confidencial. Rackley não tem como entrar no Cohen-Cutler. Além do mais, por que ele iria querer fazer isso?

– Talvez ele não precise. Talvez simplesmente informe ao FBI que existe um potencial de fraude na indenização do Banco Swift.

– Mas ele quer que o acordo saia, o quanto antes.

– Pode ser, mas eu tenho um palpite de que o Rackley reagiria mal se desconfiasse que estamos roubando dele.

– Duvido que ele sequer vá chegar perto do FBI com relação ao Swift.

– Verdade, mas ele pode arrumar um jeito de dar o alarme.

Mark fez o vinho girar dentro da taça e o admirou. Tomou um gole e estalou os lábios. Todd tinha o olhar perdido ao longe.

– Pensei que você não trabalhasse com arrependimentos.

– São erros, não arrependimentos. Arrependimentos são águas passadas, uma perda de tempo ficar remoendo. Mas erros são decisões ruins do passado que podem afetar o futuro. Se tivermos sorte, os erros talvez possam ser contidos ou até corrigidos.

– Você está preocupado mesmo.

– Estou, assim como você. Estamos lidando com uma gente muito rica, com recursos ilimitados, e estamos burlando leis a torto e a direito.

– Mil e trezentas vezes, para ser exato.

– No mínimo.

O garçom passou pela mesa e quis saber da sobremesa. Eles pediram um conhaque em vez disso. Todd falou:

– Liguei hoje para Jenny Valdez do Cohen-Cutler quatro vezes, mas não consegui falar. Posso só imaginar o caos que deve estar aquilo lá, com eles tentando processar 220 mil ações. Vou continuar tentando amanhã. Temos que garantir que o nome do nosso escritório continue escondido. Se alguém ligar para xeretar, a gente precisa saber.

– Ótimo. Você acha que o Broome pode aparecer no tribunal amanhã?

– Pessoalmente, não, mas talvez mande alguém dar uma olhada.

– Você está me deixando na paranoia.

– Mark, a gente está fugindo. Ficar na paranoia é bom.

40

Para evitar os corredores da justiça que costumavam sondar, os réus usaram um elevador de serviço ligado a uma entrada dos fundos que poucos advogados conheciam. Mas Phil conhecia, e conduziu seus clientes por um labirinto de corredores curtos onde se sucediam salas de juízes, secretárias e oficiais de justiça. Mark e Todd estavam de terno e gravata, certos de que seriam fotografados por um ou dois jornais, não falaram com ninguém e evitaram fazer contato visual com os poucos rostos conhecidos.

Às 9h50, eles saíram dos fundos do prédio e adentraram a sessão de Sua Excelência Abraham Abbott, 6ª Vara, Tribunal de Assuntos Gerais. Ansiosos para ver quem eram os curiosos, deram uma olhada rápida no recinto. Havia cerca de trinta espectadores, um pouco mais do que o normal para um comparecimento preliminar. Eles se sentaram diante da mesa da defesa, de costas para o público, enquanto seu advogado se aproximava para conversar com o promotor. Em sua tribuna, o juiz Abbott examinava alguns documentos. Hadley Caviness surgiu do nada e se inclinou entre os dois.

– Vim só dar um apoio imoral, rapazes – sussurrou ela.

– Obrigado – respondeu Mark.

– Pensamos em ligar para você ontem à noite – falou Todd.

– Eu estava ocupada – disse ela.

– E hoje?

– Desculpe, já tenho compromisso.

– Qual a reputação da Dra. Reedy? – indagou Mark, meneando a cabeça para a outra mesa.

– Totalmente incompetente – respondeu Hadley com um sorriso. – E burra demais para perceber isso. Mas ela é uma vaca.

– Tem algum jornalista aqui? – quis saber Todd.

– O *Post* está ali à esquerda, na quarta fila, o cara de terno marrom. Não sei de mais nenhum. Preciso correr. Não percam meu número e me liguem quando saírem.

Ela desapareceu tão depressa quanto tinha se materializado.

– Saírem? Tipo da cadeia? – sussurrou Mark.

– Adoro essa safada – resmungou Todd.

Uma porta se abriu na extrema direita da sala, e três detentos de macacão laranja foram trazidos presos uns aos outros. Três jovens negros, recém-saídos das perigosas ruas de Washington e provavelmente a caminho de anos na prisão. Se já não fossem membros de uma gangue, em breve entrariam para alguma e se uniriam a algum grupo para ter mais proteção. Durante suas breves carreiras como advogados criminalistas, Mark e Todd tinham ouvido histórias suficientes sobre os horrores da prisão.

Um oficial chamou os nomes Frazier e Lucero. Eles se levantaram, aproximaram-se do juiz junto com Phil e ergueram os olhos para o semblante nada sorridente de Abbott. As primeiras palavras do magistrado foram:

– Não posso dizer que reconheço vocês, embora tenham me dito que já estiveram aqui antes.

De fato, eles haviam estado, mas nem cogitaram dizer nada.

O juiz continuou:

– Sr. Mark Frazier, o senhor é acusado de infringir a Seção 54B do código penal do Distrito de Columbia, a prática advocatícia não autorizada. O que deseja alegar?

– Inocência, Meritíssimo.

– E o Sr. Lucero, em relação às mesmas acusações?

– Inocência, Meritíssimo.

– E há uma terceira ré, uma certa Sra. Zola Maal, também conhecida como Zola Parker, que suponho ser seu nome profissional. Onde está a Sra. Maal?

Ele encarava Mark, que deu de ombros como se não fizesse a menor ideia.

– Bem, Meritíssimo, parece que ela saiu do país – disse Sarrano. – A família dela foi deportada de volta para a África; soube que ela talvez tenha ido para lá ajudá-los. Não a estou representando.

– Muito bem, um caso estranho que vai ficando mais estranho ainda – disse o juiz Abbott. – Seus casos serão encaminhados ao júri para consideração. Se forem indiciados, vocês serão notificados sobre a data em que deverão se apresentar. Mas tenho certeza de que já conhecem os trâmites. Alguma pergunta, Dr. Sarrano?

– Não, Meritíssimo.

Mills Reedy havia se aproximado também.

– Meritíssimo, eu gostaria que fosse estabelecida uma fiança para esses dois réus – disse ela.

Phil grunhiu de frustração, e o juiz Abbott fez cara de surpresa.

– Por quê? – perguntou ele.

– Bem, evidentemente esses réus usam várias identidades, o que poderia significar um risco de fuga – justificou ela. – Estabelecer uma fiança vai garantir que eles voltem à corte quando solicitado.

– Dr. Sarrano? – disse Abbott.

– Isso não é necessário, Meritíssimo. Meus clientes foram presos na sexta-feira passada e solicitados a comparecerem hoje de manhã às dez. Eles me contrataram e chegamos com quinze minutos de antecedência. Diga-lhes quando devem voltar, e eu farei com que voltem.

Fará o caramba, pensou Todd. *Olhe bem, Abe amigão, porque você nunca mais vai ver a minha cara.*

Risco de fuga, pensou Mark. *O que acham de sumir da face da Terra feito um fantasma? Se acham que eu vou me submeter voluntariamente a uma vida na prisão, vocês estão loucos.*

– Meritíssimo, a co-ré deles já saiu do país – disse Reedy. – Eles assumiram identidades falsas.

– Eu realmente não vejo necessidade para uma fiança neste momento – disse o juiz. – Dr. Sarrano, seus clientes podem concordar em permanecer no Distrito de Columbia até seus casos serem apresentados ao júri?

Phil olhou para Mark, que deu de ombros e disse:

– Claro, mas eu preciso ir visitar minha mãe em Dover. Enfim, acho que ela pode esperar.

– E minha avó está bem doente em Baltimore, mas acho que ela pode esperar – acrescentou Todd. – Como a corte preferir.

Mentir era muito fácil.

– Esses dois não vão a lugar nenhum, Meritíssimo – falou Sarrano. – Uma fiança para eles é uma despesa inútil.

– Bem, Meritíssimo, podemos pelo menos fazê-los entregar os passaportes? – insistiu Reedy.

Mark riu e disse:

– Nós não temos passaportes, Meritíssimo. Somos só dois ex-alunos de Direito sem um tostão.

Seu verdadeiro passaporte estava num bolso do paletó, coçando para ser usado. Dali a uma hora, só por garantia, ele iria comprar um passaporte falso.

O juiz ergueu uma das mãos para fazê-lo calar.

– Sem fiança. Nos vemos daqui a mais ou menos um mês.

– Obrigado, Meritíssimo – disse Sarrano.

Quando eles estavam se afastando da tribuna do juiz, Darrell Cromley avançou até a frente do tribunal com alguns documentos na mão.

– Desculpe, Meritíssimo, mas eu preciso intimar esses dois. Isto é uma cópia da ação que eu movi em nome do meu cliente Ramon Taper.

– Que raio o senhor está fazendo? – perguntou Sarrano.

– Processando os seus clientes – respondeu Cromley, saboreando a atenção.

Mark e Todd pegaram cópias da intimação e do processo enquanto caminhavam de volta até o banco dos réus. O juiz Abbott parecia estar achando graça. Na primeira fila, outro homem se levantou e disse:

– Meritíssimo, eu também preciso intimá-los. Estou representando a Kerrbow Properties, e esses dois quebraram o contrato de locação em janeiro.

Ele acenava com outros papéis. Sarrano se adiantou e os pegou. Quatro filas atrás do cara da Kerrbow, mais um homem se levantou e disse:

– Meritíssimo, eu contratei esse cara aí, Mark Upshaw, para cuidar de um caso de embriaguez ao volante para o meu filho, paguei mil pratas em dinheiro vivo e ele sumiu. Tem um mandado emitido em nome do meu filho e eu quero meu dinheiro de volta.

Mark olhou para o sujeito, que de repente lhe pareceu conhecido. No corredor central, Ramon Taper avançou com um passo trôpego e disse com a voz no volume máximo:

– Esses caras pegaram a minha causa e ferraram com ela, Meritíssimo. Eu acho que eles deveriam ser presos.

Um oficial de justiça uniformizado se aproximou da tribuna do juiz para conter Ramon. Abbott bateu com seu martelo e pediu:

– Ordem no recinto! Ordem no recinto!

Phil Sarrano olhou para seus clientes e disse:

– Vamos embora daqui.

Eles deram a volta na mesa do juiz e desapareceram por uma porta lateral.

QUATRO MESES APÓS comprarem carteiras de habilitação falsas e iniciarem sua fatídica aventura no exercício do Direito de porta de cadeia, Mark e Todd voltaram à oficina de seu falsário favorito em Bethesda para comprar passaportes falsos. Outro crime, sem dúvida, mas o cara na verdade anunciava passaportes falsos na internet, junto com dezenas de outros no "ramo da documentação". Ele dava garantias verbais de que os seus passaportes conseguiriam enganar qualquer agente de alfândega e imigração do mundo. Todd quase lhe perguntou como ele poderia garantir essa promessa. Por acaso deviam acreditar que ele iria correndo ao aeroporto discutir com os guardas? Não. Mark e Todd sabiam que, se fossem pegos, o cara sequer atenderia o telefone.

Após posar para fotos e assinar os nomes Mark Upshaw e Todd Lane nas páginas de assinatura, eles passaram uma hora assistindo enquanto o falsário cortava e remontava meticulosamente as páginas de informação e de autenticação, em seguida as estampava com uma coleção impressionante de carimbos, prova clara de que os dois já tinham viajado bastante. Ele escolheu duas capinhas protetoras já bem surradas para passaportes normais, e acrescentou até adesivos de segurança atrás de ambos. Mark e Todd lhe pagaram mil dólares em dinheiro vivo, e quando saíram o falsário falou:

– Boa viagem, meninos.

A FESTA DE formatura foi uma comemoração improvisada num bar de esportes em Georgetown. Wilson Featherstone convidou Mark por mensagem de texto, e como ele e Todd não tinham nada melhor para fazer na sexta à noite, chegaram tarde e se juntaram a meia dúzia de antigos colegas da faculdade de Direito para uma noite de bebedeira. No dia seguinte, a Foggy Bottom promoveria a formalidade de uma colação de grau de verdade, embora, como sempre, poucas pessoas fossem comparecer. Apenas dois do grupo estavam planejando de fato ir até lá receber o quase inútil diploma, e só o fariam por insistência de suas mães.

Sendo assim, eles beberam. Todos ficaram fascinados com as aventuras de Mark e Todd nos quatro meses anteriores, e os dois deliciaram os colegas com as peripécias da Upshaw, Parker & Lane. A mesa urrou de rir quando eles se revezaram para contar as histórias de Freddy Garcia, de Ramon Taper e a linda causa que eles haviam conseguido arruinar, de suas visitas aos escritórios de Rusty, Jeffrey Corbett e Edwin Mossberg, da pobre Zola dando plantão em cafeterias de hospital, de ter de se esquivar de oficiais de justiça no Rooster Bar e de serem perseguidos por seus consultores de empréstimos. Não havia mais segredos. Eles tinham virado lendas na Foggy Bottom, e o fato de estarem correndo o risco de irem presos e estarem rindo disso só tornava a história melhor ainda.

Quando indagados sobre seus planos, Mark e Todd disseram que estavam pensando em abrir uma sucursal da UPL em Baltimore e andar pelas varas criminais de lá. Quem precisa de um registro de verdade para advogar? Em momento algum, porém, eles revelaram seu plano maior.

Dos oito presentes, seis iriam prestar a prova da ordem dali a dois meses. Três estavam empregados, embora dois fossem em instituições sem fins lucrativos. Apenas um iria trabalhar num escritório de advocacia, e isso se passasse na prova. Todos estavam afundados em dívidas, graças ao grande golpe das faculdades de Direito orquestrado por Hinds Rackley.

Embora sua presença fosse sentida, Gordy não foi mencionado.

41

Todd ganhou no cara ou coroa e pegou um táxi até Dulles no final da manhã de sábado. Pagou 740 dólares por uma passagem de ida e volta para Barbados pela Delta. Seu passaporte falso funcionou sem problemas, tanto no guichê da Delta quanto nos controles de segurança. Ele voou duas horas até Miami e cochilou a maior parte do tempo. Durante a escala de três horas, foi tomar um ar num dos lounges do aeroporto e quase perdeu o voo para o sul. Chegou na capital Bridgetown à noite e pegou um táxi até um pequeno hotel na praia. Ouviu música, tirou os sapatos, dobrou a calça até o joelho e percorreu a areia morna até uma festa num resort próximo. Em uma hora, já estava azarando uma atraente cinquentona de Houston cujo marido desmaiara numa rede ali perto. Até ali, Barbados estava agradável.

Mark embarcou no trem na Union Station e deixou Washington para trás, para sempre. Chegou a Nova York às cinco da tarde, pegou o metrô até o Brooklyn e encontrou seu quarto de hotel exatamente como eles o haviam deixado na quinta-feira.

O sábado de Zola foi ainda mais movimentado. No meio da manhã, um policial importante de terno e gravata chegou ao hotel ladeado por dois agentes uniformizados. Deixou os dois no saguão e a acompanhou até o seu quarto no terceiro andar. Com Fanta fazendo as vezes de tradutora, Zola entregou-lhe um envelope grosso cheio de francos CFA no valor equivalente a 26 mil dólares. Ele contou o dinheiro devagar e pareceu satisfeito com a transação. De um dos bolsos do paletó, tirou os cartões de Zola. Do outro, sacou um envelope mais fino e disse:

– Aqui está o seu dinheiro.

– Que dinheiro? – perguntou ela, espantada.

– O do cofre do hotel. Cerca de 6 mil dólares. O hotel tem o registro da quantia.

Honra entre ladrões, pensou ela, mas não conseguiu encontrar nada para dizer. Pegou o envelope dele ao mesmo tempo que ele pegava o seu e o enfiou num bolso.

– Volto daqui a uma hora – disse o policial, e saiu do quarto.

Exatamente uma hora depois, um furgão da polícia parou em frente ao hotel. Abdou e Bo saltaram da traseira, sem algemas nos pulsos, e entraram no saguão do hotel como se fossem dois turistas. Ambos caíram em prantos ao ver Zola e Fanta, que também se uniram ao choro. Então foram todos para o café e se banquetearam com ovos e muffins.

Idina Sanga os encontrou lá e fez todos entrarem em ação. Eles fizeram as malas às pressas e se prepararam para ir embora. Zola acertou as contas na recepção enquanto Idina chamava dois táxis. Eles foram embora do hotel depressa, sem olhar para trás. Quarenta e cinco minutos depois, pararam em frente a um grupo de arranha-céus modernos. Idina estava ao telefone, e uma espécie de recepcionista encontrou-os no saguão do mais alto dos prédios. Seu apartamento temporário ficava no sexto andar. Era esparsamente mobiliado, mas quem ligava para isso? Depois de quatro meses num centro de detenção e uma semana numa prisão de Dacar, Abdou achou aquilo um castelo. Sua família estava reunida, livre e em segurança.

Idina disparou instruções. O apartamento estava alugado por noventa dias. Na segunda-feira, ela daria início à tarefa de conseguir a documentação. A cidadania senegalesa dos Maals seria recuperada em pouco tempo, uma vez que todos eles tinham nascido ali afinal, e Zola também seria naturalizada. Com base nos relatos de seus dois sócios no escritório de advocacia, ela não estava com a menor pressa de voltar aos Estados Unidos.

PELA SEGUNDA MANHÃ seguida, Todd acordou com dor de cabeça e a boca seca. Recuperou-se um pouco com um café forte à beira da piscina e ao meio-dia estava pronto para a ação. Pegou um táxi até um empreendimento novo na ponta mais ao norte de Bridgetown, uma grande extensão de condomínios bem mais atraente no site do que na vida real. Sites da internet. Por algum motivo que não conseguia identificar, ele ainda visitava o site da Foggy Bottom quando estava de mau humor e maldizia os rostos sorridentes dos alunos enfrentando alegremente o desafio de estudar Direito. Quem podia confiar num site?

De toda forma, encontrou-se com um corretor, que o fez visitar dois apartamentos disponíveis para venda ou locação a preços extorsivos. Escolheu o menor dos dois, e após regatear o preço da promessa de venda, assinou um contrato para comprá-lo e fez um cheque de 5 mil dólares da Lucero & Frazier, um cheque que voltaria voando lá do Brooklyn quando batesse. Com o contrato na mão, voltou para o seu hotel, falou com seus sócios, vestiu um short e foi para a piscina, onde comprou um daiquiri frozen num bar temático e começou a se dourar ao sol.

NO FINAL DA tarde de domingo, Barry Strayhan foi convocado à mansão de Hinds Rackley na Quinta Avenida. Os dois abriram um vinho e se sentaram ao sol numa varanda, com o Central Park logo abaixo. Doug Broome e sua equipe haviam rastreado Mark e Todd, e ainda estavam ocupados juntando as peças do quebra-cabeça. As notícias na imprensa sobre o suicídio de Gordy os havia levado à Faculdade de Direito Foggy Bottom, onde um investigador fora assistir à cerimônia sem-graça de colação de grau na véspera. Com uma lista de formandos no curso, um trabalho fácil ao telefone revelou os nomes de Frazier e Lucero, dois alunos do terceiro ano que eram próximos do falecido e haviam largado os estudos em janeiro. Um colega chegou até a revelar que os dois tinham sido presos por advogar sem licença. Uma curta matéria no *Post* da véspera relatava em detalhes sua atribulada aparição no tribunal na sexta-feira. Rackley não era o único à sua procura. Pelo visto, os dois estavam deixando um rastro de clientes insatisfeitos e gente que desejava processá-los na justiça. Suas páginas do Facebook tinham sido fechadas meses antes, mas um hacker contratado por Broome conseguiu recuperar algumas fotos. Não havia dúvida de que Frazier e Lucero eram os dois garotos se fazendo passar por jornalistas que tinham se reunido com Rackley e Strayhan cinco dias antes no Brooklyn.

Rackley olhou a série de fotografias e as comparou com as fotos de identificação de suas carteiras de motorista falsas do Distrito de Columbia. Jogou tudo sobre a mesa e perguntou:

– Então, qual é a jogada deles?

– Dois meses e meio atrás, Mark Frazier entrou para a ação coletiva de Miami como cliente litigante do Banco Swift – disse Strayhan. – Ele abriu uma conta numa agência de Washington em janeiro.

– Grande coisa. E daí se ele vai ganhar uns trocados de indenização. Deve ter mais coisa nessa história.

– Todd Lucero entrou na ação coletiva de Nova York, e a amiga deles, Zola Maal, entrou na ação de Washington. Não sei muito bem o que eles estavam fazendo, mas talvez só estivessem querendo ver como funcionava a falcatrua.

– Tem mais coisa aí. Eles não se dariam esse trabalho todo por causa de indenizações tão baixas. O que sabemos sobre a ação coletiva do Cohen-Cutler?

– É a maior das seis. Duzentos e vinte mil clientes, indicados por dezenas de escritórios de advocacia menores. A maioria dos requerentes pode ser encontrada na internet usando um dos serviços de rastreamento de processos, mas não todos. Como se poderia desconfiar, com tantos requerentes e com o acordo sendo fechado tão depressa, as coisas estão de pernas para o ar. O Cohen-Cutler não tem obrigação de listar o nome dos escritórios que fizeram as indicações. Mas Broome continua investigando.

– Como podemos ter acesso ao Cohen-Cutler?

– Não dá. É tudo confidencial. Mas o FBI com certeza pode fazer perguntas.

– Não quero o FBI bisbilhotando.

– Entendido. Mas existem jeitos de avisar a eles.

– Arrume um, e aja depressa. Quando é que o dinheiro vai ser transferido?

– Em breve. Esta semana, segundo o acordo e a ordem judicial.

– Eu estou encurralado, Barry, e não gosto disso. Quero o acordo fechado, e logo, para o banco poder esquecer esse pesadelo. Ao mesmo tempo, não consigo suportar a ideia de ser roubado. Você e eu sabemos que ninguém pode confiar nesses advogados de ações coletivas, e com um milhão de possíveis requerentes espalhados por aí, a coisa toda está num frenesi. Vai haver fraudes, e muitas.

NA SEGUNDA DE manhã, Todd vestiu sua melhor roupa e pegou um táxi até o Second Royal Bank das Pequenas Antilhas da Center Street, no bairro de negócios de Bridgetown. Sua hora marcada para as dez era com um certo Sr. Rudolph Richard, senhor elegante cuja especialidade era acolher clientes estrangeiros. A história que Todd contou foi que ele e seus sócios nos Estados Unidos tinham ganhado uma bolada em ações de responsabilidade civil e que, aos 27 anos, ele estava pegando todas as suas fichas e indo morar no Caribe. Fecharia o escritório de advocacia e passaria os próximos anos administrando seu novo fundo de cobertura, a York & Orange Traders, da beira de uma piscina com vista para o mar. Apresentou seu passaporte falso, seu contrato de compra da unidade no condomínio, um lugar que não voltaria a ver, e uma carta de recomendação bastante elogiosa da gerente de contas do Citibank no Brooklyn. O Sr. Richard queria 10 mil dólares para abrir uma conta bancária regular, mas Todd não quis nem ouvir falar no assunto. O dinheiro grande iria chegar dali a uma semana ou duas, explicou ele num juridiquês que o Sr. Richard teve dificuldade para entender, e o melhor que ele podia fazer era depositar 2 mil dólares em espécie. Caso isso não fosse suficiente, ele simplesmente desceria a rua, onde havia pelo menos cem outros bancos à procura de clientes. Após uma hora de sorrisos, mentiras e persuasão de Todd, a conta foi aberta.

Ele saiu do banco e encontrou um café vazio com mesas na calçada, de onde mandou mensagens de texto para os sócios com a maravilhosa notícia de que eles agora tinham negócios em Barbados.

Nos EUA, Mark pressionava Jenny Valdez e o Cohen-Cutler. A indenização do Swift tinha sido aprovada em todas as instâncias, então onde estava a droga do dinheiro? Ela não sabia muito bem, aquelas coisas levavam tempo, explicou, mas eles estavam aguardando a transferência. O que não aconteceu na segunda-feira. Mark ficou vagando pelas ruas do centro do Brooklyn, onde o céu estava nublado e soturno, e tentou não pensar em seu sócio contando mentiras ao sol e maltratando o próprio fígado. Para piorar ainda mais as coisas, uma vez a cada hora mais ou menos Todd mandava a foto de mais uma gata gostosa de biquíni fio-dental.

NO FINAL DA tarde de terça, dois agentes do FBI adentraram os escritórios do Cohen-Cutler, no centro de Miami, e foram rapidamente conduzidos até a sala de Ian Mayweather, o sócio-gerente do escritório. O agente especial Wynne foi quem mais falou, e a reunião foi tensa desde o início. A polícia federal queria informações confidenciais que não podiam ser compartilhadas.

– Quantos escritórios indicaram clientes para a sua ação coletiva? – quis saber Wynne.

– Várias dezenas, é tudo que posso dizer – respondeu Mayweather, um tanto brusco.

– Nós estamos solicitando uma lista desses escritórios.

– Ótimo. Me mostrem um mandado judicial e nós acatamos. Vocês estão pedindo informações confidenciais, cavalheiros, e sem um mandado judicial nós não podemos fornecê-las.

– Bem, nós desconfiamos que possam existir algumas fraudes na sua ação coletiva.

– Não me espantaria. Como os senhores sabem, fraudes não são algo tão raro assim nessas indenizações de massa. Nós já vimos isso acontecer, e fazemos o melhor para evitar. Mas estamos lidando com mais de 200 mil requerentes individuais e dezenas de escritórios de advocacia. Não podemos verificar tudo.

– Quando vão pagar o dinheiro?

– Nosso setor de pagamentos está trabalhando 24 horas por dia neste momento. A primeira parte chegou do Swift hoje à tarde. Vamos começar a pagar amanhã de manhã cedo. Como os senhores podem imaginar, com tanto dinheiro envolvido nossos telefones andam bem ocupados. Fomos instruídos pelo tribunal a pagar o mais depressa possível.

– Conseguem adiar isso por um ou dois dias? – perguntou Wynne.

– Não – respondeu Mayweather, zangado. – Recebemos uma ordem judicial para pagar quanto antes. Pelo que entendo, cavalheiros, o FBI está nos estágios iniciais de uma investigação, ou seja, os senhores por enquanto estão jogando verde. Mostrem-me um mandado e este escritório agirá conforme a instrução.

Nunca se interponha entre um advogado de contencioso de massa e sua indenização por uma ação coletiva. O FBI sabia que a soma estimada a ser recebida pelo Cohen-Cutler no acordo com o Swift estava sendo avaliada como algo próximo a 80 milhões de dólares.

Wynne se levantou e disse:
– Está bem, voltaremos com um mandado.
Ele e seu parceiro saíram da sala sem dizer mais nada.

42

Às 9h40 da manhã de quarta-feira, Mark recebeu um e-mail do Cohen-Cutler informando que mais de quatro milhões de dólares estavam sendo transferidos do seu setor de pagamentos para a conta no Citibank do escritório Lucero & Frazier, Advogados. A quantia representava uma indenização de 3.800 dólares para cada um dos 1.311 clientes do escritório, menos os 8% que o Cohen-Cutler retirava pela administração da causa, ou seja, exatamente US$4.583.256,00.

Mark foi correndo até o Citibank e ficou esperando na sala da sua gerente predileta. Durante uma hora de agonia, 56 minutos mais precisamente, ficou andando para lá e para cá pela sala, sem conseguir permanecer sentado e inteiramente incapaz de se comportar como se aquela fosse apenas mais uma indenização de rotina. A gerente ficou nervosa com a situação, mas havia passado tanto tempo com Mark que já gostava dele e estava animada pelo jovem advogado. À medida que os minutos se arrastavam, Mark lhe pediu para preparar seis cheques administrativos, três deles para as empresas de cobrança de dívida quitando o saldo devido por Todd Lucero, Zola Maal e Mark Frazier. O total foi 652 mil dólares. O quarto cheque era nominal ao Sr. Joseph Tanner, pai de Gordy, no valor de 276 mil. Um quinto cheque, no valor de 100 mil dólares, tinha como beneficiária a mãe de Mark e um sexto, no mesmo valor, os pais de Todd. Os cheques foram preparados, mas não emitidos.

A transferência caiu às 11h01, e Mark na mesma hora assinou uma autorização para transferir 3,4 milhões do dinheiro para a conta do York & Orange Traders, no Second Royal Bank das Pequenas Antilhas, em Barbados. Deixou algum dinheiro na conta do escritório de advocacia, pegou os seis cheques administrativos, agradeceu profusamente à gerente e saiu para o sol do Brooklyn muito mais rico do que jamais havia sonhado. Andando depressa, ligou para Todd e Zola com a excelente notícia.

Ele entrou numa agência da FedEx na Atlantic Avenue e pediu seis envelopes com entrega para o dia seguinte e quatro guias de reconhecimento aéreo domésticas. Numa folha de papel ofício amarelo, rabiscou um bilhete para o pai de Gordy. O texto dizia:

> Caro Sr. Tanner,
> Segue em anexo um cheque administrativo do Citibank no valor de 276 mil dólares. Isso deve cobrir o saldo do financiamento estudantil de Gordy.
>
> Atenciosamente,
> Mark Frazier

A transação estava longe de ser definitiva. Havia ainda questões fiscais, de doação e talvez de renda, mas esses problemas pertenciam agora ao Sr. Tanner. Mark não gastaria mais um segundo sequer pensando neles. Dobrou o bilhete, pôs o cheque dentro e colocou tudo em um envelope. Endereçou as guias de reconhecimento aéreo para o Sr. Tanner em Martinsburg e para os três consultores de financiamento: Morgana Nash, da NowAssist em Nova Jersey, Rex Wagner, da Scholar Support Partners na Filadélfia, e Tildy Carver, da LoanAid em Chevy Chase. A papelada toda levou meia hora, durante a qual Mark conseguiu se manter calmo e parar de olhar por cima do ombro. Lembrou a si mesmo que já estava vivendo como fugitivo havia meses, e a pior coisa que poderia fazer era aparentar nervosismo. Mesmo assim, a chegada do dinheiro o deixara uma pilha de nervos.

Ele entregou ao atendente os seis envelopes expressos, pagou em dinheiro pelo envio e saiu da agência. Do lado de fora, mandou uma mensagem para Todd e Zola com a notícia de que suas dívidas estudantis tinham sido quitadas. No quarto de hotel, ligou para Jenny Valdez, do Cohen-Cutler, e perguntou sobre o pagamento dos honorários advocatícios. O

Lucero & Frazier ainda tinha mais US$1.048.800 a receber, 800 dólares por cliente. A Dra. Valdez respondeu que o dinheiro deveria "ser transferido amanhã".

Ele mandou um e-mail para sua consultora de empréstimo:

Cara Morgana Nash,

Tenho certeza de que a senhora está ciente dos meus problemas jurídicos atuais aqui em Washington. Não se preocupe. Um tio rico morreu e me deixou uma fortuna. Acabei de mandar para a NowAssist, por entrega para o dia seguinte, um cheque administrativo no valor de 266 mil dólares, que salda integralmente a minha dívida.

Foi um prazer, de verdade.

Mark Frazier

De Barbados, Todd escreveu:

Prezado Consultor Rex Wagner, da SS,

Bem, finalmente aceitei seu conselho e arrumei um emprego. E é um emprego e tanto, devo lhe dizer. Estou ganhando tanto dinheiro estes dias que nem tenho como gastar tudo. Posso comprar o que quiser, mas a única coisa que eu quero de verdade é que o senhor largue do meu pé. Amanhã, por FedEx, o senhor vai receber um cheque administrativo no valor de 195 mil dólares como pagamento integral. Vá importunar outro.

Seu amigo,

Todd Lucero

De Dacar, Zola escreveu:

Cara Tildy Carver,

Acabei de ganhar na loteria, então estou mandando um cheque no valor de 191 mil dólares. Deve chegar amanhã.

Tudo de bom,

Zola Maal

TODD PASSOU A tarde esperando na sala de Rudolph Richard no Second Royal Bank das Pequenas Antilhas. Quando a transferência finalmente entrou, às 16h15, agradeceu ao Sr. Richard e saiu para ligar para os sócios.

Dez minutos depois, agentes do FBI entraram na sede do Cohen-Cutler em Miami e se reuniram com Ian Mayweather e sua equipe de advogados na maior sala de reuniões do escritório. O agente especial Wynne apresentou um mandado de busca, que Mayweather prontamente examinou. Ele então o passou para o principal advogado criminalista do escritório, que o leu de cabo a rabo. Convencido de que não tinham escolha, Mayweather meneou a cabeça para outro sócio, que apresentou uma lista dos 52 escritórios de advocacia que haviam recomendado 220 mil clientes para a ação coletiva. Wynne passou os olhos pela lista, viu o que estava procurando e perguntou:

– Este escritório de Nova York aqui, Lucero & Frazier, o que vocês sabem sobre ele?

Mayweather consultou sua cópia da lista e respondeu:

– Eles nos mandaram 1.300 casos.

– Já trataram com eles alguma vez?

– Não, mas isso vale para quase todos esses escritórios. Há seis ações coletivas contra o Swift, e esses escritórios menores procuram os melhores acordos. Acho que esse daí escolheu a nós.

– E vocês não verificam para ter certeza de que os escritórios são verdadeiros?

– Não, não somos obrigados a fazer isso. Partimos do pressuposto de que tanto eles quanto seus clientes são verdadeiros. Vocês sabem alguma coisa sobre esse escritório?

Wynne se esquivou da pergunta e falou:

– Eu gostaria de ver os nomes dos 1.300 clientes do Lucero & Frazier.

– Eles estão publicados na internet, no dossiê da causa – respondeu Mayweather.

– Sim, junto com um milhão de outros, e os clientes não estão agrupados pelo escritório que os indicou. O que torna bem difícil investigar cada um individualmente. Nós precisamos ver os clientes do Lucero & Frazier.

– Claro, mas o seu mandado judicial não contempla isso.

De um dos lados da sala, os agentes do FBI lançaram olhares fulminantes aos advogados, que se mantiveram firmes e retribuíram a afronta. Aquele território era seu, não do governo, e como advogados muito ricos, eles não apreciavam aquela intrusão. Os federais estavam metendo a mão no seu pote de ouro e não estavam nem aí para isso: seu trabalho era investigar, e todos os territórios eram deles. Assim, os dois grupos ficaram se encarando e esperando para ver quem piscava primeiro.

Um agente entregou uma pasta para Wynne, que sacou um documento e disse:

– Aqui está outro mandado. O juiz diz que podemos investigar qualquer atividade suspeita relacionada a Mark Frazier e Todd Lucero, dois sujeitos que nem são advogados de verdade, para começo de conversa.

– Está brincando – disse Mayweather, piscando os olhos.

– Eu pareço estar brincando? – indagou Wynne. – Nós temos motivos para acreditar que esses dois advogados fajutos pediram um monte de indenizações fajutas dentro da sua ação coletiva. Precisamos verificar isso.

Mayweather leu a ordem judicial, em seguida a jogou sobre a mesa. Deu de ombros, derrotado, e disse:

– Muito bem.

EMBORA SEM APETITE, Mark estava tentando comer um sanduíche numa delicatessen do Brooklyn. Suas emoções travavam um conflito quase violento. Por um lado, ele queria exultar por causa do dinheiro. Por outro, porém, sabia que estava na hora de fugir. Deleitava-o saber que eles haviam aplicado um contragolpe magistral no Grande Satã, como Gordy chamava Rackley, e roubado dinheiro de um bandido. Mas ele também estava apavorado com a possibilidade de ser pego.

Todd estava sentado numa praia, com um drinque gelado na mão, assistindo a mais um pôr do sol perfeito no Caribe. Seguro, pelo menos por enquanto, ele sorriu para o futuro e tentou imaginar o que faria com a sua parte da fortuna. Mas o entusiasmo enfraqueceu quando pensou nos pais e no constrangimento deles quando Todd nunca mais voltasse para Washington. Voltar? Será que isso algum dia seria possível? Será que valia a pena? Tentou afastar esses pensamentos dizendo a si mesmo que eles haviam cometido o crime perfeito.

Zola aproveitava a vida em família em Dacar. Os quatro Maals jantavam num café ao ar livre, não muito longe do mar, numa deliciosa noite de primavera, depois de terem deixado para trás os seus maiores problemas.

Nenhum dos três tinha a menor ideia de que, naquele exato momento, uma dezena de agentes do FBI estava ao telefone descobrindo que os clientes deles na ação do Swift não existiam.

BEM DEPOIS DE o sol se pôr, Todd ligou para Mark pela quarta vez naquele dia. As duas primeiras ligações tinham sido exaltadas, e os dois haviam comemorado o aparente sucesso de seu roubo. Já no terceiro, porém, a realidade estava se insinuando, e eles começaram a ficar preocupados.

– Eu acho que você deveria sair daí – disse Todd, direto. – Agora.

– Por quê?

– Já temos dinheiro suficiente, Mark. E cometemos erros dos quais não temos nem conhecimento. Saia do país. Os honorários advocatícios vão ser transferidos amanhã, a cereja do bolo, e o banco sabe para onde mandar o dinheiro. Eu ficaria mais tranquilo se você estivesse num avião.

– Pode ser. E o seu passaporte novo deu certo?

– Como eu disse, não teve problema nenhum. Na verdade, ele parece mais autêntico do que o meu de verdade, que não foi tão usado assim. Esses troços nos custaram mil pratas, não sei se você se lembra.

– Ah, sim. Como poderia esquecer?

– Pegue um avião, Mark, e saia do país.

– Estou pensando no assunto. Mantenho você informado.

Mark pôs o laptop e alguns dossiês dentro de uma pasta grande, a que costumava usar em seus dias de porta de cadeia, e preparou uma pequena bolsa de viagem com algumas roupas e uma escova de dentes. O quarto estava um caos, e ele estava farto daquilo. Depois de passar nove noites ali, não via necessidade alguma de fazer o check-out. O quarto estava pago por mais dois dias. Assim, foi embora, deixando para trás algumas roupas sujas suas e de Todd, pilhas de papéis, nenhum deles incriminatórios, algumas revistas, artigos de higiene pessoal usados e a impressora alugada, da qual ele havia retirado o cartão de memória. Andou alguns quarteirões, chamou um táxi e foi até o aeroporto JFK, onde pagou 650 dólares em dinheiro por uma passagem de ida e volta para Bridgetown, Barbados. O agente do controle de passaporte estava quase dormindo e mal olhou para o seu documento. Ele matou tempo numa sala de espera, decolou às 10h10 e aterrissou em Miami pontualmente às 13h05. Encontrou um banco num portão vazio e tentou dormir, mas a noite foi longa.

A CINCO QUILÔMETROS dali, o agente especial Wynne e dois de seus colegas mais uma vez entravam na sede do Cohen-Cutler. Ian Mayweather e outro sócio estavam à sua espera. Agora que o escritório estava colaborando – ainda que sob ordens judiciais –, parte da tensão havia se dissipado e o clima era quase cordial. Uma secretária trouxe café, e todos se sentaram em volta de uma pequena mesa.

Wynne começou dizendo:

– Bom, a noite foi longa. Nós analisamos a lista que vocês nos passaram, demos um monte de telefonemas e comparamos os nomes com nossos dados do Banco Swift. Parece que todos os 1.300 clientes são falsos. Temos uma ordem judicial para congelar qualquer pagamento por 48 horas.

Mayweather não se espantou. Sua equipe de trabalho braçal também tinha passado a noite inteira em ação e chegado à mesma conclusão. Eles também estavam com o dossiê sobre Frazier e Lucero e as acusações enfrentadas por ambos em Washington.

– Nós vamos cooperar – disse Mayweather. – Vocês mandam. Mas não vão verificar todos os nossos 220 mil clientes, vão?

– Não. Ao que parece, os outros escritórios são verdadeiros. Deem-nos um pouco de tempo e vamos nos retirar quando estivermos convencidos de que a fraude se limita a esse pequeno grupo.

– Está bem. O que está acontecendo com Frazier e Lucero?

– Nós não sabemos onde eles estão, mas vamos encontrar. O dinheiro que vocês lhes transferiram ontem foi imediatamente transferido para um banco no exterior. Eles conseguiram tirá-lo do país por um triz. Desconfiamos que estejam fugindo, mas eles já mostraram que são, digamos, pouco sofisticados.

– Se o dinheiro está no exterior, vocês não podem tocar nele, certo?

– Certo, mas com certeza podemos tocar neles. Quando estiverem detidos e trancados na prisão, eles vão ficar loucos para fazer um acordo. Nós vamos conseguir o dinheiro de volta.

– Ótimo. Meu problema é a indenização. Ainda tem muito dinheiro em jogo, e estou com uma penca de advogados gritando no meu ouvido. Por favor, sejam rápidos.

– Estamos em cima.

ÀS NOVE, MARK terminou outro expresso duplo e se encaminhou para o portão. Numa caixa de coleta do correio, depositou um pequeno envelope acolchoado e seguiu andando. O destinatário era um jornalista do *The Washington Post*, um repórter investigativo linha dura que ele vinha acompanhando havia semanas. Dentro do envelope estava um pendrive com a pesquisa de Gordy.

Enquanto esperava na fila do portão de embarque, ele ligou para sua mãe e lhe contou uma história sobre uma longa viagem que ele e Todd fariam juntos. Passariam meses fora e não poderiam ser contatados por telefone, mas ele entraria em contato sempre que possível. A confusão em Washington estava sob controle, não era nada com que ela devesse se preocupar. Fique atenta a uma encomenda da FedEx que vai chegar hoje. É um dinheiro para você usar como achar melhor, mas, por favor, não o desperdice com um advogado para o Louie. Te amo, mãe.

Ele embarcou sem incidentes e se acomodou em seu assento na janela. Abriu o laptop, fez o login em sua conta e viu um e-mail de Jenny Valdez, do Cohen-Cutler. Os pagamentos dos honorários advocatícios estavam sendo adiados até segunda ordem devido a um "problema não especificado". Releu a mensagem e fechou o computador. Com certeza, numa indenização tão grande, era natural haver problemas. Aquilo não tinha nada a ver com eles. Certo? Ele fechou os olhos e estava respirando profundamente quando uma comissária avisou pelo alto-falante que haveria um ligeiro atraso devido a um problema de "documentação". O voo estava lotado de pessoas de férias a caminho do Caribe, algumas das quais pareciam ter passado algum tempo no bar antes do embarque. Houve grunhidos, mas também risos e gritos.

Os segundos foram passando devagar, a pressão arterial de Mark foi subindo, e seu coração batia com força. Os comissários passaram com os carrinhos de bebida, e as bebidas alcoólicas eram por conta da casa. Mark pediu uma dose dupla de ponche de rum e a secou em dois goles. Estava prestes a pedir outro quando algo deu um tranco na aeronave e ela começou a se mover para trás. Enquanto o avião taxiava para longe do terminal, ele mandou uma mensagem de texto para Todd avisando que estava prestes a decolar. Minutos depois, viu pela janela Miami desaparecer entre as nuvens.

43

Conforme as instruções de Todd, Zola foi até o Banco Postal do Senegal na quinta-feira pela manhã e levou consigo sua advogada. Idina Sanga aceitou – mediante honorários, é claro – ajudar a facilitar a abertura de uma conta. Elas tinham hora marcada com uma das vice-presidentes, uma senhora agradável que não falava inglês. Idina explicou em francês que sua cliente era americana e estava de mudança para Dacar para ficar perto da família. Zola apresentou seu passaporte, sua carteira de habilitação de Nova Jersey e uma cópia do contrato de locação do apartamento. Sua história era que o namorado americano, que era muito rico, queria lhe mandar um dinheiro para o seu sustento e também comprar um imóvel. Ele percorria o mundo com seus negócios e planejava passar algum tempo no Senegal. Havia mesmo a probabilidade de abrir um escritório ali. A história fluiu bem e convenceu a vice-presidente. O fato de Zola estar representada por uma advogada com boa reputação ajudou imensamente. Idina ressaltou a necessidade de extremo sigilo e explicou que uma enorme quantia em breve seria transferida. Elas acertaram um depósito inicial equivalente a cerca de mil dólares americanos, e Idina conferiu a documentação. Os cartões do banco seriam enviados pelo correio em breve. A transação toda levou menos de uma hora. De volta ao apartamento, Zola mandou por e-mail para Todd as informações da conta.

Quando Mark aterrissou em Bridgetown, à 13h20, Todd estava à sua espera no portão de desembarque.

– Belo bronzeado – comentou Mark.

– Obrigado, mas estou pronto para dar o fora daqui.

– Me conte.

Eles se refugiaram num bar e pediram duas cervejas. Sentaram-se numa pequena mesa de canto e deram grandes goles. Mark limpou a boca e disse:

– Você parece nervoso.

– E estou mesmo. Olhe, sei que você está pensando em passar uns dias na praia, mas nós agora somos fugitivos. Quer dizer, fugitivos de verdade. O FBI pode rastrear a transferência até o nosso banco.

– Já conversamos sobre isso umas dez vezes.

– Sim, e é só até aí que eles podem ir, pelo menos em relação ao dinheiro. Mas quando eles não encontrarem a gente lá, talvez queiram procurar aqui. Não há nada a ganhar ficando nesta ilha. Zola abriu a conta em Dacar hoje de manhã sem problemas. O atraso no último pagamento pode estar relacionado à gente ou não, mas por que arriscar? Até onde a gente sabe, o FBI pode estar um passo atrás de nós. Vamos nos mexer enquanto eles ainda estão tateando.

Mark deu outro gole e deu de ombros.

– Tanto faz. Acho que eu posso pegar um sol em Dacar.

– Lá tem umas praias maravilhosas e resorts que não ficam nada a dever a qualquer um daqui. Parece que vamos ter tempo de sobra para brincar na beira da piscina.

Eles esvaziaram as cervejas, saíram para um sol ofuscante e pegaram um táxi até o Second Royal Bank, onde aguardaram uma hora para falar com o Sr. Rudolph Richard. Todd apresentou Mark como seu sócio do York & Orange e explicou que eles desejavam transferir 3 milhões da sua conta para um banco em Dacar. Apesar de curioso, o Sr. Richard não se intrometeu. O que seus clientes desejassem estava bom para ele. Eles sacaram 20 mil dólares em dinheiro e saíram do banco. No aeroporto, estudaram trajetos e viram que quase todos passavam por Miami ou pelo JFK, locais que preferiam evitar. Pagaram 5.200 dólares em espécie por duas passagens só de ida e decolaram de Barbados às 17h10 em direção a Gatwick, Londres, a 7 mil quilômetros e 11 horas dali. No caminho, Mark checou seus e-mails, e um da gerente de contas do Citibank, no Brooklyn, informou que a segunda transferência não tinha chegado.

– Podemos esquecer aquele milhão em honorários – resmungou ele para Todd.

– É, a gente não fez por merecer mesmo – brincou Todd.

Eles passaram duas horas tomando cerveja em Gatwick antes de embarcar num voo para a Argélia, a mais de 1.500 quilômetros de distância. A escala era de oito horas lá, um tempo interminável num aeroporto quente e lotado. À medida que os quilômetros iam passando e as culturas mudando, porém, eles se convenceram de que estavam deixando os malvados cada vez mais para trás. Três mil quilômetros e cinco horas mais tarde, pousaram em Dacar às 23h30. Embora fosse tarde, o aeroporto estava repleto de música alta e ambulantes agressivos oferecendo joias, artigos em couro e frutas frescas. Em frente ao acesso principal, os pedintes acorriam para cima dos recém-chegados de pele mais clara – os brancos e asiáticos. Mark e Todd levaram alguns empurrões, mas conseguiram arrumar um táxi. Vinte minutos depois, chegaram em frente ao Hotel Radisson Blu da Sea Plaza.

Zola tinha reservado em seu nome dois quartos à beira da piscina e pagado por uma semana. Pelo visto, tinha se enturmado bem, porque Mark e Todd foram recebidos como figuras importantes. Ninguém pediu para ver seus passaportes.

Era sua primeira visita à África, e nenhum dos dois se atrevia a dar um palpite sobre quanto ela iria durar. O passado deles estava uma bagunça. O futuro era incerto. Assim, em algum ponto do caminho, eles decidiram viver no presente sem arrependimentos. A vida poderia ser pior. Eles poderiam estar estudando para a prova da ordem.

POR VOLTA DO meio-dia de sábado, enquanto o sol a pino banhava os caminhos azulejados em volta da piscina e nas varandas, Mark saiu cambaleando de seu quarto, fechou os olhos por causa da luz ofuscante, esfregou-os, foi até a beira da piscina e mergulhou. A água estava salgada, agradável e morna. Ele nadou para lá e para cá em estilo cachorrinho algumas vezes, depois desistiu. Foi se sentar na parte rasa, com água até o queixo, e tentou se lembrar de onde estivera uma semana antes. Em Washington. Era o dia seguinte à bebedeira com os colegas da faculdade. Um dia após seu comparecimento ao tribunal com Phil Sarrano, com todas aquelas pessoas furiosas no seu encalço. No dia em que ele deveria ter se formado na Foggy Bottom, para então sair por aí e ganhar o mundo.

O mundo não estava ganho, mas com certeza estava diferente. Algumas semanas se arrastam sem que nada aconteça. Outras, como aquela, são tão atribuladas que é impossível acompanhar os dias. Uma semana antes, eles estavam sonhando com o dinheiro. Agora o dinheiro estava guardadinho num banco senegalês, onde ninguém conseguiria encontrá-lo.

Como seus corpos estavam ajustados ao mesmo fuso horário, Todd logo acordou e deu um mergulho. Sequer cogitou nadar, e em vez disso foi até um garçom e pediu bebidas. Após duas rodadas, eles tomaram banho e vestiram as mesmas roupas que estavam usando antes. Fazer compras era uma das suas prioridades.

Sua sócia, porém, estava usando algo que eles nunca tinham visto. Zola chegou ao restaurante do hotel com um vestido vermelho e amarelo bem vivo que ia até o chão. Com um colar de contas grandes e bolas coloridas e uma flor nos cabelos, estava com um visual bem africano. Os três se abraçaram e se cumprimentaram com efusão, mas tomando cuidado para não atrair demasiada atenção. O restaurante estava com metade dos lugares ocupados, e quase todos os clientes eram europeus.

Quando eles se sentaram, Todd falou:

– Você está linda.

– Zola, vamos casar – brincou Mark.

– Ei, eu ia dizer isso – falou Todd.

– Desculpem, mas chega de garotos brancos – disse Zola. – É encrenca demais. Vou achar um cara africano legal em quem eu possa mandar.

– Você vem mandando na gente há três anos – retrucou Mark.

– É, mas vocês fazem malcriação e mentem muito. Quero um cara que só fale quando for solicitado e que diga sempre a verdade.

– Boa sorte – zombou Todd.

Uma garçonete se aproximou, e eles pediram bebidas. Cervejas para os rapazes, chá para Zola. Eles perguntaram sobre a família dela. Estavam todos bem e felizes. Depois do susto inicial da prisão, as coisas tinham se acalmado. Ninguém da família tinha visto a polícia nem tido notícia de qualquer outra autoridade. Zola e Bo estavam pensando em alugar um apartamentozinho perto dos pais; precisavam de espaço. Abdou se sentia de novo em casa no Senegal, em território muçulmano, e estava restabelecendo sua influência. Mas ele e Fanta já estavam entediados por não trabalharem. Após quatro meses de ócio no centro de detenção, precisavam se ocupar. Em suma, a vida deles estava boa, ainda que um pouco desestabilizada. Sua advogada trabalhava para recuperarem a cidadania e obterem toda a documentação.

Zola quis saber os detalhes sobre as duas semanas anteriores, a começar pela prisão dos dois, a fuga para o Brooklyn e depois para Barbados. Mark e Todd alternaram histórias, e foi tudo divertido. A garçonete voltou com as bebidas, e Zola insistiu que pedissem um *yassa*, prato típico senegalês de frango assado com molho acebolado. Quando a garçonete se afastou, Todd e Mark retomaram seu relato. A cena no tribunal do juiz Abbott, quando metade dos presentes parecia disposta a invadir a tribuna e agarrá-los, exigiu um esforço conjunto, de tanto que todos os três riam.

Eles receberam alguns olhares das outras mesas e tentaram se conter. Saborearam o *yassa* de frango e recusaram a sobremesa. Diante de um café forte, baixaram a voz à medida que a conversa foi ficando séria.

– Nosso problema é óbvio – disse Mark. – Estamos aqui de férias por alguns dias e estamos viajando com passaportes falsos. Se formos pegos, eles vão nos jogar na mesma cadeia para a qual levaram seu pai e Bo. Dois rapazes brancos numa prisão bem barra-pesada.

Zola estava balançando a cabeça.

– Não, aqui vocês estão tranquilos. Podem ficar quanto quiserem, ninguém vai dizer nada. É só ficar onde os brancos ficam e não se aventurar para longe das praias. Não façam nada que chame atenção.

– O que esse pessoal acha dos homossexuais? – perguntou Todd.

Ela franziu a testa.

– Bom, eu na verdade não perguntei. Vocês viraram gays? Eu passo duas semanas fora e...

– Não, mas recebemos uns olhares ontem à noite na hora do check-in no hotel. Nós somos dois. As pessoas tiram conclusões.

– Eu li que a vida gay é reprovada na maioria dos países da África, principalmente nas áreas muçulmanas – falou Mark.

– Não é tão aceito quanto nos Estados Unidos, mas ninguém vai importunar vocês. Por aqui tem dezenas de hotéis em estilo ocidental na beira da praia e muitos turistas de pele clara, a maioria da Europa. Vocês vão se encaixar.

– Eu li alguma coisa sobre a polícia ser muito violenta – comentou Todd.

– Não nas praias. O turismo é importante demais. Mas não esqueçam que aqui podem parar vocês por qualquer motivo e pedir para ver um documento. Dois brancos na parte errada da cidade poderiam chamar a atenção deles.

– Isso está me cheirando a discriminação racial – falou Mark.

– Ah, sim, só que aqui a situação está ao contrário.

A conversa já durava quase duas horas. Após alguns instantes de silêncio, Zola chegou um pouco mais perto e perguntou:

– E aí, qual é a verdadeira extensão dos nossos problemas?

Mark e Todd se entreolharam. Todd foi o primeiro a falar.

– Depende da indenização. Se ela for paga integralmente e ninguém ficar desconfiado, talvez a gente tenha conseguido praticar o crime perfeito. Passamos uma ou duas semanas por aqui, quem sabe transferimos o resto do dinheiro de Barbados para garantir que esteja tudo guardado com segurança.

– Depois voltamos discretamente para casa, mantemos distância de Washington e Nova York, e passamos muito tempo observando – acrescentou Mark. – Se a história do Swift for esquecida, vamos ficar livres.

– Por outro lado, se alguém ficar desconfiado, talvez sejamos forçados a passar ao plano B – disse Todd.

– Ou seja?

– Ainda estou pensando.

– E aquela encrenca lá em Washington? – indagou ela. – Preciso dizer uma coisa, rapazes: não estou gostando nem um pouco de ter sido indiciada, mesmo que seja por uma coisa trivial como advogar sem registro.

– A gente ainda não foi indiciado – corrigiu Mark. – E não esqueça que pagamos um belo adiantamento para protelar o caso e negociar um acordo. Eu não estou preocupado com Washington.

– Então você está preocupado com o quê?

Mark refletiu por alguns instantes e respondeu:

– Com o Cohen-Cutler. Eles atrasaram o pagamento dos honorários advocatícios. Isso talvez seja um alerta.

DEPOIS DO ALMOÇO, Zola foi embora, e eles cochilaram, nadaram e beberam à beira da piscina. À medida que a tarde foi passando, o clima na piscina melhorou drasticamente com a chegada de alguns casais jovens da

Bélgica. A música animou, mais pessoas continuaram a chegar, e Mark e Todd ficaram de fora, admirando o espetáculo.

Às sete, Zola voltou com duas sacolas grandes cheias de presentes: laptops novos e celulares pré-pagos também novos. Cada um dos três abriu várias contas de e-mail. Eles traçaram diferentes cenários relacionados à segurança e conversaram sobre o dinheiro, mas sem tomar nenhuma decisão séria. O jet lag bateu com força, e Mark e Todd precisaram dormir. Zola os deixou pouco depois das nove e voltou para o seu apartamento.

44

A chamada entrou no terceiro telefone de Todd, o pré-pago que ele havia comprado em Washington no dia em que Zola viajara para o Senegal. Agora que tinha um quarto celular, ele e seus dois sócios estavam se perguntando como poderiam consolidar aparelhos e viver com apenas um. Isso não parecia possível.

O terceiro número era o que ele tinha dado para o Sr. Rudolph Richard, e a ligação foi uma bomba. O Sr. Richard falou que estava usando o telefone porque não queria deixar nenhum rastro por e-mail. O FBI acabara de entrar em contato com ele com perguntas sobre a transferência feita da conta do Lucero & Frazier no Citibank do Brooklyn. Ele, é claro, não tinha respondido a nenhuma das perguntas nem tinha confirmado a existência da conta do York & Orange no seu banco. Não tinha revelado nada, como sempre, e pelas leis de Barbados o FBI não podia obter informações sobre a conta. No entanto, o Sr. Richard sentia que era o seu dever informar ao seu cliente que o FBI estava chegando.

Todd lhe agradeceu e em seguida estragou o dia de Mark. O primeiro pensamento de Mark foi ligar para Jenny Valdez e tentar sondar alguma informação, mas isso foi rapidamente descartado como uma ideia um tanto estúpida. Se o FBI estivesse exercendo pressão total, qualquer ligação para o Cohen-Cutler estaria sendo gravada e rastreada.

Zola levou uma hora para chegar ao hotel. Os três foram se sentar sob um ombrelone numa das varandas e ficaram admirando o mar, embora fosse impossível ter pensamentos agradáveis. Seu pior pesadelo estava virando realidade, e embora eles muitas vezes houvessem pensado no que poderia acontecer caso as coisas saíssem dos trilhos, estavam atônitos com a realidade. O FBI estava no seu encalço. Isso significava, é claro, que o seu golpe da ação coletiva tinha sido descoberto e levaria a indiciamentos, mandados de prisão, alertas de viagem. Dada a importância da luta contra o terrorismo e o narcotráfico, era impossível saber quão seriamente o FBI iria investigar uma pequena travessura relacionada a uma ação coletiva, mas eles estavam imaginando o pior.

Zola ficou particularmente apavorada, e com bons motivos. Ela havia usado seu passaporte americano válido para viajar até o Senegal, deixando assim um rastro que qualquer investigador cego conseguiria seguir. O FBI poderia facilmente rastrear seus movimentos. E, para piorar ainda mais algo que já era ruim, ela havia se cadastrado na embaixada americana em Dacar ao chegar, duas semanas antes.

Era necessário tomar decisões. Como eles não tinham ideia do que o FBI estava fazendo nem de quão profundamente estavam investigando ou quão perto de fato poderiam estar em sua busca, os três decidiram fazer planos. Todd entraria em contato com o Sr. Richard em Barbados e transferiria o saldo restante para o banco no Senegal. Zola se confidenciaria com Bo e lhe contaria tudo, mas não aos pais; talvez depois, mas agora não. Procuraria Idina Sanga no dia seguinte, primeira hora, e aceleraria seu processo de naturalização. Se ela fosse senegalesa de verdade, uma extradição para os Estados Unidos seria quase impossível. E ela exploraria discretamente a possibilidade de conseguir documentos novos para dois amigos.

Os três passaram toda a terça e quarta-feira colados nos laptops, vasculhando a internet em busca de qualquer coisa relevante sobre a indenização do Swift. Nada. Sua parte dos honorários advocatícios não chegou no Citibank do Brooklyn, uma indicação bastante clara de que havia algo errado. Por fim, na quinta de manhã, um site de finanças relatou um pequeno percalço na questão do Swift. Um juiz federal de Miami havia interrompido novos pagamentos até que fosse esclarecida uma alegação de fraude. Um juiz federal de Houston fez o mesmo. Por todo o país, o Swift já tinha pagado quase três dos 4,2 bilhões de dólares da indenização, mas os problemas estavam se multiplicando.

Embora a fraude não tenha sido descrita, os três sócios sabiam exatamente o que as investigações encontrariam.

A IDEIA DE Mark era deixar o país, e fazê-lo sem se importar com a alfândega nem com o controle de passaportes no aeroporto. Como eles tinham dinheiro para fazer qualquer coisa, seu plano era alugar um carro, contratar um motorista e cair na estrada. Poderiam serpentear pela África ocidental, sem pressa, aproveitando a viagem, até enfim chegar à África do Sul. Ele tinha lido que a Cidade do Cabo era a mais linda do mundo, e lá falavam inglês. Todd se mostrou medianamente animado com a ideia. Não estava muito disposto a passar um mês sacolejando pelo interior e prendendo a respiração toda vez que algum guarda de fronteira com uma metralhadora de assalto e um dedo nervoso examinasse o seu passaporte. Não recusou, pois uma fuga dessas poderia vir a ser necessária um dia, mas tampouco aprovou a ideia.

Zola, porém, disse não. Não iria deixar seus pais e seu irmão depois de tudo por que eles tinham passado.

A investigação prosseguiu, embora praticamente não houvesse notícias a respeito. Sendo assim, eles aguardaram. Zola se sentia bem mais segura em Dacar, mas novamente estava vivendo com medo de alguém bater à porta.

O BALNEÁRIO DE Saint-Louis fica no litoral do Atlântico, 320 quilômetros ao norte de Dacar. Com 175 mil residentes, é bem menor e mais tranquila, mas ainda grande o suficiente para alguém se perder. Já foi a capital do país, onde os franceses construíram belas casas que estavam bem preservadas. A cidade era conhecida por sua arquitetura colonial, seu estilo de vida descontraído, belas praias e o festival de jazz mais importante da África.

Zola organizou a viagem. Pagou o motorista de um utilitário com ar-condicionado, e ela, Bo e seus dois sócios partiram para alguns dias em Saint-Louis. Seus pais não foram convidados. Ela e o irmão estavam se sentindo sufocados por Abdou e precisavam de um tempo. O que realmente precisavam era de outro lugar para morar, a alguma distância dos pais. Ela desconfiava que Saint-Louis pudesse ser o lugar perfeito.

Ao sair de Dacar, eles tinham se dado conta de que o motorista falava pouco inglês, e com o passar do tempo começaram a falar mais abertamente sobre os últimos seis meses. Bo fez perguntas, algumas delas incisivas. Não conseguia acreditar que eles tivessem feito tudo aquilo, e Mark e Todd se esforçaram para se justificar. Bo ficou irritado por eles terem arrastado sua irmã caçula naqueles seus golpes e falcatruas. Mark e Todd assumiram de cara a responsabilidade, mas Zola se manteve firme. Ela era independente e capaz de tomar as próprias decisões. Claro, eles tinham cometido erros, mas ela fazia parte de cada um deles. Não culpava ninguém exceto a si mesma.

Bo sabia que havia dinheiro no banco, mas não fazia ideia de quanto. Estava se esforçando para aceitar um futuro longe dos Estados Unidos, único lar que conhecera. Tinha deixado uma namorada para trás e estava de coração partido. Tinha deixado muitos amigos, colegas de escola, amigos do bairro, um bom emprego.

Com o passar das horas, sua atitude abrandou. Ele sabia que ainda estaria preso se não fosse o dinheiro que Mark e Todd tinham dado para Zola. Não podia ignorar a adoração que aqueles dois tinham pela sua irmã.

Depois de seis horas na estrada, eles atravessaram o rio Senegal pela ponte Faidherbe, desenhada por Gustave Eiffel, o mesmo da famosa torre. A cidade velha ficava na ilha de N'Dar, uma estreita faixa de terra com o mar de ambos os lados. Eles passaram por quarteirões de lindas construções antigas e finalmente pararam no Hôtel Mermoz, perto da praia. Após um jantar demorado na varanda, com o oceano lá embaixo, foram se deitar cedo.

Os classificados imobiliários da região não eram tão detalhados quanto os de qualquer lugar dos Estados Unidos – nem de Dacar, aliás –, mas com um pouco de esforço Zola encontrou o que estava procurando. A casa fora construída em 1890 por um comerciante francês e havia trocado de dono muitas vezes. Era um casarão de três andares que parecia mais bonito da rua do que de trás de suas portas e janelas, mas tinha charme e era espaçoso. O piso de tábuas corridas estava afundado em alguns pontos. A mobília era antiquíssima, toda empoeirada, e nada combinava com nada. As prateleiras estavam repletas de panelas, potes e livros antigos em francês. Parte do encanamento funcionava, parte não. A geladeira arredondada era dos anos 1950. O pátio e a varanda eram protegidos por espessos bougainvilles e projetados para os trópicos. Na sala havia uma pequena TV. O anúncio prometia acesso à internet, mas o agente disse que a conexão era lenta.

Eles se separaram e percorreram a casa, que demandaria horas para ser inspecionada por completo. Numa varanda do primeiro andar, anexa a um quarto com banheiro que Todd já estava querendo para si, ele esbarrou com Mark.

– Eles nunca vão encontrar a gente aqui – falou.

– Pode ser, mas você consegue acreditar que estamos mesmo aqui? – perguntou Mark.

– Não. É surreal.

Independentemente do que eles estivessem sentindo, Zola amou a casa e assinou um contrato de seis meses que equivalia a cerca de mil dólares por mês. Eles se mudaram dois dias depois, e Todd e Mark ficaram com o último andar, três quartos, dois banheiros e nenhum chuveiro funcionando, enquanto Zola ocupava a suíte principal do térreo. Bo ficou preso no andar intermediário, com mais área útil do que qualquer outra pessoa. Eles ficaram mais dois dias e duas noites comprando suprimentos, trocando lâmpadas e fusíveis e tentando aprender o máximo possível sobre a casa. Estavam inclusos os serviços de um jardineiro, Pierre alguma coisa, que não falava uma palavra sequer de inglês, mas era especialista em apontar e grunhir.

A ilha parecia Veneza, uma cidade independente cercada de água, com a diferença de que tinha lindas praias. A areia trazia os turistas, e na orla havia dezenas de hotéis charmosos e pitorescos. Quando não estavam na casa realizando as tarefas que Zola mandava, Mark e Todd estavam na praia, tomando drinques com rum e procurando garotas.

Quando Zola e Bo foram embora no utilitário, Mark e Todd lhes deram um abraço de despedida e disseram para voltarem logo. Os irmãos pretendiam passar cerca de uma semana fora, tempo suficiente para fazer as malas com alguns pertences e se desvencilhar dos pais.

Nessa noite, no salão parcialmente iluminado de um velho casarão construído por europeus em outro século, em outra época, os dois dividiram uma garrafa de uísque e tentaram entender o que havia acontecido com a vida deles. Foi uma tarefa impossível.

NO DOMINGO, 22 de junho, o *The Washington Post* publicou uma matéria de capa com o título "Golpe de faculdades particulares de direito ligada a investidor de Nova York". A metade inferior da manchete trazia uma fotografia grande de Hinds Rackley. A matéria era, basicamente, uma versão mais bem escrita daquilo que Gordy havia pregado na parede, com dezenas de empresas, fachadas, laranjas e faculdades de Direito. O Banco Swift, porém, tinha pouco destaque. Ficou óbvio, pelo menos para Mark e Todd, que o jornalista não tinha conseguido acesso às empresas de Rackley no exterior que supostamente eram acionistas do banco.

Mas a reportagem proporcionava certo nível de vingança. O trabalho de Gordy fora validado. O Grande Satã agora enfrentaria um pesadelo de desgaste de imagem, e embora a matéria não o sugerisse, havia uma boa probabilidade de Rackley estar agora no radar do FBI.

Eles passaram um ou dois dias se deliciando com a matéria, e então esqueceram-na abruptamente.

Dois dias depois, em 24 de junho, Mark Frazier, Todd Lucero e Zola Maal foram indiciados por estelionato por um júri de Miami. As acusações faziam parte de uma investigação em andamento sobre diversas acusações de fraude na ação coletiva contra o Banco Swift. Segundo a primeira notícia da Bloomberg, era provável que houvesse outros indiciamentos. Mark e Todd observaram a notícia se espalhar pela internet, mas sem chegar às manchetes. No mundo das grandes notícias de negócios, aquilo não era um acontecimento lá muito importante.

Talvez não para o país, mas para os três réus era bastante grave. Embora eles já esperassem por isso, a notícia mesmo assim metia medo. Entretanto, eles estavam preparados. Tinham um esconderijo adequado, e o FBI não fazia a menor ideia de onde eles se encontravam.

O caso de Zola era diferente. Mark e Todd duvidavam que o FBI fosse se dar ao trabalho de rastreá-la até Dacar para depois esperar que a polícia de lá cooperasse com uma prisão, e só então aguardar os tribunais do Senegal a extraditarem – tudo por um crime que não tinha nada a ver com terrorismo, assassinato nem tráfico de drogas. Eles achavam isso, mas não disseram nada. Sabiam muito bem que, àquela altura, Zola confiava muito pouco em qualquer coisa que eles dissessem ou pensassem, e tinha motivos de sobra para isso.

Zola tinha seus próprios planos. Convocou-os a voltarem a Dacar para uma reunião importante, algo que ela já vinha organizando havia algum tempo. Com a ajuda de um intermediário indicado por Idina Sanga, Zola havia mobilizado aos poucos seus contatos até encontrar a pessoa certa.

O acordo era ao mesmo tempo simples e complexo. Ao preço de 200 mil dólares por cabeça, o governo senegalês iria emitir novas identidades, documentos e passaportes novos, e provas de cidadania novas para os três antigos sócios da UPL. O facilitador desse processo era um influente oficial de carreira do departamento de estado. Zola se encontrou com ele três vezes antes de passarem a confiar plenamente um no outro. Nunca ficou claro quanto o facilitador iria ganhar, mas Zola imaginava que a quantia fosse diminuindo à medida que fosse galgando os escalões.

O acordo era simples porque trocava dinheiro por cidadania, uma transação nada incomum no Senegal. Era complexo porque exigia a rejeição de quem eles eram e de onde vinham. Era possível manter a dupla cidadania, mas não com seus nomes verdadeiros. Se eles desejassem virar senegaleses, e assim ser protegidos pelo governo e ostensivamente escondidos das autoridades americanas, não podiam mais ser Mark, Todd e Zola. Para eles, a dupla cidadania significava dupla identidade, coisa que governo nenhum corroborava.

Eles aceitaram o acordo sem pensar duas vezes, tirando alguma reclamação em relação ao custo. Sua fortuna tinha agora baixado para cerca de 2,5 milhões de dólares, um bom pé-de-meia, mas o futuro era muito incerto.

Eles voltaram para Saint-Louis e para o seu casarão caindo aos pedaços com novas carteiras de identidade, novos cartões de crédito e novos passaportes bonitos estampados com seus rostos sorridentes. O Sr. Frazier se chamava agora Christophe Vidal, ou simplesmente Chris. Seu fiel escudeiro era Tomas Didier, ou Tommy para os de casa. Apenas dois rapazes de ascendência francesa, embora nenhum deles falasse uma palavra sequer da língua materna. A população caucasiana do Senegal representava menos de 1%, e o acréscimo de mais dois gringos praticamente não fez diferença.

Zola era agora Alima Pene, um nome genuinamente africano. Eles começaram a chamá-la de Alice.

Bo, que não tinha cometido uma série de crimes nos EUA, permaneceu quem era. A sua papelada custaria bem menos, mas levaria mais tempo.

EM POUCO TEMPO a vida de preguiça que se resumia a dormir, ler, navegar na internet, passear pela praia, beber e jantar à meia-noite à beira do mar deu lugar ao tédio. Após mais ou menos um mês como senegaleses legítimos, Chris e Tommy começaram a procurar trabalho, de preferência algo legítimo dessa vez.

Seu bar preferido era uma cabana com telhado de sapê aninhada entre dois resorts na praia principal, a cinco minutos a pé do seu casarão. Eles passavam horas ali, disputando partidas de dominó, jogando dardos, batendo papo com turistas, pegando sol, almoçando e tomando Gazelles, o que parecia ser a cerveja nacional do Senegal. A dona do bar era uma velha alemã rabugenta cujo marido morrera fazia pouco tempo. Ela aparecia de vez em quando sacolejando seu corpanzil para tomar umas e outras e rosnar para os funcionários, todos os quais reviravam os olhos assim que ela ia embora. Tomas começou a paquerá-la, e não demorou muito a lhe apresentar seu amigo Christophe. Eles a seduziram durante um demorado almoço. No dia seguinte, ela voltou querendo um repeteco, e no quarto almoço Tomas perguntou se ela algum dia havia pensado em vender o bar. Eles estavam à procura de algo para fazer, e coisa e tal. Ela reconheceu que estava velha e cansada.

Eles compraram o bar e o fecharam para reformas. Com a ajuda de Alice, investiram 80 mil dólares numa cozinha mais refinada, equipamentos de bar e grandes televisões, e dobraram o número de lugares. Seu plano de negócios era deixá-lo mais parecido com um bar de esportes ao estilo americano e ao mesmo tempo manter a música, a comida, as bebidas e a decoração típicas do lugar. Quando o bar reabriu, Alice ficou encarregada do salão. Chris e Tomas trabalhavam no bar. Bo supervisionava uma pequena equipe na cozinha. O lugar lotou desde a inauguração, e a vida era boa.

Como recordação, e num aceno a uma outra existência, eles o batizaram de The Rooster Bar.

Nota do autor

Como sempre, tomei muitas liberdades em relação à realidade, principalmente os assuntos jurídicos. Leis, tribunais, procedimentos, estatutos, escritórios, juízes e suas cortes, advogados e seus hábitos, tudo foi ficcionalizado para se adequar à história.

Mark Twain dizia mover cidades e estados inteiros para encaixá-los na sua narrativa. É essa a liberdade que os escritores têm ou que simplesmente pensam ter.

Alan Swanson me guiou pelas ruas de Washington. Bobby Moak, especialista em direito civil e dono de um conhecimento enciclopédico sobre Direito, mais de uma vez revisou o manuscrito. Jennifer Hulvey, da Faculdade de Direito da Universidade da Virgínia, me guiou pelo complexo mundo dos empréstimos estudantis. Obrigado a todos. Eles não devem levar a culpa pelos meus erros.

A pergunta que todos os escritores odeiam é: "De onde você tira as suas ideias?" No caso desta história, a resposta é simples. Li uma reportagem na edição de setembro de 2014 da revista *The Atlantic* chamada "O golpe das faculdades de Direito", uma bela matéria investigativa assinada por Paul Campos. Ao final da leitura, estava inspirado e sabia que havia encontrado meu próximo romance.

Obrigado, Sr. Campos.

CONHEÇA OUTROS LIVROS DE JOHN GRISHAM PUBLICADOS PELA ARQUEIRO

O homem inocente

Uma história real de crime e injustiça

Na cidade de Ada, Oklahoma, Ron Williamson tinha tudo para entrar para o rol de estrelas do mundo do beisebol. Mas, em seu caminho para a liga principal, Ron teve seu sonho destruído pelo álcool e pelas drogas.

Então, numa noite de inverno em 1982, perto da casa dele, a jovem garçonete Debra Sue Carter foi brutalmente assassinada. A investigação não tinha chegado a lugar nenhum, até que uma frágil evidência apontou para Ron como o culpado do crime.

O herói fracassado foi indiciado, julgado e condenado à morte, em um processo coalhado de testemunhas mentirosas e provas corrompidas que não só enterrou de vez a vida já destroçada de um homem como deixou um assassino à solta.

Transformado numa série do Netflix, o primeiro livro de não ficção de John Grisham tem uma pesquisa impecável e uma narrativa arrebatadora.

A firma

Quando Mitch McDeere é contratado pelo Bendini, Lambert & Locke, um bem-sucedido escritório de advogados, ele acha que sua vida e a de sua linda esposa, Abby, estão no caminho certo. A empresa lhe arranjou um carro luxuoso, quitou seus empréstimos estudantis, arrumou-lhe um financiamento imobiliário e contratou um decorador para sua casa.

Um dia, quando dois sócios da Bendini morrem em um estranho acidente, Mitch começa a suspeitar que há algo de errado no lugar. E quando o FBI descobre informações confidenciais sobre a firma e tenta convencê-lo a se tornar seu informante, ele se vê numa perigosa encruzilhada em que qualquer caminho pode colocar sua vida em risco.

O dossiê Pelicano

Certa noite, dois juízes da Suprema Corte dos Estados Unidos são assassinados em Washington. Os dois crimes abalam a opinião pública americana e, em Nova Orleans, uma brilhante aluna de Direito começa a preparar um dossiê jurídico.

Para Darby Shaw, suas conclusões nada mais são que um tiro no escuro. Mas, para o sistema em Washington, o dossiê é nitroglicerina pura. Em pouco tempo a própria Darby é vítima de uma tentativa de assassinato e descobre que só existe uma pessoa capaz de ajudá-la a desvendar o quebra-cabeça mortal: um ambicioso repórter que está trabalhando numa matéria mais polêmica que o caso Watergate.